新潮文庫

# 華麗なる一族

## 下巻

山崎豊子著

新潮社版

2623

# 華麗なる一族

下巻

# 一 章

綿貫《わたぬき》千太郎は、辺《あた》りの人が振り向くほどの大きなくしゃみをして眼を覚ました。新幹線のグリーン車の冷房が、上衣《うわぎ》を脱いでワイシャツ姿で寝入っていた綿貫には冷え過ぎたらしい。もう一度、大きなくしゃみをして、窓の外を見ると、列車は琵琶《びわ》湖の辺りを走っていた。

綿貫は、一カ月前にアサヒ石鹼《せっけん》が買収したロイヤル化粧品名古屋工場をメイン・バンクの融資担当専務として視察し、その足で京都に向っているのだった。阪神銀行の万俵《まんぴょう》頭取と会うためであったが、綿貫の胸中には微妙な思いがからんでいた。阪神特殊鋼のガス爆発事故があった翌日から、阪神銀行東京駐在の芥川《あくたがわ》を通して、万俵頭取に会い、じかに今後の阪神特殊鋼への対処方《がた》を聞きたいと、申し入れていたが、多忙を理由に返事を延び延びにされ、事故後一週間も経《た》ってから、「もし八月十五、六日頃に関西へご出張のご予定でもあれば、京都の鴨川《かもがわ》の床《ゆか》で大文字の送り火を眺めながら、ゆっくりお話し致したい」と返事して来たのだった。

待ちかまえていた返事であったが、そのためにだけ出張することは目だつから、たまたま買収したばかりのロイヤル化粧品の名古屋工場を視察するという形を取ったのである。それにしてもさんざん返事を延ばしておきながら、突然、京都で大文字の火を眺めながら懇談しようということの裏には、時が時だけに、何か尋常ならざる駈引《かけひ》きでもあるのではないかという動物的な嗅覚《きゆうかく》が頭を擡《もた》げていた。その反面、鴨川のお茶屋の床《ゆか》で舞妓《まいこ》に侍《はべ》られながら、大文字の火を眺める趣向は、綿貫の気持を娯《たの》しませた。

時計を見ると、京都まで間もなくであった。

鴨川べりのお茶屋の座敷から川原に向って組まれた床《ゆか》は、大文字の火を眺めながら酒宴を張る人々が溢《あふ》れ、提灯《ちようちん》の灯《あか》りの下で舞妓や芸者たちも賑《にぎ》やかに出入りしている。三条大橋寄りの『京清水』の床には、万俵大介と芥川が綿貫千太郎を迎えて、舞妓や芸者たちを侍らせていた。舞妓たちは姉芸者の指図で、綿貫を主客と心得、

「旦那《だん》さん、ようお越しやす、おおきに――」

「うちにもお酌さしておくれやす、おおきに――」

代る代るあどけない仕種《しぐさ》でお酌をすると、

「こりゃあ、豪勢な大文字見物ですな」

綿貫は、ずらりと列《なら》んだ六人の舞妓と芸者の顔を眺めて、相好を崩した。芥川はすかさず、

「そう云《い》って戴《いただ》くと恐縮です、大文字にこと寄せて、お呼びたてしたような形になって気にしておりました――」

と云うと、万俵も、

「いつも綿貫さんの方からお運び戴くことになり、恐縮です、まずご一献《いっこん》――」

献盃《けんぱい》すると、綿貫は盃《さかずき》を受けながら、

「いやいや、ちょうど名古屋のロイヤル化粧品の工場を視察する用件がありましたから、ついでのことにちょっと京都まで足を伸ばしただけですよ」

「で、いかがでした？　ロイヤル化粧品の方は――」

その買収資金の半分を融資した万俵が聞くと、

「合併で一番心配していた人の和も、どうやらうまく行きそうですので、アサヒ石鹼も従来の洗剤メーカーという単品メーカーから、化粧品分野に進出できました、これも万俵頭取のご支援あってこそと、アサヒ石鹼の筒井社長も大喜びですが、私もなお一層、力こぶを入れ、さらに大きくしてみせますよ」

「綿貫専務が肩入れされれば、力強いですね、ロイヤル化粧品という名前がいいですから、大いに高級イメージで売って行かれることですねえ」

芥川が相槌《あいづち》を打つように云うと、

「今度、ロイヤル化粧品のモデルにならはった男はん、ようおすなあ」

一番齢若《としわか》の舞妓が、蕾《つぼみ》のようにぽっちりと京紅をさした口もとを綻《ほころ》ばせて云った。もう一人の目鼻だちの整った舞妓は、

「そやろか、うちはあんなぼんぼんみたいな優男《やさおとこ》型より、もっとパンチのきいた逞《たくま》しいモデルさんの方がよろしいどすわ、なあ、姉ちゃん」

姉芸者の同意を求めるように云ったが、衿替《えりか》えして裾《すそ》を引いている姉芸者は、

「そんな、よそさんのお商売のことに口を出すもんやおへん、堪忍《かんにん》どっせ」

そつなく笑い、綿貫に酌をした。

「かまわん、かまわん、それよりロイヤル化粧品のこと、あんたらの口から大いに宣伝して貰《もろ》うた方が、結構——」

「ほんなら、うちのお兄ちゃんに早速、ロイヤル化粧品をすすめたげまひょ、ヘア・トニックはどこのがええやろと云うてたとこどす」

簪《かんざし》をゆらめかせ、さっきの舞妓が云うと、綿貫は、

「あんたのお兄ちゃんは、頭の禿《は》げたお兄ちゃんじゃないのかい」

とまぜっ返した。舞妓や芸者相手の他愛ない冗談と献盃が一しきり続いたあと、綿貫は頃合いを見はからうように、つと万俵の方へ顔を寄せた。

「頭取、先日の事故、あれはどの程度、今後の経営に響きますのですかねぇ」

阪神特殊鋼のことを、切り出した。万俵は、まだ送り火がはじまらぬ真っ暗な大文字山に眼を向け、

「実は、当初予想していたよりかなり悪い状態で、正直なところ、当行としても困っているのです」

「まさか……おどかさないで下さいよ、ねえ、芥川さん」

「いや、実は私も融資担当の渋野常務から聞くところによると、うちよりもおたくの方によりご迷惑がかかりそうだということで——」

芥川も言葉を濁すように、口を閉じた。

「じゃあ、今日、こちらへお招きあずかったのは、そのお話ですな」

万俵に向って云うと、

「その点については、こんなところも何ですし、ぜひともさしでお話しさせて戴きたいと思いましてね」

と云うなり、万俵は先にたって、床から座敷へ入った。

座敷の中は冷房がきき、大文字の火を観《み》るために電燈を消して蠟燭《ろうそく》の灯りが点《つ》いていたが、万俵と綿貫が向い合って坐《すわ》ると、仲居頭《がしら》は盃と銚子《ちょうし》を置いて退《さが》った。

「万俵頭取、さしでお話というのは、どういうことなんです？」

薄暗い灯りの中で、万俵の表情は変らなかったが、綿貫の大きな赭《あか》ら顔は緊張していた。

「不躾《ぶしつけ》ですが、阪神特殊鋼の事故があった翌朝、大同銀行さんで開かれた緊急役員会のご意向はどうだったのか、忌憚《きたん》のないところを伺いたいのです」

「正直云って、役員会の意見は、三つに分れました、三雲《みくも》頭取と、同じ日銀天下《あまくだ》り派である外国担当の白河専務は、あの爆発事故は偶発的に起った事故であり、会社の経営内容に多少、響くとしても従来通りの融資方針を変える必要はないという意見です、しかし私をはじめとする生抜《はえぬ》き派、つまり業務担当の小島、人事担当の山之内、総務企画担当の角野ら三常務は、無理な突貫工事から起るべくして起った事故であり、この際、慎重を期して引くべしという意見で、中間派にあたる経理担当の夏目専務と事務能率担当の中原常務は、暫《しば》く静観して、今度の事故が経営面にどう響くかを見てから決めるべきだという意見でした」

「そうすると、失礼ながら、御行《おんこう》には日銀天下り派、生抜き派、中間派の三つの派閥が役員間にまではっきりあり、その比率は、いま伺ったところでは、天下り派二、中間派二、生抜き派四というわけですね」

「……まあそういうことになりますが、うっかり、つまらぬことをお耳に入れてしまいました――」

綿貫は、うしろめたそうに云った。

「いやいや、決してつまらぬことじゃありませんよ、私がこうしてあなたにさしでお伺いしたいのは、実はその辺のところなんですよ」

万俵はゆっくりと盃をふくみながら云い、

「そうすると、綿貫さん、あなたを長とする生抜き派が数の上で役員会を制しており、役員会の議決が多数決によるかぎり、三雲頭取がどう考えられようと、阪神特殊鋼への対処の仕方は、あなたの思惑一つで、どうにでも出来るんじゃないですか」

「どうにでも出来るって――、それは一体、どういう意味……」

と云いかけ、綿貫ははっと言葉を切った。薄暗い灯りの中で、万俵の眼が不気味な謎《なぞ》を投げかけるように異様な光を放っていた。綿貫は、大事故を起して深傷《ふかで》を負った阪神特殊鋼を、万俵大介が見放そうとしていることにはじめて感付いた。あるいは万俵大介は、大同銀行に対し、阪神特殊鋼への融資を過熱させて、自行はうまく手を引き、結局、不良貸付で傷つく大同銀行を呑《の》もうと、相当以前から狙《ねら》っていたのではないかとさえ思った。万俵とじか取引したアサヒ石鹼と阪神特殊鋼の交換融資《バーター》も、その狙いの一環であったのかと思うと、戦慄《せんりつ》が走った。

「頭取、あなたが欲しいのは石鹼でなく、銀行でしょう」

斬《き》り込むように云うと、万俵は、

「女の話じゃありませんから、欲しいと云っても、簡単に手に入るものではありませんよ、あの妓《こ》たちが欲しいというのと、わけが違いますからね」

座敷からすだれ障子越しに見える床で、芥川を囲んでふざけている舞妓たちの方を眼で指した。

「けれど、万俵頭取なら欲しいもので手に入らないことはないでしょう」

「それは女将《おかみ》の計らい次第でしょう」

意味あり気に万俵が云った時、床の方からどよめきの声がし、

「早うおいでやす、送り火がはじまりますえ」

舞妓たちが、長い袖《そで》を振るように呼んだ。

斜め向いの大文字山の山腹にぽっと火が点いた瞬間、京の街のネオン・サインは一

斉に消え、漆黒《しっこく》の夜空にくっきりと大の字が燃え上った。

「つまり、お望みはあれですな」

綿貫が云うと、万俵は頷《うなず》いた。まさしく大の字に燃え上る送り火は、大同銀行の大の字であり、〃小が大を食う〃万俵大介の年来の念願を象徴していた。

「綿貫さん、今のように家がたて込まない昔は、大文字の〃大の字〃を盃にうつして、その盃を呑み交わすことが花街の粋《いき》な契《ちぎ》りとされたそうです、私たちもその故事にならって、盃を呑み交わそうじゃないですか」

万俵が促すと、綿貫はさすがに決心しかねるように躊躇《ためら》ったが、こうしてさしで密談した限りは、男女の仲でいえば同衾《どうきん》したも同じで、何もなかったでは通らない。まんまと万俵の罠《わな》にはめられたと思うと、綿貫は開き直るように、

「それでは、はしなくもこれまでご協力して参ったわけでございますな」

と云うと、万俵ははじめて、にんまりと笑った。

「綿貫さん、あなたのことは重々、心に畳み、今以上にご満足の行く立場を考えておりますよ、まあ盃を上げて下さい」

自分に加担して寝返るなら、副頭取のポストを用意することをほのめかすと、今は腹をきめてしまった綿貫は、注《つ》がれた盃を一気にあけた。

「それでは、もう一度、床に出て、うちの芥川も交えて盃をあげましょう」

床に出ると、綿貫は手摺《てすり》に身を乗り出した。大文字山に次いで、金閣寺山の左大文字が燃えはじめ、京の空を焼いた。

「ああ、燃えている、燃えている、大の字が！」

綿貫は異様に昂奮《こうふん》し、狂気のような声を上げて、両手で手摺を叩《たた》き、叩きながらまた大声を上げた。


月末の阪神特殊鋼の経理部は、一日中、多忙を極め、午後四時近くになっても、出《すい》納《とう》窓口には、支払手形や小切手を貰いに来る各社の事務員の姿が絶えない。

経理部長の安井は、ワイシャツ姿で忙しくたち働いている二十数名の部員たちに眼を配りながら、さっきから机の前に坐り込んでいる下請けの戎《えびす》歯車の社長が、一刻も早く帰ってくれることを願っていた。

「そら、あんな大きな爆発事故のあとでっさかい、苦しいのはようわかってま、そやけど、この不況の最中《さなか》では、阪神さんより、うちら従業員七十人足らずの正真正銘の中小企業の方がもっと苦しいのに、百二十日の手形を、この上さらに百五十日に引き延ばしはるとは、あんまり殺生《せっしょう》やおまへんか」

阪神特殊鋼の下請け会社の中で中クラスの戎歯車の社長は、その名前のように丸い戎顔をふくらませ、半袖の開襟《かいきん》シャツの衿もとに風を入れながら、安井経理部長の方へ乗り出した。

「その点はほんとうに申しわけなく、先日来、担当者が説明に伺っている次第で、取引先の皆さん方には、商社筋も下請け筋もご納得戴きましたので、暫くの間、おたくもご協力のほどを——」

下手《したで》に出ながらも、次第に有無《うむ》を云わさぬ云い方をすると、

「そうでっか、こんだけ頼んでも百五十日の手形で辛抱せぇと云わはるのなら、諦《あきら》めんと仕方おまへんけど、おたくさんとこ、大丈夫でおますやろな」

百五十日先の支払手形と、安井経理部長の顔を見比べ、不安そうに聞いた。

「何を根拠に、そんなことをおっしゃるのです！」

聞き咎《とが》めるように云うと、その剣幕に気圧《けお》されるように、戎社長は、

「いや、そのでんな、事故以来、いろんな噂《うわさ》を聞くもんで、つい……どうもご無礼申しました、ほな、ごめんやす」

蒼惶《そうこう》と手形を集金鞄《かばん》におし込んで出て行った。

そのうしろ姿を見ながら、安井は確かに熱風炉の爆発事故さえなければ、いかに不況が長びいているとはいえ、支払い条件の悪化は、今少し先まで持ちこたえられたものをと、万俵専務の高炉建設突貫工事の指令を苦々しく思った。不況下に、支払い条件が悪化すると、たちまち危ないという噂がたって、会社の信用が失墜するから、何とか銀行で借り繋《つな》いで、がんばり通してきたが、爆発事故後の資金繰りの苦しさは、もはや掩《おお》うべくもなかった。

安井は、大きな溜息《ためいき》をつき、斜め向いの次長に、

「君、例の東京精工の手形の件について、五菱《ごりよう》銀行の方から、まだ何も云《い》って来ないかね」

気懸《きがか》りになっていたことを聞くと、

「え？　まだ連絡が来ていないのですか、私はとっくに部長のところへ返事が来ていると思っておりましたが――」

驚くように云った。

「うむ、この時間まで何も云って来ないのだから、心配することはないと思うが、ともかく確認の電話をしておこう」

安井は四時を指した時計を見て、交換手に五菱銀行神戸支店へ繋ぐように命じた。

毎月、東京精工に対しては、三千万円の高級特殊鋼の売掛があり、その売掛金は通常、九十日手形で貰っていたが、月はじめに貰う支払手形は、たいていその月末に、東京精工の取引銀行である五菱銀行神戸支店で割り引いていた。そして今月も、その前提で資金繰りを考え、同じく八月末日に五菱銀行神戸支店を支払い場所とした江州《ごうしゅう》商事の二千五百万円の支払手形を割り引いて貰うその資金で、決済する算段にしていたのだった。ところが三日前になって、突如、五菱銀行神戸支店から、今月の手形割引には応じられないと云って来たのだった。

理由は、阪神特殊鋼の当座預金の残高が一千万円しかない上、熱風炉の大事故でとかく資金繰りの破綻《はたん》が取沙汰《とりざた》されているので、阪神特殊鋼の融資残高五億をかかえている五菱銀行としては、一時、事態を静観したいというのであった。当座預金に一千万円の残高しかなくとも、二億の定期預金があるのだから、割引には応じてほしいと再度、交渉し、五菱銀行の神戸支店長は、ようやく諒承《りょうしょう》してくれたが、最終的な返事は後日、改めてということになっていたのだった。とかく形式と手順を重んじる銀行であったから、事実上、収拾がついていると思ったが、何の連絡もないとなると、やはり気になる。

電話が鳴り、交換手が五菱銀行の支店長席に繋いでいる最中に、向うから電話が入ったことを知らせた。

「これはどうも――、今、ちょうど御行《おんこう》へ電話を申し込んでいたところですよ」

安井が声をはずませると、

「さようでございますか、実は先日、お話合いした東京精工の三千万の手形割引は、本店指示により、割引停止にさせて戴《いただ》きました」

五菱銀行神戸支店長の硬い声が返って来た。

「なんですって！　すると、江州商事の今日が期限の支払手形は、一体どうなるのですか」

驚愕《きょうがく》のあまり、怒鳴るように云うと、

「どうなるかと、今になって云われましても――、そちらからはその後、何のご連絡もありませんし、先日もご通知申し上げましたように、御社の当座預金は一千万の残高しかございませんので、やむを得ず、一応不渡りの処置をとり、持出し銀行の富国銀行大阪支店へ返却致しました」

「不渡り？　そ、そんな、あんまりひどいじゃないですか、この間、諒承して下さったのは、あれは嘘《うそ》だったんですか！」

経理部員たちは、総だちになった。しかし受話器を伝わって来る声は、あくまで慇《いん》懃《ぎん》であった。

「御社の窮状はよく解《わか》り、ご要望に添うべく努力致しましたが、本店からはやはり只《ただ》今《いま》ご通知したような指示が参りましたので、ここのところはひとつ――」

「そんな馬鹿《ばか》な！　それならなぜ、もっと早く云って来て下さらないのです、支店長、おたくはうちの会社を潰《つぶ》すつもりなんですか！」

安井は心臓が動悸《どうき》を搏《う》ち、声が上ずった。

「とんでもありません、私と致しましては、三日前の段階では、この事態を何とか回避したいと思い、最後の最後まで本店と折衝しましたが、おたくからはその後、どうなったかの電話一本なく、挙句《あげく》の果てにそんなおっしゃられ方をされるとは、心外です」

「しかし、決済日の午後になって、事後承諾を求めて来られるおたくこそ、あんまり血が通わなさすぎる仕打ちではないですか、決済資金が御行でみて貰《もら》えないなら、これから急遽《きゅうきょ》、ほかで手当しますから、江州商事の手形を不渡りにすることはストップして下さい、お願い致します！」

「お気持の程は、充分解りますが、既に手形の交換時間は過ぎております関係上、一応、不渡りという処置にしないと当店がかぶってしまいますので、ともかく持出し銀行に返却の手続きをしてしまったのですよ、したがってこれから後のことは、御社が富国銀行大阪支店へ明朝の十時までに行かれ、江州商事の手形を買い戻して下さることです、十時までに買い戻されれば、不渡りにはなりません」

事務的に応答した。

「それは解っていますが、そこを何とか——」

安井が取り縋《すが》るように云った時、背後から受話器がもぎ取られた。銭高《ぜにたか》常務であった。経理部員から報《しら》せを受けて駈《か》けつけ、電話のやりとりを聞いていたらしく、蒼白《そうはく》な顔で受話器を握った。

「もしもし、銭高でございます、経緯《いきさつ》は横にいて、大体聞いておりましたが、何とか富国銀行へ返却される手形は、御行でストップ願えませんか」

「これはこれは、常務じきじきに恐縮でございます、ですが安井経理部長にご説明した如《ごと》く、本店の指示で、私の力ではどうにもならないことでございますので——」

「しかし、一旦《いったん》、諒解されたことを、どうして本店がノーと云って来られたのですか、その点が納得出来かねます」

銭高も次第に声を荒らげて詰《なじ》ると、暫《しば》し沈黙があったが、

「常務がそうおっしゃるなら、甚《はなは》だ僭越《せんえつ》ながら、この際、本店及び当支店の気持をあ

りていに申し上げましょう、実は私どもとしましては、高炉の設備資金におつき合いするかわりと申しては何ですが、振込指定や外国為替《かわせ》の取扱いをさせてほしいと、安井経理部長を通して、いろいろお願いしておりましたが、今まで何一つお聞き届け戴けないばかりか、先般、あれだけ大きな爆発事故が発生しながら、若い係員の方がご挨拶《あいさつ》程度においでになっただけで、事故の詳しい内容や今後の再建策等については碌《ろく》に説明も受けておりません、こういうことが重なりますと、もはや阪神特殊鋼さんは私どもの銀行とはお取引なさる意思がないのだと、思わざるを得ないのでありまして、三日前、当方なりの意思表示をしたわけでございます」

厭味《いやみ》な云い方をした。

「事故のご説明に不充分な点がありましたことは衷心よりお詫《わ》び申し上げます、しかし三日前、その通知を受けまして、安井がお詫びかたがた、ひき続き今まで通りのお取引をと、改めてのご依頼に参上しました時には、支店長はお引受け下さったでは――」

銭高は、粘り強く食い下った。

「それは安井経理部長のお思い違いで、私はちゃんと最終的には、本店の意向を聞いてから決めさせて戴くと申し上げましたよ、本店では、金融逼迫《ひっぱく》期の折柄、長いおつき合いの取引先にも手が廻りかねる状態だから、この際、阪神特殊鋼さんはメインの阪神銀行さん以外に、大同銀行さんも平行メインとしてがっちりついておいでになることだし、そちらの方でよりお取引を深めて行かれれば、と申しましてねぇ」

と云った。これまでのつき合いの悪さと、事故後の阪神特殊鋼の説明の不充分さが五菱銀行本店の態度を硬化させ、同時に危機感を募らせていることが察知された。

「では、どうあっても江州商事の手形は、御行の手でお戻し戴くわけには参らないのですか」

銭高は、最後の一押しをした。

「はい、こうなりましては、御社からじきじきに持出し銀行へ行かれ、解決されるのがよろしいかと存じます、悪《あ》しからず――」

支店長は突き放すような冷たさで云い、電話をきった。不渡りになった手形は、手形交換所を経由して持出し銀行へ逆交換されるのだった。

銭高は受話器を置くと、安井と顔を見合せた。すぐさま二千五百万円の資金の手当をして、不渡り手形を買い戻すとしても、一時不渡りを出してしまった阪神特殊鋼の噂は、明日の午前中に金融界に拡《ひろ》がることは明らかであった。

「常務、どう致しましょう」

茫然《ぼうぜん》として安井が云うと、銭高は、安井にだけ通じる眼くばせをし、隣接する応接室に入り、ぴたりと扉《ドア》を閉めた。

「まずいことになったな、早速、買戻しの資金をつくらなければならないが、阪神銀行には頼めないし——」

万俵頭取から見せかけ融資の操作をして、大同銀行に貸し込ませることを命じられているので、困惑するように口髭《くちひげ》を撫《な》でた。銭高の指示で、直接、その操作に当っている安井も頭を抱《かか》え込んだ。

「やはり大同銀行へ行かざるを得ませんね」

「うむ、私が今から行って来る」

「では、私も——」

「いや、君は来ない方が目だたなくていい」

「しかし、じっとしておれません、もとはといえば、私が五菱銀行ときっちり話を詰めなかったばかりに起ったことですから——」

「むろん、君にも責任はあるが、万俵頭取が見せかけ融資を云い出された時から、阪神特殊鋼はこうなることが解っていたのだ、ただ、ちょっとその時期が早すぎただけだ——、ともかく君は社内の動揺を大きくしないためにも、残っており給《たま》え」

「解りました、上京中の万俵専務にはすぐお報せした方がいいでしょうね」

指示を仰ぐと、銭高は一瞬、躊躇《ためら》ったが、

「やむを得まい、だがその前に、大同銀行の橋爪《はしづめ》支店長を足止めしておいてくれ」

早口に命じた。

四時三十五分に大同銀行神戸支店に着くと、橋爪支店長は、支店長室におり、行員たちもシャッターをおろした店内で忙しく仕事をしていた。

「どうも月末のご多忙のところ、突然お邪魔致しまして――」

銭高はあたふたと支店長室に入り、恐縮するように挨拶した。

「早速ですが、常務ごじきじき、火急のご用件とは何でございましょう、安井経理部長からお電話を戴いた時は、今日はご勘弁願いたいと申し上げたのですがねぇ」

月末の飛込みに、橋爪支店長は警戒するように云った。

「実は五菱銀行神戸支店で、不渡り手形を出してしまいまして――」

「えっ！ それはまたどういうことです？」

橋爪はくわえかけた煙草《たばこ》を取り落さんばかりに驚いた。銭高は経緯を説明し、

「まことにお恥ずかしい限りです、こちらとしても不意打ちを食った形で、五菱銀行

のなさり方にはわが社なりの云い分がありますが、今となって残された道は、不渡り処分になった手形を買い戻すことのみで、御行《おんこう》で是非とも二千五百万円の日銀チェックを切って戴きたいのです、明日一番に、富国銀行大阪支店へ行って、不渡り処分となった手形を買い戻して参ります」

と頼み込んだ。橋爪支店長は露骨に厭な顔をし、

「そういうご用だてはメインの阪神銀行さんへお願いに行かれるのが、筋というものではないでしょうか」

「しかし阪神銀行には、既に事故後も何かと借り増しておりますので、今回は御行でお借りしたいのです」

「そんな無茶な——、当行は、他行が不渡りとされた手形の買戻し金の融通など出来かねます、しかも御社が不渡りを出すほど切羽詰った状態だなど、ちっともおっしゃらなかったじゃありませんか」

「それは先程もご説明しましたように、わが社と五菱銀行さんとの間で意思の疎通《そつう》を欠いたことによって起った事態で、御行に隠しだてをするようなことは何らありません、またそれなればこそ、恥を忍んで、こうして参上したわけでして、橋爪支店長のご慈悲におすがりする次第です」

恥も外聞もなく頭を下げると、橋爪は苦りきって、黙り込んだ。二千五百万円のことで融資を拒めば、手形を買い戻す時間的余裕のない時だけに、万一の事態に発展した場合、直接の担当者として重大な責任がのしかかって来る。といって、本来メイン・バンクが面倒をみるべき筋である融資を肩替りするのは、すっきりしないものが残る。こんな場合は自分で決裁せず、綿貫専務に相談して下駄を預けた方が得策かと、判断に迷っていると、

「支店長、こんなことをお願いに参るのも、実は以前、別枠《べつわく》融資の御礼に本店へ参上し、綿貫専務にお目にかかった折、困ったことがあれば橋爪支店長に何なりと相談するようにと云われたものですから……」

銭高がちらっと上眼遣いで云った。橋爪は、内心を見抜かれたようなばつの悪い顔をし、

「じゃあ、少しお待ち下さい、金額よりことがことだけに、本店の意向を聞かないことには――」

と云い、支店長室を出て行ったが、十分程して戻って来ると、

「今回は当行が面倒をみましょう、しかし改めて、おたくの財務内容の調査をさせて戴きますよ」

と云い、二千五百万円の日銀チェックを切った。日銀チェックは現金と同じ価値を持つもので、不渡り処分にされた手形は、現金もしくは日銀チェックでなければ買い戻せない。銭高はおし戴くように受け取り、

「おかげで助かりました、万俵専務は上京中でございますが、このことは直ちに連絡致します」

と云い、これ以上、長居して藪蛇《やぶへび》にならぬよう慌《あわただ》しく席をたった。橋爪支店長はまだ阪神銀行の見せかけ融資に全く気付いていない様子だからであった。

東京の大同銀行本店では、三雲頭取が先刻《さつき》から何度も五菱銀行本店へ電話をかけていた。神戸支店で不渡りになった阪神特殊鋼の手形を、五菱銀行本店の融資担当の松村専務に頼んで、不渡り手形として手形交換所に廻らぬようにして貰うためであったが、なかなか、相手がつかまらない。三雲頭取は、万俵鉄平の方を向き、

「困りましたねぇ、明朝、持出し銀行で買い戻せば、不渡りは回避出来ますが、一旦、持出し銀行へ不渡りの形で戻ってしまうと、金融機関の信用を失うから、何とかして手形が交換所へ廻らぬ前に止めなくては――」

先行《さきゆき》を案じるように云《い》うと、万俵鉄平は頭を垂れた。

「手形買戻しの資金手当を、御行でして戴いた上、さらにこのようなご配慮まで戴き、お恥ずかしい限りです……」

鉄平は、事故によってユーザーが動揺し、契約がキャンセルにならないように、東京の大口ユーザーの間を奔走しているところへ、銭高常務から電話がかかり、ことの次第を聞いて、三雲頭取のもとへ駈けつけて来たのだったが、いかに自分の留守中とはいえ、メイン・バンクである阪神銀行に手形買戻しの資金を頼まなかった銭高の処置が腹だたしく、恥ずかしかった。

三雲は、また直通電話のダイヤルを廻した。五菱銀行の松村専務とは、日銀時代から昵懇《じっこん》の間柄であった。

「もしもし、松村さん、三雲です、今日はお願いしたい件があって、先程来ご連絡申し上げているのですよ、実は当行の融資先である阪神特殊鋼の手形が、おたくの神戸支店でちょっとした行き違いから、つい先程、不渡り処分になったのですが、当行で手形買戻しの資金手当をしましたから、一応、御行の当座の貸越しにして、不渡りにならぬようにしてやって下さい、金額は少額ですが、何分、高炉建設中の時ですので、こんな噂《うわさ》が拡がりますと、今後の資金調達に大きく影響しますので、何とか善処をお願いしたいのです、最終的にこの手形に関しては当行が責任を持ちますから——」

三雲は、五時を指しかけている時計を見ながら、慌しく云った。電話器の向うで、暫時《ざんじ》、困惑するような沈黙があり、

「解りました、御行が責任を持たれるならば、技術的な面で、今からでもそれが可能かどうか問題ですが、ともかく直ちに現地に連絡を取ってみましょう」

と応《こた》え、すぐ電話をきった。三雲は受話器を置くと、ハンカチーフで額に滲《にじ》んだ汗を拭《ぬぐ》った。

大きな咳払《せきばら》いがして、扉《とびら》が開いた。綿貫千太郎であった。

「頭取、五菱銀行とのお話合いはいかがでございましたか？」

気懸《きが》かりそうに聞き、鉄平にも、

「専務も何かとご心配でしょうが、三雲頭取から向うの松村専務という線なら、何とかなりそうでございますよ」

と励まし、秘書に新しいお茶を云いつけかけると、ベルが鳴った。三雲はすぐ受話器を取った。待ち受けていた松村専務からの電話であった。

「もし、もし、三雲です、いかがでしたか？」

急《せ》き込むように聞くと、

「あれからすぐ神戸支店へ連絡し、支店長に事情を話したのですが、一足違いで、手形を交換便の車に積み込んでしまい、その最終便の車が出てしまったあとだものですから――、どうしようもないわけで、せっかくのお電話でございましたが、悪しからずご諒承《りようしよう》願いたいのです」

慇懃《いんぎん》に云った。一行の各支店から出る一日数万枚にのぼる手形、小切手類は、交換便の車によって集められ、交換所に運ばれるが、一旦、その車に積み込まれてしまうと、その分だけ引き出すことは、事実上、不可能であった。

三雲は黙って受話器を置き、鉄平はがくりと肩を落した。阪神特殊鋼の一時不渡りは、忽《たちま》ちブラック・ニュースとして業界、金融筋に流れることは必至であった。

「ひどいとこですな、五菱銀行というのは」

綿貫は大きな声で憤《いきどお》るように云ったが、鼻翼《ふく》を膨らませたその顔は、口ほどでもなかった。

万俵鉄平は、大同銀行本店を出ると、麻布《あざぶ》六本木の『つる乃家《のや》』に向って、車を走らせていた。

独りになると、今さらのように三雲頭取に対する申しわけなさと恥ずかしさが募り、阪神銀行の頭取を父に持ちながら、その父から何の助力も得られず、大同銀行の三雲頭取にかほどまでの迷惑をかけたという思いが、心を重く押しひしいだ。つる乃家の玄関を入ると、若女将《おかみ》の芙佐子《ふさこ》が出迎えた。

「お久しぶりですこと、お達者で何よりですわ」

阪神特殊鋼の事故後、はじめてであったが、そのことは口にせず、いそいそと奥座敷へ案内した。打水に濡《ぬ》れた中庭を隔てた表座敷には、芸者をあげている賑《にぎ》やかな客の声が聞えたが、奥座敷はひっそりとして、冷房がきいていた。

「ちょうど、お夕食の頃ですけれど、お召し上りものは何になさる？」

「何もいらない、酒、冷酒だけでいい」

ぶっきら棒に応えた。

「駄目よ、そんな充血した疲れた眼をしてらして、お酒だけ召し上ると、体を悪くするわ」

仲居を呼んで酒と料理の用意を云いつけ、運ばれて来ると、

「さあ、どうぞ、お一つ――」

盃《さかずき》をすすめた。しかし鉄平はそばにあるコップを取って注《つ》がせ、ぐいと酒をあおった途端、激しい頭痛がし、顔を顰《しか》めた。

「どうなすったの、どこかお工合でもお悪いのじゃなくて？」

「いや、このところ東奔西走で睡眠不足なんだろう」

「そんな無茶な飲み方は駄目、大分、お疲れの様子だから、少しお寝《やす》みになっては？　すぐお床を取らせますから――」

気遣うように云った。事故発生以来、事故原因の究明、遺族の弔慰、熱風炉の再建策、その上に資金繰りと、この二週間ほどはぶっ通しに駈《か》けずり廻り、疲れきっていたが、頭痛を覚えるのは初めての兆候であった。

「じゃあ、飲むのはこれぐらいにして、少し寝むよ、だが、若い妓《こ》を呼んでくれ」

「まあ、それこそ、体に毒よ」

窘《たしな》めるように云ったが、鉄平はどんよりと澱《よど》むような疲れの中で、女が欲しかった。

次の間に、床の用意がされている間に、鉄平はさっとシャワーを浴び、浴衣《ゆかた》に着替えた。越後上布のさらりとした夏夜具に、男女の枕《まくら》が並べられ、鉄平は男枕にごろりと仰向き、芸者が来るまで少し眠ろうとすると、芙佐子が水差しを運んで来た。

「はい、湯上りのお氷水《ひや》よ」

平絽《ひらろ》の涼やかな着物の袖口《そでぐち》から、白く肉付いた手が、眼の上に見えた。鉄平は氷水を受け取らず、芙佐子の手を取った。夜具に水がこぼれ、芙佐子の体が揺らいだ。

「あら、お水がこぼれたじゃないの」

さらりと受け流すように、鉄平の顔を睨《にら》んだ。

「どうして逃げるんだ、あんたは老女将の養女ではなく、ほんとうは祖父と老女将の間に生れた実の娘だということは、この間、聞いたが、それだって別にどうってことはないじゃないか」

鉄平はぐいと芙佐子を引き寄せ、いきなり衿《えり》もとに手をさし入れた。むっちりとした白い肌が露《あら》わになり、乳房にふれた。

「あなた、自分の云ってることが解《わか》らないの、あなたと私は血の繋《つな》がった叔母と甥《おい》なのよ、おそろしい……」

芙佐子は体を震わせ、鉄平の腕をふりほどこうと、抗《あらが》った。

「ほんとに叔母と甥なのかい、もしかしてもっと血が濃いので、それであんたはそんなに怯《おび》えているんじゃないのか」

鉄平の脳裡《り》に祖父の顔がうかび、芙佐子の体を引き寄せたまま、問い詰めるように迫ると、芙佐子は頬をひきつらせ、

「何ということを……、そんなことありようはずがないって、前にも云ったじゃありませんか、離して！」

「離さん、ほんとうのことを云え、あんたは、僕の何にあたるのだ！」

鉄平の眼に異様な光が増した。それが解れば、自身の出生《しゅっしょう》が明らかになる。しかし、芙佐子は頑《かたく》なに口を閉ざしている。

「云え、云え、ほんとうのことを云ってくれ！」

芙佐子の体を揺さぶり、声を荒らげながら、鉄平はいつの間にか、自分の声が悲痛な哀訴になっていることに気付いた。

「云わないのか、それなら――」

鉄平の手に力が入り、芙佐子の体を押し倒した。はだけた衿もとがさらに露わになり、夜具の上に束ねた黒髪が乱れた。

「駄目！　いけないのよ……」

振り搾《しぼ》るような声で、鉄平の手を払い除《の》けると、芙佐子は逃れるように座敷を走り出た。


一時不渡りを出した阪神特殊鋼の噂は、燎原《りょうげん》の火の如《ごと》く業界、金融界に拡《ひろ》がった。そしてそれから半月もたたぬうちに、融資各行の会合が開かれた。表面上は爆発事

以上が阪神特殊鋼の再建計画で、細かい点については多少の異論もあるかと存じますが、大筋としては、私どもメインと致しましても、この線で各行の皆さま方のご協力を戴《いただ》ければ幸いでございます」

渋野は説明を終えると、改めて一同に頭を下げ、協力方《がた》を要請した。長期開発銀行の東郷常務は、

「では只今《ただいま》のご説明をもとに、われわれ銀行団の融資方針を決めたいと思いますが、以上の点でどなたかご質問は？」

と聞いたが、各行役員は眼をテーブルの上に向け、黙りこくっている。ややあって、大同銀行の綿貫が口を開いた。

「では、私から一、二、お尋ねさせて戴きます、まず第一に特殊鋼業界の今後の市況について、渋野さんは今が底入れ期で、半年後には一割アップするというご見解ですが、渋野さんらしくない楽観論ですねぇ、鉄鋼連盟や通産省の景気指標を仔細《しさい》に検討しての私見ですが、私は特殊鋼需要は、この先当分、頭打ちの上、需給のアンバランスは半年や一年では回復しないと思います」

大きく張った鼻翼をふくらませ、したり顔で云った。日頃、そういう方面に通暁《つうぎょう》していないはずの綿貫が、この日に限って滔々《とうとう》と弁じたてるのに、他行の役員たちは奇

異な眼《まな》ざしを交わしたが、綿貫はこの委員会のために、部下に進講させて俄《にわか》勉強して来たのだった。綿貫はますます得意気に、

「どうですかな、大友銀行さん、〃調査の大友〃と云《い》われている御行《おんこう》なら、市況の見通しにはお詳しいと思いますが、私の推測は如何《いかが》なものでしょうか」

と云うと、大友銀行の常務は、

「さようでございますね、鉄鋼、なかでも特殊鋼の市況見通しは難かしいですからねえ」

曖昧《あいまい》に応《こた》えをそらした。融資順位が四位以下ともなると、問題を抱えた融資先からは逃げたくて仕方がないから、こういう会議には自行の意見をなるべく云わず、損をしないようにたち廻る。しかし綿貫は一同の沈黙などおかまいなしに、さらに体を乗り出した。

「それに、阪神特殊鋼は昨年十二月、大口の輸出キャンセルに遭い、かなりの不良在庫を抱え、損失負担をさらに累加《るいか》させているようですね、ですから渋野さんがおっしゃったように、高炉が稼動すれば八カ月で損失額がカバー出来るなんて、とてもじゃないと思うのですが、第三銀行さんや五和銀行さんは、この輸出キャンセルの件が、阪神特殊鋼の立直りに相当マイナスになるとお考えになりませんか」

「輸出キャンセルと申しますと、どちらからで？」

五和銀行が、怪訝《けげん》そうな表情で尋ねた。

「おや、ご存知なかったんですか、ほらアメリカン・ベアリング社というシカゴの会社ですよ」

「ほほう、私どもとしては初めて伺うお話ですので、それがどう響くか、今急にはとても判断出来ませんねぇ」

五和銀行と第三銀行は、ほんとうに初めて聞いたのか、計算ずくでそんな素振りをしているのか、異口同音に応えた。それでも綿貫は気勢をそがれる様子もなく、広い会議室に響き渡るような咳払《せきばら》いをした後、

「それに加えて、私が一番心配しているのは、阪神特殊鋼の事故以来の株価の暴落ですよ、今朝《けさ》はこちらへ出張したため、まだ株式欄を見ておりませんが、昨日の終値《おわりね》はいくらだったんでしょうな」

司会役の東郷の方を見た。

「五十一円と出ておりました」

「じゃあ、また六円下りましたな、事故直前まで七十二円だったのが、事故によって六十円に落ち、さらに額面すれすれまで下落しては、来春、三十億の増資はとてもお

ぼつかないですな、万一、増資が不可能な場合、また銀行融資が三十億追加されることになるのですかねぇ」

真向いに坐っている渋野に云った。

「綿貫さんのご懸念《けねん》はごもっともな点もございますが、現在、株価は底入れ気分でして、阪神特殊鋼が高炉稼動という他社の追随を許さない強味を発揮出来るようになれば、事故によって一時的に売られ、下落した株価も、自《おの》ずから回復すると信じております」

「しかし、問題は果して高炉がいつから稼動し得るかでねぇ、先月末のように、手形の決済で一時ごたごたしたことが起ると、胆《きも》が冷えますよ、五菱銀行さん、あれはどんな事情で起ったことなんですか」

綿貫はじわりと、一時不渡りの件にふれた。綿貫自身が、自行の神戸支店長からの連絡に対して、不渡り手形の買戻し資金は阪神銀行へ廻さず、自行で日銀チェックを切ってやるよう命じておきながらの質問であった。末席に固くなっていた五菱銀行の融資部長は、

「ああ、先月末の手形のことでございますか、あれは阪神特殊鋼の連絡がなかったことから起った思わぬハプニングで、すぐに解決のついたことでございますので――」

二千五百万ぐらいで不渡りにした冷たさを他行に非難されまいとして、ことさら偶発性を強調して応えた。担当役員が出席しなかったのはそのためであった。それにしても各行の出席者たちは、平行メインである大同銀行の融資担当専務が、何故《なぜ》、阪神特殊鋼の悪材料をことさら並べたてるのかを、考えはじめていた。綿貫はそうした各行の微妙な心理の変化を嗅《か》ぎ取るように、

「なんだか今日は、私一人が出しゃばって喋《しゃべ》ってばかりで——、こんなことを申しますのも、正直云って、阪神特殊鋼の石川社長は高血圧で倒れており、実際上の経営が、弱冠三十九歳の万俵専務に委《ゆだ》ねられているからでございますよ」

憂《うれ》い顔で云った。その途端、一同ははっと表情を硬《こわ》ばらせ、貝のようにおし黙った。融資先の経営者の批判を、公式の銀行団の会合ですることはタブーであり、それを敢《あ》えてする時は、その会社が警戒しなければならない段階を暗示しているからであった。

司会役の長期開発銀行の東郷は、敏感にそうした気配を感じ取り、

「みなさんのご意見が出尽したようですから、今後、阪神特殊鋼に対して、どのような方針で臨むか、結論に入りたいと思いますが、ご異議ございませんね」

一同を見廻すと、再び綿貫が口を開いた。

「しかし事故の大きさ、一時不渡りの問題など、容易ならざる事態だけに、この際、

会社の財務内容を調査した上で、今後の切抜け策を考えた方が、会社自身のためにも、われわれ銀行団にとっても、必要なことじゃないでしょうか」

「なるほど、それはいいご意見ですね、メインの阪神銀行さんでやって下さいますか」

東郷が云うと、渋野はどういう思惑があるのか、妙にはっきりしない口調で、

「調査となると、当行は専門の調査のスタッフ陣に欠けていますので、調査ご専門の長期開発銀行さんにお任せ致したいと存じますが――」

と譲った。綿貫はすかさず、

「阪神特殊鋼と阪神銀行さんは血縁関係の間柄であられるだけに、その方が阪神銀行さんにしてもお気が楽かもしれないし、客観的な立場ということで、われわれ市中銀行より長期開発銀行さんの方が、適役ではありますね」

と相槌《あいづち》をうった。この日の委員会で疑心暗鬼の気持をさらに強めた他行にも、阪神特殊鋼の財務内容の調査は異論なく、委員会は毒を盛った〝綿貫独演会〟で終始した。

それから三日後、東京へ帰った綿貫千太郎は腹心の部下たちと飲む〝綿貫会〟のは

じまる前に神楽坂《かぐらざか》の料亭『わかもと』へ来、芸者の膝枕《ひざまくら》で耳垢《みみあか》をとらせていた。上衣《うわぎ》を脱ぎ、ネクタイをゆるめ、ズボンのベルトをゆるめただらしない恰好《かっこう》で、懇《ねんご》ろの芸者の太股《ふともも》に頭をおしつけた綿貫は、

「ああ、いい気持だ、豆千代、そこそこ」

とろんと眼を半開きにして、声を上げた。

「いやあねぇ、妙な声を出さないでよ、へんに勘ぐられるじゃありませんか」

豆千代は慌《あわ》てて、耳かきの手を止め、綿貫の肩をつついた。

「ここは離れ座敷だから、誰に気がねがいるものか、豆千代、今のところ、もっとかいてくれ」

豆千代は鳩胸《はとむね》を突き出し、再び耳かきを動かし、

「あまりいじりまわすと、またいつかみたいにおできが出来てよ、そうでなくても千さまの耳は、耳だれがしているんだから」

耳かきの先についたねばねばとした耳垢を懐紙にこすりつけた。綿貫はここちよげに眼を閉じていたが、不意に、

「豆千代、同じ旦那《だんな》をもつなら、一度は〝頭取〟と名のつく旦那を持ちたくないか？」

真面目《まじめ》な顔つきで聞いた。

「そりゃあ世間にごまんといる社長よりは、銀行の頭取の方が望むところよ、どなたかお世話して下さるの？」

色っぽく体をくねらせた。豆千代と綿貫の仲は二年前からで、家を持たせたり、月々きまった手当を渡すほどの間柄ではなかったが、綿貫の座敷には必ず呼ばれ、月に何度か同衾《どうきん》し、生活費の一部をみるという、いわばお座敷旦那の関係であった。

綿貫は、豆千代の膝《ひざ》の間に手を滑り込ませ、

「今すぐというわけにはいかんが、豆千代の心がけ次第で考えてやらないでもない、もっとも、当分の間は、頭取の上に〝副〟がつくだろうがねぇ」

「じゃあ、千さまは将来、アサヒ石鹼《せっけん》の社長じゃなくて、大同銀行の頭取におなりになるの、ほんと、ほんとなの？」

豆千代は、半信半疑で聞いた。

「まあ、ほんとうの話と信じて大いにサービスすることだな、但《ただ》しこの話は一切、他言禁物だぞ、いいな」

釘《くぎ》をさし、さらにむっちりとした肉付きの奥へ手を伸ばし、豆千代も淫《みだ》らに姿勢を崩しかけた時、からりと襖《ふすま》が開いた。綿貫親衛隊の連絡将校を自認する総務部次長の

影山であった。

「なんだ、声もかけずにいきなり部屋へ入って来る奴《やつ》があるか、耳掃除の最中だぞ、びっくりして豆千代が、わしの鼓膜を破りそうになったじゃないか」

狼狽《ろうばい》を押し隠すように叱《しか》りつけると、影山はいまさら、襖の外で声をかけても応答がなかったとは云えず、

「どうも申しわけございません、七時の会合の時間に遅れてはいけないと思って、急いで参りましたもので……」

まことしやかに云い繕った。間もなく業務担当の小島常務、長谷川総務部長に続いて、湊《みなと》本店営業部長、谷崎融資部次長が顔を揃《そろ》え、芸者たちも賑《にぎ》やかに座敷に入って来た。

床の間を背にした綿貫を中心に、一わたり盃《さかずき》が交わされると、綿貫の股肱《ここう》の臣である小島常務が、

「専務、阪神特殊鋼は大丈夫ですか、事故処理委員会が三日前、設けられたと思ったら、時をおかず財務内容が長期開発銀行の手によって調査されることになるなど、事態が急テンポに進んでいますが、平行メインの当行も安閑としてはおれないんじゃないですか」

心配顔で聞くと、湊本店営業部長も芸者の酌を受けながら、

「僅《わず》か一年半程の間に、平行メインにまで突っ込んで行ったのは、いつに三雲頭取のせいではありますが、専務は融資担当というお立場だけに、もしや責任が振りかかって来はしないかと心配で仕方ありません」

と云うと、他《ほか》の一同も頷いた。綿貫は一座を見渡し、

「みんなの心配は有難いが、わしが阪神特殊鋼に対して、高炉建設計画の当初から融資反対だったことは、行内で知らぬ者はないし、対外的にも百億近い融資が、融資担当役員の権限を遥《はる》かに越えているのはきまりきったことなんだから、目下、長期開発銀行が行なっている財務調査で、たとえどんな結果が出ようと、わしには、三雲の殿さんのように動ずる点など、何らありゃせんよ」

アサヒ石鹼と阪神特殊鋼の交換取引《バーター》を阪神銀行の万俵頭取と交わして以来、阪神特殊鋼に対する融資を反対しないどころか、俄《にわ》かに別枠《べつわく》融資まで認めて、部下たちの反撃を食ったことなどには一言も触れず、専《もっぱ》ら三雲頭取に責任を転嫁するように云った。小島常務以下、一座の者たちはさすがにあっ気に取られたように口詰ったが、綿貫の自信満々の言葉に勢いづいて、飲めば必ず出る三雲頭取以下日銀天下り派への批判が始まった。

「そういえば三雲頭取は、阪神特殊鋼の爆発事故以後、青菜に塩で、ことに最近は暇さえあれば、頭取室から日銀の建物を恋しそうに眺めて溜息《ためいき》をついているというじゃありませんか、長期開発銀行が調査に乗り出したことが、よっぽどショックなんですねぇ」

まるで見て来たことのように総務部長の長谷川が云うと、綿貫は、豆千代に注がせた盃をぐいと干し、

「そりゃあ、三雲の殿さんは日銀時代、調査畑だったから、自分が都市銀行の頭取になって、最初にこれぞと、銀行家の使命感で打ち込んだ企業が危なくなり、調査されたとなると、それだけで動転してしまうんだろうな、実はわしが関西銀行協会で開かれた事故処理委員会から帰って来た時、会議の模様を報告に行くと、殿さんは沈痛な表情の割に落ち着き払って聞いていたが、話し終ってから、わざとライターを置き忘れて頭取室へ引っ返すと、カタカタ、震えて、事故処理委員会の司会役を勤めた長期開発銀行の東郷常務に電話していたよ」

痛快そうに云うと、どっと笑いが起った。

「そういえば、うちの島津部長も、三雲頭取からそのことを聞いて以来、頭にきている様子でして、昨日《きのう》、笑えぬ話がありましたよ」

融資部次長の谷崎が、上司の日銀天下り部長をこきおろしはじめた。

「あの人、国際金融論が得意なのはいいとして、肝腎《かんじん》の貸借対照表の右左の見方がいまだに怪しいので閉口しているんですが、昨日、阪神特殊鋼の書類が入ったファイルから財務諸表をひっぱり出して、長い間、ためつすがめつ見ているんですよ、三雲頭取と一緒になって阪神特殊鋼への貸込みを指揮した融資部長の立場としては、何とかこれまでの債権回収をはかると同時に、会社がたち直る方策を考えなければならんわけですから、深刻なのも当然でしょうが、奴《やっこ》さん、真っ青《さお》な顔して、僕の方を見てるんですよ、それで、どうなすったんですかと傍《そば》へ行くと、君、阪神特殊鋼の財務構成は悪いどころの騒ぎじゃない、総借入れ額三百億に対して、預金がたった七億しかないと云《い》うんですよ、まさかと思って見ると、案の定、桁《けた》の読み違えで、七十億を七億と間違ったんですよ」

酒気を帯びた声で云うと、またどっと笑い声が上った。酒の席で、多分に戯画化された話であることは誰も承知の上だが、自分たちが営々として築いて来たと思っている銀行だけに、横合いから割り込み、ぬくぬくとしている日銀出身の天下り派が我慢ならないのだった。遅れて来た総務企画担当の角野常務が、

「専務、もし長期開発銀行の調査が悪い結果に出た場合、当行役員会で三雲頭取の責

任は、当然、問われることになるでしょうね」

と聞いた。その途端、綿貫の大きな赭《あか》ら顔が緩んだ。万俵大介との密約にしたがい、阪神銀行との合併に向って行内を切り崩して行くためには、まず自派の懐柔が必要だったが、日銀天下り派の追放と大同銀行の自主独立を悲願としている生抜き派が、はじめから自行より下位の阪神銀行との合併を賛成するはずはなかった。したがってまずその第一段階として、三雲頭取追放の機運を盛り上げねばならぬと、考えていた矢先であったのだ。しかし、綿貫はことさらに重い吐息をつき、

「もし阪神特殊鋼が危機に直面するようなことになれば、行内の役員会どころか、大蔵省が直ちに当行の経営の仕振《しぶり》について、圧力をかけてくるだろう」

と云うと、一同は顔色を変えた。

「阪神特殊鋼への融資の件で、大蔵省に睨《にら》まれたりしたら、われわれ融資に反対した者は、ますますもって、間尺に合わないじゃないですか、そんなことにならぬうちに、早期に三雲頭取に退陣して貰《もら》うことだと、僕は思いますね」

一番若い影山が気炎を上げるように云うと、融資部次長の谷崎も、

「そうだ、この機会に無能な日銀野郎など追っ払って、綿貫内閣を実現しようじゃないか、今こそ大同銀行一万行員の悲願達成の時期だ！」

昂《たかぶ》った声で云い、小島常務までが、

「専務、この間の副頭取昇任ストップの弔い合戦と思って、中間派の夏目専務以下の抱込み工作をやり、三雲追放にたち上って下さい、うかうかしていたら、大同銀行は、日銀ばかりか、大蔵省の天下り先にされかねませんよ」

強迫観念に駈《か》られるように云った。綿貫は大きく頷《うなず》きながら、うしろが床の間で誰にも見えぬのをいいことに、傍の豆千代のたっぷりとした尻《しり》を掌《てのひら》で娯《たの》しんでいた。

＊

高須相子《たかすあいこ》は、二子《つぎこ》の婚礼荷をしたためた目録を前に、じりじりとした思いで寧子《やすこ》を見た。

「七月十日にお結納がおさまって、あれから二カ月も経《た》っていますのに、おこしらえが和箪笥《わだんす》二棹《ふたさお》、小袖《こそで》箪笥二棹、長持二棹、荷台一棹の七荷と、宝石箪笥と家具一式という荷数《にかず》だけしかきまらず、中身のほうが少しも進んでいないじゃありませんか、私は小泉夫人やその他の方々との交渉に忙しいし、寧子さまは京都ご出身ですから、せめて和服のおこしらえだけでも進めて下さいと、あれほど申し上げておりましたのに……」

詰《なじ》るように云うと、寧子は、九月半ばといっても残暑が残っている中で、越後上布の単衣《ひとえ》をきちんと着付けて、

「でも、肝腎の二子が取り合ってくれないものですから、きめようにも、きめかねて……」

口ごもるように云った。

「それがいけないのですよ、二子さんにはちゃんと云ってありますのに、一週間も軽井沢へ出かけたままなんですから、こちらで進めてしまえばよろしいのですわ、そうしないと、せっかくのお縁談《はなし》が進みませんことよ」

「けど、もうそろそろ帰って来る頃ですから、少し待ってやれば――」

「結婚式は来春の三月三日ですのよ、振袖《ふりそで》、訪問着をはじめ、丸帯なども龍村《たつむら》の丸帯となれば、一本別織にして戴《いただ》くのに四、五カ月はかかりましょう？　その他いろんな準備を考えますと、寧子さまのように悠長にかまえていらしては、全般の運びを任されている私が迷惑致しますわ」

と云いながら、相子は、阪神特殊鋼の事故が起って以来、俄かに多忙を極めている万俵大介の内部に、何か尋常でない変化が起っていることを感じ取っていた。それだけに家内《いえうち》の差配を任されている自分は、迂闊《うかつ》にしておれないという思いが強かった。

室内電話が鳴り、相子が受話器を取った。

「もしもし、大へんでございます、万樹子《まきこ》奥さまが、只今《ただいま》、お実家《さと》へ帰るとおっしゃっておられます」

銀平の家の若いお手伝いが、急《せ》ききった声で報《しら》せた。

「私がそちらへ行きますから、それまでおとめしておくのです」

強く命じた。

「万樹子さんがお実家へ帰るということですわ、ちょっと失礼」

「まあ、お実家へ――急にまたどうして……銀平と何かあったのでしょうか」

寧子がおろおろとしてたち上りかけると、

「あなたがいらしても、どうなるものではございませんでしょう」

姑《しゅうとめ》としても、無力な寧子をみくびるように云うなり、相子はさっと部屋を出、庭を隔てた銀平の住まいに足を向けた。

玄関を入ると、うろたえているお手伝いには眼もくれず、もの音のする寝室の扉《ドア》を開けた。部屋の中は、洋箪笥の引出しが開けっ放しになり、ツイン・ベッドの上からナイト・テーブルの上までところかまわず衣類が投げ出されて、万樹子はスーツケースに身の廻り品を乱暴に放り込んでいる。パンティやスリップに混じって、皮張りの宝石箱と長方形の時計箱も入れられていた。

「どこかへご旅行なの？」

相子はわざと軽い語調で聞いた。万樹子は振向きもせず、

「いいえ、私、今日限り実家へ帰らせて戴きたいと存じますの」

「あら、いきなりそんなことをおっしゃられても困りますわ、銀平さんはご存知のこと？」

「いいえ、あの人には何を云っても無駄です、この頃では私とろくに話もしないし、ゆっくり顔を合わせることもありませんわ」

万樹子は投げやりに云った。万樹子の流産後も、バー遊びを止《や》めないばかりか、帰宅が遅いという銀平の日常は、相子も知っていたが、突然、実家へ帰ると云い出すには、何か格別の事情があるはずだった。

「何があったの、今さらでもないのに突然、荷物をまとめてスーツ・ケースに詰め込んだりして、子供じみたことを――」

相子が受け流すように云うと、不意に万樹子の顔が歪《ゆが》んだ。

「子供じみているなんて、ひどいわ！　私、今朝《けさ》、あの人にひどいことを云われたの、許せないわ」

と云うなり、若く豊満な体を投げ出すようにベッドにうつ伏した。

「許せないって、銀平さんの女性関係でも？」

「そんなことはとっくに馴《な》れていますもっと冷酷なひどいことよ——、昨日、芦屋《あしや》病院の院長先生のところへ流産後の予後《よご》を診《み》て戴きに行ったら、京都の洛北《らくほく》大学の産婦人科教授に、卵管癒着《ゆちやく》の剥離《はくり》手術をして貰えば、妊娠の可能性があると教えて下さったので、朝食の時、手術したいと云いましたの、そしたらあの人ったら、そんなことまでして子供はいらない、そんなにまでしてつくりたければ、勝手に人工授精でもしてつくればいいだろうと、くわえ煙草《たばこ》で平然と云ったのよ！　平然と！」

さすがの相子も、その言葉の冷酷さに身じろいだ。人工授精は、相手が明確に解《わか》らぬよう、四、五人の男性の精液を混ぜて女性の子宮内に注入するとは聞いているが、受精させる能力を持っていながら、自分の妻の体内に、見知らぬ男の精液を注入してもいいと、平然と云いきれる銀平の神経は、冷たいというより、どこか狂っているように思えた。しかし、今、万樹子と銀平に離婚されることは、来春にひかえている二子の結婚に齟齬《そご》を来たすことであり、阪神銀行の筆頭株主である大阪重工社長の安田太左衛門との閨閥《けいばつ》を失うことであった。

相子は険しくなりそうな表情を抑え、

「安田家や万俵家の子女のように、芸能人や普通の家庭の子女のように、簡単に離婚出来ません、お父さま同士、家同士の結びつきを慎重に考えなければならず、勝手な行動は許せませんから、今日は心を鎮《しず》めてここにいらっしゃい、銀平さんには私からよく話しますから」

説き伏せるように云うと、万樹子はヒステリックに叫んだ。

「私に閨閥結婚の犠牲になれとおっしゃるの！　今さらあの人に話して、どうなるというの、あの人には万俵家という化けもの屋敷じみた血が流れているわ、お舅《とう》さまは、お怪我《けが》をなさっても一滴の血も滴《したた》らないような方だけど、あの人だって同じ……阪神特殊鋼で爆発事故が起り、たくさんの死傷者が出ているという夜、あの人はお義兄《にい》さまと十分程話しただけで、そのあとは平気でステレオを聞いて楽しんでいたわ、そんな人と結婚して、私は不幸になり、その上、子供まで産めない体にされたのよ、実家の父だって、万俵家の何もかもを話せば、きっと離婚を認めてくれるわ」

「じゃあ、あなたは万俵家の寝室の秘密まで話すつもりなのね、それなら私は、あなたが結婚前に異性関係を持ち、産婦人科の門をくぐったこともあるのを、あなたのご両親にお話しさせて戴くかも知れませんことよ」

「嘘《うそ》！　私が妊娠したなんて、そんないい加減なことを誰が――」

万樹子は顔を蒼《あお》ざめさせ、激しく頭を振った。

「嘘じゃありません、信用のおける人事興信所でちゃんと素行調べをして貰った結果です、なんだったら、私の部屋に保管してあるその報告書をお見せしましょうか」

と切り込んだ。万樹子は暫《しばら》く押し黙っていたが、やがて意を決したように顔を上げた。

「仕方がありませんわ、でもやはり、私は実家へ帰ります」

万樹子はスーツ・ケースの蓋《ふた》をかちりと閉めたが、婚前の秘密を両親に話されるという動揺が、手もとを震わせていた。相子はそれを見て取り、

「じゃあ、お好きなようになさいましな」

突き放すように云うと、万樹子はことさら声高にお手伝いを呼んで、スーツ・ケースを持たせると、

「では、ご機嫌よう、皆さまにはあなたからおよろしく――」

と云い、玄関を出て行った。そのうしろ姿を見送りながら、相子は、どうせ自分の婚前の秘密を明かされることを怖《おそ》れて、万俵家の三台並んだベッドのことも云えず、舞い戻って来るに違いないとたかをくっていたが、はじめて自分の指図が通らなかった口惜《くや》しさが相子の心を錐揉《きりも》んだ。

銀座『和光』の扉《ドア》を押すと、万俵二子は、姉の一子《いちこ》より先に奥の売場に足を向けた。閉店間近の店内は、人影が疎《まば》らで、落ち着いた静けさに包まれている。

「二子ちゃん、手袋の売場は二階よ」

うしろから一子が、そっと声をかけた。

「ああ、そうだったわね、私、やはり軽井沢ぼけしているようだわ――」

広いつばの帽子の下で、二子は陽灼《ひや》けした顔を綻《ほころ》ばせた。ここ一週間、ピアノの親友と軽井沢で過し、帰途、東京の姉の家へ寄ったのだった。浅葱《あさぎ》色の結城《ゆうき》単衣《ひとえ》をきちんと着ている一子は、階段をゆっくり上りながら、

「あなたは昔から、ハンカチーフや手袋を、男の人が傘を置き忘れるみたいに、すぐ失《な》くすのね」

と云うと、二子は肩をすくめた。今日も二子は、成城の姉の家から銀座へ出て一時間としないうちに、レースの手袋を失くしてしまったのだった。

手袋売場に来ると、二子はショー・ケースの中から、失くした手袋と似たベージュのレース編みを見つけて、店員にサイズを云った。

「こちらでございますね、おためしになりますか」

女店員がケースから取り出して、さし出した。糸の縒《より》の細いスイス製の手袋で、二子の長い指にぴったりはまり、オレンジのマニキュアが、きれいにすけて見える。

「結構よ、このままはめて帰りますから」

二子が頷くと、一子が支払いをした。

「まあ、お姉さま、メルシー・ボクゥ！」

「どう致しまして、それより美馬《みま》との食事の時間は六時だから、あまりゆっくりしていられないわ」

と促した。昨夜、美馬家に泊った二子に、美馬は明日は久しぶりに役所の仕事も早くきり上るから、東京会館のプルニエで夕食をご馳走《ちそう》してあげようと約束したのだった。

一階へ降り、ハンドバッグ売場の前を通って出口へ行きかけると、一子が急に足を止めた。

「お姉さま、どうかなすって？」

「春田銀行局長の奥さまが――」
六、七メートルほど先のショー・ケースの上に、和光の包み紙から取り出したオーストリッチのハンドバッグを置き、店員と話している中年の女性を、そっと眼で指した。グレーのスーツをきりっと着こなした婦人であったが、二子は悪戯《いたずら》っぽい眼つきで、

「あら、あれなのね、お中元やお歳暮のシーズンになると、高級官僚の自宅へ業者から和光の届けものがどっと送りつけられ、どれも同じようなものばかりだから、品物交換に行くご夫人連がひきもきらないという話――、あのオーストリッチのハンドバッグだって、きっと交換よ」

「二子ちゃん、何というお品の悪いことを――、第一、失礼ですよ」

一子は低い声で窘《たしな》めた。

「だって、お姉さまのお家にだって、お仕立券付の舶来ワイシャツ生地から、ネクタイ、カフス・ボタン、香水、ハンドバッグ、置時計に至るまで、和光発送のお中元が一杯だったわ、お姉さまの場合は交換なさらないだけじゃないの」

けろりとした口調で云《い》った。一子は慌《あわ》てて、二子の腕を取って和光を出、タクシーを拾うと、すぐ近くの東京会館まで車を走らせた。

「お姉さま、私、細川さんとの結婚は気が進まないの」

突然、二子が前方を向いたまま、切口上に云った。

「なんですって？　本気でそんなことを……」

「ええ、本気ですとも、今日、お食事の時、お義兄《にい》さまにもご相談しようと心に決めているの」

「今さらそんなことを……、昨夜、岡本のお母さまにお電話したら、あなたのことがきまってほっとしていると喜んでいらしたし、美馬だって、細川さんをご紹介しただけに、そんなことを云い出したら怒ってしまうわ……」

一子は、妹の気持が阪神特殊鋼の一之瀬《いちのせ》四々彦《よしひこ》に傾いていることをうすうす聞き知っているだけに、言葉を詰らせた。

「もし、お義兄さまがお怒りになったら、明日、私一人で細川さんをお訪ねして、自分ではっきりお断わりするわ、軽井沢からまっすぐ岡本へ帰らず、東京に寄ったのは、このことを早く解決したいためだったの」

「二子ちゃん、もうお結納がおさまって、お式の日もきまっているのを、覆《くつがえ》そうというの」

「そうよ、私は――」

二子がきっぱりとした口調で云い募りかけると、

「やめて頂戴《ちようだい》……そんな重大なことをタクシーの中などで、私、眩暈《めまい》がしそう……」

両手で青白い顔を覆《おお》った。

「——お姉さま、ご免なさい、私、家では鉄平兄さまにだけ、ほんとうの気持を打ちあけ、高炉が完成したら、お父さまに取りなして戴く約束になっていたの、それがあんな爆発事故が起って、会社の経営が大へんなので、とてもこんなご相談など出来なくなったの、でも、相子さんはどんどん結婚準備を進めるし、いたたまれなくなって、ついお姉さまに……」

激して来る感情を抑えきれぬように云うと、一子は涙ぐんだ眼《まな》ざしで、

「私も、美馬のところへ強引に嫁がされ、決して倖《しあわ》せでないだけに、なんとか力になってあげたいけれど、今日、美馬に話すのは止《よ》して、私たち二人で考えてみましょう」

夫に心を許していない一子は、押しとどめるように云い、タクシーが東京会館に着くと、もの静かな様子で、二階のプルニエに上った。

ボーイに美馬の名前を告げると、皇居の緑が見渡せる窓際《まどぎわ》のテーブルに案内された。

「あら、白鳥——」

薄暮の皇居の濠《ほり》に一羽だけ浮かんでいる白鳥に、二子が眼を向けた時、

「やあ、待たせたね」

美馬の声がした。

「お義兄さま、レディを待たせるなんて、失礼よ」

美馬を睨《にら》みつけ、二子ははっと顔を硬《こわ》ばらせた。美馬の背後《うしろ》に、細川一也《かずや》がたっているのだった。一子も愕《おどろ》いた表情を向けると、美馬は、

「二子ちゃん、今日はまた一段ときれいだなあ、僕が細川君を誘って来るのを、まるで知っていたみたいだね」

陽灼けした肌をオレンジ色のシルク・ジョーゼットのワンピースに包んだ二子をしげしげ眺めて云うと、細川一也は、まず一子に挨拶《あいさつ》して、二子の隣の椅子《いす》に坐《すわ》り、ボストン眼鏡の端正な顔に微笑を湛《たた》えた。

「二子さん、軽井沢に行ってらしたんですって？　今年の夏は六甲山の山荘を早く引き揚げられたそうで、うちの軽井沢の家へお誘いしようとしていたところなんですよ」

「細川君のところの別荘は、さすがに建築家の父上のご設計だけあって、ヨーロッパの田舎家風《いなかやふう》のなかなか凝った造りらしいよ、もう一度、軽井沢へ行って来たらどう？」

美馬がすすめた。

「せっかくですけれど、私、明日中に帰らなくてはいけませんから――」

「なるほど、花嫁修業中の身としては、そうそう遊んでもいられないわけだね」

美馬は、突《つ》っ慳貪《けんどん》な二子の返事を取りなすように云い、ボーイにメニューを持って来させると、今が一番おいしい鱸《すずき》を中心にしたメニューをきめ、ワインの銘柄は細川一也と打ちとけた様子できめた。その打ちとけ方が、早くも親戚《しんせき》づき合いのような親密さがあり、二子は、肌がべとつくような不快さを覚えた。

「二子ちゃん、鉄平君はその後どう？」

美馬は、煙草に火を点《つ》けながら聞いた。

「毎日、高炉の再建に奔走していらっしゃるわ、よくお体がもつと思うぐらい」

と云うと、阪神特殊鋼が一時不渡りを出し、融資銀行が警戒しはじめて、事故処理委員会が開かれたことも知っている美馬は、微妙な笑いをうかべて、細川一也の方を見た。

「この間〝兵六会《ひようろく》〟で、君のところの兵藤《ひようどう》副社長から、手厳しく阪神特殊鋼を批判されてね、弱ったよ」

帝国製鉄の兵藤副社長が、通産省、大蔵省の局長、局次長クラスのエリート官僚を集めて、月一回、新橋の待合『たがわ』で開いている会合で出た話をはじめた。秘書

課勤務の細川一也は、

「副社長は、ああいう豪放な人柄ですから、思ったことをずばずば云い過ぎ、われわれがその後始末を云いつけられて困り果てることが、時々あるのですよ」

エリート秘書であることを、多分に意識した云い方をした。

「しかし、今度の場合はおっしゃることも、ごもっともなんだよ、兵藤副社長は、本来、特殊鋼というのは、需要の大きい普通鋼とは異なり、その名の如《ごと》く特殊で、需要も自《おの》ずから制約がある業種であるから、高炉を持って量産化によるメリットを得ようとする発想自体に誤りがある、特殊鋼の場合は、量産化してコストを下げることより、むしろ金を倍かけても、よりよい製品を、ダイヤモンドより強い高級な鋼《はがね》を、造ることの方が、本来の行き方だというご意見なのだ」

「なるほど、阪神特殊鋼には、高炉を持って世界の特殊鋼たることを目指そうという理想があったのですから、或《あ》る程度の量産化は図らねばなりませんが、その辺、現実と理想のギャップがあったわけですね」

細川はボストン眼鏡に手をやり、頷《うなず》いた。

「全くその通りだ、しかし膨大な借金で造った高炉を壊すわけにもいかず、帝国製鉄が面倒をみて下さったらどうですと云ったら、兵藤副社長、えっへっへっと笑っていたよ」

「僕も賛成ですねぇ、そうなれば、何かにつけて、万俵さんとは結びつきが濃くなるし――」

二子の方をちらっと見て云うと、

「ひどいことを……、お二人は、必死で再建に努力している阪神特殊鋼の一人一人の社員のことなど、お考えになったことがないから、そんな無神経なことをおっしゃるのですわ、それに阪神特殊鋼が高炉建設を目指したのは、もとはといえば、帝国製鉄が大企業の力を笠《かさ》にきて、自分勝手な都合で銑鉄《せんてつ》を減らしたり、ストップしたからだと聞いています、帝国製鉄のお世話になどならないでしょう！」

大きな眼を潤《うる》ませ、二子は料理が運ばれて来たテーブルを、たった。

万俵鉄平は久しぶりにヘルメットを冠《かぶ》り、作業衣のジャンパーを着て、製鋼部の一之瀬四々彦とガス爆発事故後の現場にたっていた。まだ熱風炉は鉄皮《てっぴ》ごと裂け、内部の煉瓦《れんが》が腸《はらわた》のように砕け出たまま、飛び散った鉄材や電気コードも散乱した状態で、警察の立入禁止の縄が張られている。

「専務、熱風炉の再建はいつになったら取りかかれるのでしょうか、早くして戴《いただ》かないと現場の作業員の士気にかかわります」

「警察から証拠保全のために二カ月間、作業中止の指示を受けているから、それまでだ」

「では、あと一週間後には再開ですね」

「うむ、そうしたい――」

と応《こた》えながら、鉄平は目下の苦しい資金繰りのことを考えていた。今後の融資方針は、協調融資銀行による事故処理委員会で、財務内容の調査結果を待って決定されることになり、それまでは従来通りと申し合わされたにもかかわらず、銀行団は融資順位の下の方から櫛《くし》の歯がぬけるように融資を引きはじめていた。そのため忽《たちま》ち今月末の支払手形の決済に窮し、今朝から営業担当の川畑常務と経理担当の銭高常務が、部下を督励すると同時に、自らも支払期日を延期して貰《もら》うべく、各支払い先へ奔《はし》っているのだった。

「専務、いくら高炉が完成しても、熱風炉が出来上らない限り、高炉は動きません、一刻も早く再建に着手して下さい」

四々彦は焦《あせ》るように云った。鉄平も同じ思いであったが、先だつものは資金である。

今や設備資金を運転資金に流用し、その上なお、原料や機械購入の支払手形の期日を延ばして貰わねばならない状態だった。

現場を一巡して事務本部へ帰ると、商社へ資金繰りに奔っていた銭高と出会った。

「どうだった、諒解《りようかい》して貰えたかね？」

専務室に入りながら聞くと、銭高は、生気のない眼をねそっと上げ、

「伊東商事と日紅商事に、各々《おのおの》九千二百万と九千八百万の支払い延期を頼みに行きましたが、月商二十億の阪神特殊鋼が一億未満の手形決済が出来ず、商社に泣きつかんならんほど悪いのかと、突っ込まれました」

事実は、それぐらいの不足額ではなかった。目先二十億が不足していたが、さしあたって九月三十日に決済しなければならない手形が四億三千万あり、その支払先である大手商社に手形の延期を頼んでいるのだった。

「それで、理由はどんな風に説明したんだ」

「今月の製品の出荷がずれ込み、その代金は来月入るから、それまで待って貰いたい、契約書も入っているからと頼み込むと、それでは延期した分についての金利は日歩四銭で支払うことが条件だとふっかけて来ました」

「えっ、日歩四銭も——」

鉄平は、声高に聞き返した。銀行より二倍近くで相当な高利だった。

「商社は銀行の上前《うわまえ》をはねるところですから、仕方ありませんよ、しかし背に腹はかえられませんから、日歩四銭でも払うと云うと、ほう、おたくはそれほどお困りなんですかと逆《さか》ねじを食わせ、そんなところには、手形を延期する限り、担保として有価証券を入れて貰わないと、危なくて応じられないと云うのです、彼らはまるで禿鷹《はげたか》ですよ」

吐き捨てるように銭高が云うと、鉄平は、

「やむを得ない、有価証券を出そう」

と云った。銭高は、今さらながら経理面に疎《うと》い鉄平を呆《あき》れるように、

「そんなのがあれば苦労しませんよ、とっくに全部、担保に入っておりますよ」

「そうか、じゃあ、どうやって月末の四億三千万の手形を落したらいいのだ……」

鉄平は、がらがらと会社が崩れ落ちるような思いがした。銭高も黙り込んだ。

「そうだ、社内預金はどうなってるんだ」

「それも既に運転資金に繰り入れて、使っていますよ」

「じゃあ、資産表を見直してみよう」

鉄平は、どこかに資金繰りの活路を見出《みいだ》したかった。

「専務がご覧になって、何かが出て来るのでしたら、私がとっくに見付けています、ご覧になるだけ無駄でございますよ」

銭高はやや慌て気味に云った。万俵大介の指示を受けて、見せかけ融資をしているからであった。しかしそれでも見るという鉄平の言葉には逆らえず、経理部員に資産表を持って来させた。

鉄平はそれを受け取ると、固定資産、投資資産、棚卸《たなおろし》資産、当座資産の項目を順に追って行った。何か処分し、換金出来るものはないかと見て行くうちに、ふと当座資産の各種預金のところに眼が止まった。預金勘定の額が自分の記憶より五億近く膨《ふく》れ上っている。

「銭高君、何も足らないことはないじゃないか、阪神銀行の預金が五億近くも残っているが、どうなっているんだい?」

ほっとしながらも訝《いぶか》しげに聞いた途端、銭高の眼が戸惑うように瞬《しばた》いた。

「ああ、それですか、それは月末の仕手決済がずれているために、一時的に預金が膨れ上っているだけですよ」

「しかし、使える金には変りないだろう」

「そうじゃございませんのです、月末に入って月初《げっしょ》に出て行く金ですから、一時的な瞬間をご覧になって、あるあると思われては困ります、金なんて、そんなものなんですよ」

銭高は話の腰を折るように云《い》い、さっさと資産表をしまい込んだ。

「するとあとは、阪神銀行へ無理を頼みに行くしか仕方がないわけか、僕自身が行って来る」

鉄平は、たち上った。

阪神銀行の頭取室の扉《とびら》を押すと、回転椅子に坐った万俵大介は、彫像のように動きのない表情で、鉄平を見据えた。

「どうして私のところへ直接、やって来るのだ、事故処理委員会で財務内容の調査を行なっている時期に来られては、こそこそと情実貸金をやっているようで、迷惑だねえ《え》」

頭から冷たく云われ、鉄平は身じろいだが、一礼して父の前に坐った。

「今日はお叱《しか》りを覚悟で参りました、実は今月末の四億三千万の支払手形の決済が出来ず、伊東商事や日紅商事をはじめ支払期限の来ている五つの商社を廻って延期を依頼しましたが、各社とも応じてくれず、万策尽きて、急場を救って戴きに参りました」

「総額四億三千万なら、一社あたり一億足らずの金額であろうに、長年のつき合いの伊東商事や日紅商事にまで断わられたのかね」

「ええ、担保があればというのですが」

「そりゃあ当然だ、担保なしで金を融通するお人好《よ》しはいないだろうからね、ほかに算段する当てはないのかね」

「資産表を仔細《しさい》に検討しましたが、もはや処分し得るものは処分し尽しております」

「では、いよいよ米櫃《こめびつ》の底をついたのだな」

大介の眼には、子会社の窮状を聞く沈痛さはなく、舌なめずりするような快感があった。

「――まさに金融的な飢餓状態といいますか、社員に支払う給与以外、当社で自由に動かせるものは皆無になりました」

鉄平は、搾《しぼ》り出すような声で云った。

「私に対する厳しいご批判はいろいろあると存じます、しかし今はただ高炉稼動《かどう》後の私を信用して、今月末の手形決済分をお貸し下さるようお願い致します」

「信用？　信用というのは事実で示して貰わねばならぬものだ、信用を失っている現実を前にして信用せよというのは、信用の押売りじゃないか」

突っ撥《ぱ》ねるように云った。

「何と云われても、今の私には会社を生き延びさせる金、金が必要なんです、阪神特殊鋼の専務に対してはもう貸せないとおっしゃるのでしたら、人生のすべてを特殊鋼に賭《か》けている息子に対して、どうかご融資下さい」

必死の面持で頼んだが、大介は表情を動かさず、

「そんなのは、よけいに通らない理屈だね、私は、四億三千万の金を親子の情で貸すような神経は持ち合せてない、しかし先月のように、再度、不渡り騒ぎのような事態になれば、メインの当行が迷惑するから、救済方を考えないでもないが、素手《すで》では応じられない」

「しかし、既にあらゆる術《て》を尽した上で、さし入れようにもさし入れる担保がありません――」

鉄平は、言葉を跡切《とぎ》らせた。

「やはり経営者としてお前は駄目だな、私の考えるところ、長年の取引がある江州商

事の親会社である五菱商事の保証書を持って来るなら、阪神銀行としては四億三千万の融資に応じようじゃないか」

「五菱商事がそんな保証書をくれるでしょうか、五菱銀行から一時不渡りの情報が当然、入っているはずですのに……」

「だから、智恵《ちえ》がないというのだよ、要は話の持って行きようだ、担保として工場財団の後順位《こう》を設定し、今後の対米輸出の全部と、原料、機材の納入の何パーセントかの権利を与えるというような条件を出せば、そこは爪《つめ》の長い商社のことだ、マージンを計算して乗り出して来るだろう」

大介は明快に云ってのけた。

「ご助言有難うございます、早速、私自身、五菱商事へ行って参ります」

ほっと救われるように息をついたが、これも阪神特殊鋼をトリックに、大同銀行を呑《の》み込む万俵大介の布石の一つだとは、夢にも思っていなかった。

当面の資金繰りの算段がつくと、鉄平は爆発事故のショック以来、持病の高血圧症で寝込んでしまっている叔父の石川社長を見舞に行った。

車が芦屋《あしや》川沿いの石川邸の前に停まると、すぐ内側から門が開かれた。手入れの行き届いた庭には樹齢を重ねた松が枝を茂らせ、数寄屋《すきや》造りの建物を深々と押し包んでいる。

玄関から広縁づたいに奥へ行くと、障子を開け放ち、涼風《すずかぜ》を入れている寝室で、叔父は臥《ふ》せっていた。鶴《つる》のような細い顔がまだ赤味を帯び、枕《まくら》もとには叔母の千鶴《ちづる》が坐《すわ》っている。

「まあ、鉄平さん、お忙しい中をよくいらして下すったわね」

兄の万俵大介に似た端麗な顔を、綻《ほころ》ばせた。

「お加減はいかがですか、いつも気になりながら、つい失礼ばかりしておりまして——」

医者の指示で、安静を保つと同時に、精神的刺激を避けるために、出来るだけ仕事の話は避けるようにと命じられていたのだった。

「おかげさまで、事故直後は二三〇にも上っていた血圧が、一六〇位に下り、頭痛がする、動悸《どうき》がすると云っていたのも落ち着いたようで、今は降圧剤を飲んで、安静にしてさえおればよろしいのですよ」

ほっとするような眼《まな》ざしを病人に向けると、

「いや、まだ頭が重い、頭に鍋《なべ》をかぶったような気がする、それに肩が凝る、お前、少し肩を揉《も》んでおくれ」

千鶴は仕方なさそうに夫の体を起した。鉄平も手伝って起し、千鶴が肩を揉みはじめると、石川正治は、

「すまないね、会社の大へんな時に、鉄平君にだけ背負わせてしまって――」

もともと小心なだけに、今度の事故ですっかり参っていた。

「いえ、会社の方は役員一同、力を合わせてやっておりますから、この際は療養第一にお考え下さい」

鉄平が気を憩《やす》めるように云うと、

「だが、全く何も聞かされないと、聞かされないで、また気になって仕様がない――、どうなんだね、会社の方は？」

神経質に眉《まゆ》を寄せて、聞いた。

「幸い現場の従業員はもちろんのこと、事務系統の者も一丸となって、熱風炉の再建開始の日を待っていますよ」

「じゃあ、資金繰りの方はどうかね？　不安がって銀行が手を引くことはないのかね」

石川正治には一時不渡りのことも知らせていなかった。

「まあ何とか——、しかしこの間、銀行団の会合があって、目下、長期開発銀行が当社の財務内容の調査をしていますよ」

と云うと、石川正治はみるみる顔色を変えた。

「えっ、財務内容の調査を——、こんな経営悪化の時、調査などされたら、よかろうはずがない、それはもう、銀行がきっと、うちを潰《つぶ》すつもりでおるのだよ、そうに違いない」

「馬鹿《ばか》なことをおっしゃるものじゃありませんよ、融資銀行というものは、融資先の企業が潰れることを恥としておりますよ、ですから、この間の銀行団の会合でも、当社の財務内容を正確に調査した上で、今後の抜本的な打開策をたてようとしているので、財務内容の調査、即悲観的な結論ではありませんよ」

「いや、そんな気やすめに騙《だま》されない、潰すつもりだから、大介さんもメイン・バンクでありながら、他行に調査を任せたんじゃないのかね、この調子ではもう駄目じゃ、私は社長を止《や》めたい——」

「叔父さん、まあ落ち着いて下さい、この会社の重大事の時に、社長たるものが、もう止めたいなど、会社全体の士気にかかわります、少しは言葉をお慎み下さい」

鉄平がきめつけるように云うと、

「なに、私に慎めというのかね、大体、私があれほど高炉建設の一時延期をすすめたのに、鉄平君、君が強引に押しきって、逆に工期を縮めるために突貫工事をして事故が起り、会社の工合が悪くなったのじゃないか、私はもう止めたい、止めたい……」

と云うなり、動悸をうつように息をきらせ、顔を紅《あか》らませた。千鶴は慌《あわ》てて、夫の体を寝かせ、

「鉄平さん、なぜ会社のお話などなさるのです、お仕事のお話は禁物だと申し上げたじゃありませんか、何もかも、あなたのせいですよ」

険しい語調で詰《なじ》った。いかに病臥《びょうが》中とはいえ、社長の座にありながら、もう止めたいと口走る石川正治と、それも鉄平のせいだと責める叔母の顔をやりきれぬ思いで見詰め、鉄平は今さらのように、阪神特殊鋼のすべてが、自分一人の肩にのしかかっている重さを肩に食い入るように感じた。

石川邸を出ると、もう九時を廻っていた。久しぶりに早く自宅で寛《くつろ》ぐために、まっすぐ車を岡本に向けた。

玄関に車が停まると、早苗《さなえ》が出迎えた。

「今夜はお早うございますのね、でも子供たちはもう寝《やす》んでおりましてよ」

毎晩帰りが遅く、子供たちの顔も、このところあまり見ていなかった。

庭に面した居間に入り、ガラス戸を開け放つと、背後の天王山の山風が肌に涼しかった。

「ハイボールをおくれ――」

早苗に云い、ぐったりとソファに坐った。

「あなた、叔父さまのお工合はいかがでございましたの」

「血圧は一六〇位に下って落ち着かれたけれど、当分は会社に出られるのは無理だろうね」

「じゃあ、あなたは何もかもお一人で、やらなくちゃあならないのね……」

「うむ……」

鉄平はぐいとハイボールを空け、夕刻、阪神銀行へ父を訪ね、融資を頼んだ時のことを思い返した。息子の会社が資金繰りに窮迫し、まさに金融的な飢餓状態であるというのに、慰めの言葉一つかけず、逆に四億三千万円の融資にも、素手では応じられないと、五菱商事の保証書をとって来るよう示唆《しさ》した父は、たしかに優れたバンカーであるかもしれないが、そこには血の通った情合いの一かけらも見出せない冷徹な計算だけがある。鉄平は自分の身辺のわびしさが、身にこたえた。

「あなた、私にはお仕事のことは解《わか》らないけれど、ご無理なさらないで——、この頃のあなたは、随分疲れていらっしゃるわ」

早苗は、夫の身を案じるように云い、

「お飲みにばかりならないで、少し何か召し上った方がおよろしいわ」

「いや、食欲はないし、それに飲んでいるから、もうこのまま寝むよ」

疲れた声で云い、ソファからたち上った。

シャワーを浴びて、寝室のベッドに横たわると、さほど飲んでもいないのに、酔いが俄《にわ》かに廻って、激しい睡魔に襲われた。

何時間経《た》った頃だろうか、突然、鉄平の耳もとで、ドカーン！　という轟音《ごうおん》が炸裂《さくれつ》し、部屋中に真っ赤な血が飛び、柘榴《ざくろ》のような肉塊が散った。

「救急車！　救急車を呼べ！」

鉄平はベッドで大声を上げた。

「あなた、どうなすったの！　しっかりして——」

早苗の声がして、揺り起された。夢だったのだ。夢の中で熱風炉がガス爆発し、あの事故の時と同じように濛々《もうもう》と土煙と焔《ほのお》が上り、熱風炉の周《まわ》りには爆風で地面に叩《たた》き潰された者の血と肉片が飛び散って、その血みどろの姿にうなされていたのだった。

体中がべっとりと脂汗《あぶらあせ》で濡《ぬ》れていた。鉄平は、傍《かたわ》らのベッドの中から不安そうに見詰める早苗に、

「夢を見ただけだ、心配しないでお寝み——」

と云い、妻を安心させるためにタオルで汗を拭《ぬぐ》うと、自分もすぐにベッドに体を横たえ、眼をつむったが、それからは頭の中が異様に冴《さ》えきってしまった。

＊

「ご免やす——」

万俵家の邸内に柔らかい大阪弁が聞えたが、誰も応答する者はいない。

「ご免やす——」

つる乃家の老女将《おかみ》は、もう一度、スペイン風の洋館と日本館を仕切る野石《のいし》積みの石塀《いしべい》の切戸から小腰を屈《かが》めて案内を乞《こ》うたが、やはり応答がない。六十近くには見えない色白の艶《なま》めいた顔に、薄鼠《うすねず》色の一つ紋の着物を着、手には袱紗《ふくさ》包みを抱えて、うしろに大きな荷物を提《さ》げた男衆《おとこし》の伴《とも》を連れている。

かたりと切戸が開き、若い女中が顔を覗《のぞ》かせた。

「どちらさまでいらっしゃいますか」

「つる乃家からお伺いしたんでおますけど——」

「鶴屋って、元町《もとまち》の和菓子屋さんの?」

「いえ、大阪の新町《しんまち》のつる乃家でおます、旦那《だん》さんにお取次ぎしておくれやす」

「旦那《だん》さんって、あのう、頭取さまのことでございますか」

「へえ、つい旦那さんなどと云うてご無礼でおました、頭取さんのことだす」

若い女中は、見馴《みな》れぬ老女と男衆を怪訝《けげん》そうに見、朋輩《ほうばい》の女中に耳うちしたが、

「ともかく、ちょっと奥へ伺ってみます」

と云い、うちらへ入りかけると、日本館と洋館を繋《つな》ぐ回廊を歩いて行く高須相子の姿が見えた。女中はすぐその方へ駈《か》け寄り、見馴れぬ来客のことを告げると、相子が訝《いぶか》しげに日本館の内玄関にやって来、

「あら、大阪のつる乃家の女将さんでしたのね」

驚くように云った。先代の万俵敬介が存命中、邸内で催された春秋の園遊会には、奥内《おくうち》のお手助《てすけ》と称して出入りしていたから、相子もつる乃家の女将のことは知っており、老女将も相子については、毛唐かぶれした生意気な女の家庭教師であると、故人から聞いていたのだった。

「これは高須先生《せんせ》でおますか、お懐《なつ》かしゅうおます」

「どうもお久し振り――、その後お元気でいらして？」

「おかげさんで達者にさせて戴《いただ》いておりますが、先生もお勤めがお長うおますなあ、今は下の妹嬢《こい》さんのお勉強をみてあげてはりますのだすか」

「三子《みつこ》さんは今年、大学四年生ですのよ」

「ああ、ほんなら鉄平若旦《だん》那さんのお子さんだすか、親子二代のお子さまのお勤めとはさぞお骨が折れまっしゃろが、いつまでもお若うて、おきれいでおますなあ」

感心しきって云《い》うと、若い女中たちはくすくすと忍び笑いした。老女将が大真面目《まじめ》なだけに、相子はよけい自尊心を傷つけられた。

「それで突然、お越しのご用向きは？」

「頭取さんにお目にかかりとうおまして――」

「ですからそのご用向きをお聞かせ下さい、私がすべて承ることになっているのですから」

権高《けんだか》に取りしきるように云った。老女将は驚くように相子を見上げ、

「ちょっと、鯉《こい》を持って参じましたんでおます」

「え、鯉を？」

「ご贔屓《ひいき》のお客さんから、珍しい鯉をわての家の庭にと戴いたのだすけど、今日は先

代さまの月命日で、ことのほか鯉のお好きでおました先代さまのお供養《くよう》にと存じまして」

と云い、伴の男衆が提げている大きな桶《おけ》を眼で指した。

「じゃあお通りになって下さい、お寺さまのお勤めが終って帰られた後ですから、頭取は日本館におられます、あなた、ご案内なさい」

若い女中に云いつけ、相子はさっさと洋館の方へ行ってしまった。

内玄関から奥座敷に通ると、十五畳の仏間の正面の仏壇に燈明が点《とも》され、香煙が漂っていたが、月命日の内輪だけのお勤めは、だいぶ前に終り、万俵大介と寧子が所在なげに坐っていた。女中が老女将の来訪を告げると、

「老女将か、なんだね、急に――」

大介はさり気なく云いながら、故人の月命日に訪れて来るとは何かの無心かと警戒したが、寧子は、懐かしげに老女将を見遣《みや》り、

「ようおいでですこと、どうぞお詣《まい》りして下さい」

とすすめた。老女将は眼を涙ぐませ、

「外囲いの者に、お詣りさせておくれやすのだすか、おおきにありがとさんでおます」

両手をついて、仏壇の前に膝《ひざ》をにじらせ、袱紗包みからお供えを出すと、姿勢を正して焼香した。

お詣りをすませると、老女将は涙を拭い、

「その節、疝痛《せんつう》で臥《ふ》せっておりました折には、頭取さんじきじきの御見舞を頂戴《ちようだい》致し、有難うさんでおます、本日、不躾《ぶしつけ》に参上致しましたのは、鯉に凝ってなさるご贔屓さんから、山吹黄金《やまぶきおうごん》という見事な鯉をお頂戴したのだすけど、先代さまの月命日にあたる日に、先代さまとゆかりの深い珍しい鯉を戴くのも不思議なご縁と思い、お持ちしたんでおます」

と云った。万俵大介は眼を池に向け、

「鯉か――、たしかに先代は毎朝、鯉に餌《えさ》をやってからでないと、一日の仕事が始まらなかったたな」

生前の父を思い返すように云った。

「つる乃家の方へお越しの時も、朝お目ざめになると、一番にご本宅へ電話おしやして、餌のことを云いつけてはりました、中でも〝将軍〟と名づけた墨流しの鯉のことはようお話に聞きましたが、まだ長生きしてるのでおますか」

「うむ、もう五十年になるが生きている、化物みたいな鯉で、めったに姿を現わさないがね」

「ところが鉄平若旦那《だん》さんにだけは、お幼《ちい》さかった時から、手を叩《たた》くと、どこからともう出てくるということでおますな」

老女将が出されたお茶を口もとに運びながら云うと、寧子が不意に、

「あの……鯉のお返しと申しては何ですが、私が丹精こめて作った蘭《らん》をさし上げさせて戴きますから、ちょっと温室へ……」

ぎこちなく云い、そっと仏間を出て行った。大介は池に視線を向けたまま、

「山吹黄金とは、珍しいな、早速、池に放っておくれ」

庭下駄を履き、庭石伝いに池の方へ足を運んだ。老女将は内玄関に待たせている男衆に云いつけ、自分も池へ廻った。

つる乃家の印半纏《しるしばんてん》を着た男衆は、桶を池のそばまで運び、ビニールの覆《おお》いを取った。桶の中には、頭から胴体、鰭《ひれ》まで全身の鱗《うろこ》が黄金色に輝く体長五十センチほどの鯉が飛び跳《は》ねんばかりに、激しく尾を振っていた。

「ほう！　見事な鯉だな――」

大介は、眼を奪われるように見惚《みと》れ、男衆が池へ放しかけると、

「いや、ちょっと待ってくれ、一度、池の中の鯉を呼び集めてみよう」

水面に向って大きく手を打った。水面に小波《さざなみ》がたったかと思うと、藻《も》をゆらめかせて、三十数尾の錦鯉《にしきごい》が群れをなして泳いで来た。大介は〝将軍〟を呼ぶために、もう一度、大きく手を叩いたが、墨流しの色に、背のあたりだけ黒漆のように光った巨鯉は、ついに姿を見せなかった。

「あの、こっちの鯉はどない致しまひょ」

飛び跳ねる鯉を気にして、男衆が聞いた。

「うむ、放してくれ」

山吹黄金が放たれた。赤、黄、紅白、鹿《か》の子《こ》に彩《いろど》られた錦鯉の群れの中を、黄金色の鱗を燦《きらめ》かせ、山吹黄金は泳ぎ出した。

「鉄平がいたら、せっかく来てくれたんだから、〝将軍〟を呼んでやれるのだが、日曜日の今日も会社でね」

大介が云うと、老女将はふと思いついたように、

「若旦那さんといえば、どこかお工合が悪いのではおまへんでっしゃろか」

「どうしてだね」

「どないと云われますと困るんだすけど、ちょっと近頃、ご様子が……」

「だから、どんな風にと聞いているのだ」

大介は山吹黄金が群れを離れて、池の周りをゆっくり泳ぎ廻る方へ視線をやりながら、聞いた。

「実は、この間お越しやした時、えろう酔いはりまして、うちの芙佐子にお戯《たわむ》れになり、まさかあんたと僕とが血を分けた間柄ではあるまいと、おっしゃったそうでおます」

「なに、血を分けた間柄ではあるまいなどと、そんなことを――」

大介の眼が異様に光った。それは明らかに鉄平が自身の出生に疑惑を抱いている言葉であった。

「もちろん、そんな阿呆《あほ》なことはありようがおまへんと、きつう申し上げたんだすけど、このところ酔いはると、お悩みごとがあるのか、えろう苦しそうに乱れはるとか……、もしか夏の爆発事故で、ご心痛から体のお工合を悪うしはったのやったらと、心配でおます」

と云うと、大介はやっと今日、老女将が自分を訪れて来た理由を悟った。おそらく鉄平が留守であることを知った上で山吹黄金の鯉にこと寄せ、鉄平の振舞いを話したかったのだろう。そう思うと、青い炎のような怒りが噴き上げて来た。鉄平の出生に関して自分だけが疑っているのだという残忍な優越感が損われたことと、鉄平が自らの出生に疑惑を抱きながら、先日、頭取室を訪れ、父と子の情に訴えて融資を頼んだのかと思うと、大介の胸中は火に油を注がれるように煮えたぎった。

「出しゃばったことを申して、ご気分を損いはりましたら、堪忍《かんにん》しておくれやす」

大介の険しい表情を見、老女将は詫《わ》びた。

「いや、山吹黄金に見惚れていたんだよ、鉄平のことは老女将が心配せずとも、私がちゃんとする、今日は何かとご苦労《しお》――」

と犒《ねぎら》うと、老女将はそれを機会と心得て、

「ほんなら、蘭を戴いたら失礼させて戴きます、先代さまに思いもかけずお詣りさせて戴き、この先、思い残すことはおまへん」

心から挨拶《あいさつ》し、男衆を伴に庭から内玄関の方へ帰って行った。

大介は老女将の姿が植込みの向うに見えなくなると、座敷に上り、足早に洋館の書斎に向って、部屋に入るなり、電話のダイヤルを廻した。大同銀行の綿貫千太郎専務の自宅であった。綿貫が電話口に出ると、

「日曜日にどうも恐縮です、いや全く、銀行へはなかなかおかけするのが難かしくて……、実は先般来、ご依頼している書類、検討を急がねばならぬ事態になりそうですので、至急、お手渡し戴けませんか、かたがたおよろしく」

押し殺すような声で云い、電話をきった。
万俵大介からの催促があって、数日後の夕刻、綿貫千太郎は金箔《きんぱく》の打出《うちで》の小槌《こづち》をガラス・ケースに飾った専務室で、机の引出しの奥にしまってあった書類を、秘《ひそ》かに選《え》り分けていた。阪神銀行に手渡す約束になっている大同銀行の機密書類で、いずれも大蔵省銀行局だけに提出して、他行には一切知られていない報告書や、大蔵省にさえ握られていないトップ・シークレットの書類ばかりであった。それらのおおかたは、専務取締役としてコピーを持っていたが、万俵大介と〝大文字の密約〟を交わして以来、さり気ない口実をもうけて各部担当者に持って来させた書類も含まれている。
選り分けた書類は全部で厚さ五センチほどになった。綿貫はそれらを銀行名の入ってない大きな書類袋に入れると、その書類の控えを、便箋《びんせん》にメモして行った。
損益状況表（過去六期間）
業務報告書（過去六期間）
主要取引先一覧

大口融資先一覧（預貸金計数を含む）
要注意貸金一覧
年齢別、性別人員構成
給与実態（定例給与、賞与）並びに役員報酬
保有有価証券銘柄別一覧
大株主名簿
支店長会、労働組合等行内諸団体動向

袋に入れた書類を、再度チェックして控えていきながら、綿貫は突如、空怖《そらおそ》ろしい思いに襲われた。この㊙書類を阪神銀行に渡すことは大同銀行を丸ごと売り渡すような行為であった。たとえ日銀天下り派に積年の恨みはあっても、思えば昭和六年、苦学して仙台高商を卒業し、青雲の志を抱いて就職したのが、大同銀行の前身である関東貯蓄銀行であったが、当時はまだ関東一円の零細な預金層を相手にした日掛貯蓄銀行で、綿貫自身、高商卒の本店勤務とはいえ、浅草や品川の商店街を貯金箱を持って毎日、一銭二銭の金まで集めて廻った思い出がある。

そんなところから出発して苦節四十年、金融資本の時流に乗って、今や預金量九千

二百億、都市銀行第八位にのし上った大同銀行の歴史は、綿貫自身の歴史でもあった。それだけに大同銀行に対する愛惜の念は誰よりも強い。しかも自分の下には、日銀天下り派の追出しを図り、大同銀行の自主独立を願う少なからぬ部下がいる。その部下たちは、まさか自分が阪神銀行との合併を秘かに進めているとは夢想だにしないだろう。それを思うと、綿貫はうしろめたい罪悪感を覚えたが、一方また、今、三雲頭取以下の日銀天下り派を追い出すクーデターを起してみても、生抜き派の力だけでは、せいぜい喧嘩《けんか》両成敗で、三雲と自分が責任を追及されるのがおちであり、自分がそんな役廻りになるなど、とんでもないことだと思った。

そこまで思い進むと、綿貫はうしろめたさが次第に薄れ、大同銀行と阪神銀行とが合併した場合に想定される都市銀行第五位の副頭取のポストが、俄《にわ》かに光り輝いて眼前に浮かんだ。

扉《ドア》をノックする音がした。綿貫は急いで机の上に拡《ひろ》げていた控えメモと書類袋を机の引出しに押し込み、融資部からの稟議書《りんぎしょ》を手早く前に置き、どうぞと応答すると、三雲頭取であった。

「これは頭取、私の部屋にお見えになるなど、びっくり致すじゃございませんか、ご用があれば、お伺いしますのに」

机の上には怪しまれるような気配は残していなかったが、さすがに狼狽《ろうばい》気味に椅子《いす》から立上ると、三雲は、綿貫の机の前までゆっくりと歩いて来た。

「ご勉強ですね、最近、あなたが当行の体質改善のために、いろんな計数データを集めて検討しておられると聞いて、心強い限りですよ」

皮肉ではなく、真底《しんそこ》、それを喜ぶように云《い》うと、綿貫は内心、どこからそんな噂《うわさ》が洩《も》れたのかと思い、ぎくりとしながらも、

「最近のように、こう目まぐるしく金融情勢が変って参りますと、頭の古い私もさすがにじっとしておれませんでねぇ、ですが、勉強だなんてとんでもない、若い部下に進講させながらの耳学問が専《もっぱ》らで、云ってみれば年寄りの冷水《ひやみず》みたいなものです——、で、頭取のご用件は？」

ことさらに謙遜《けんそん》し、三雲の用件を聞いた。

「ほかでもない、阪神特殊鋼に対する長期開発銀行の調査のことですが、調査開始からほぼ一カ月経《た》っているのに、一向その調査結果が出ない様子なので、事故処理委員会に当行から出て貰《もら》っているあなたに、その後の様子を聞きたいと思ってねぇ」

調査が長びいていることを懸念《けねん》するように云った。

「そういえば、私のところへも連絡がありませんね、半官半民の長期開発銀行さんの

ことですから、日数など気にせず、得心の行くまでじっくり調査しておられるんでしょうが、われわれ市中銀行は、そんな悠長なことでは困りますから、早速、明日、向うの東郷常務に問い合せてみますよ」

「是非、そうしてくれ給《たま》え、私は明日の午後から北海道、東北の主要な店舗廻りがあって、暫《しばら》く出張するので、あなたの部屋の前を通りがけに、寄ってみたのです、では失敬――」

三雲はそう云い、まっすぐ伸びたうしろ姿を見せて、部屋を出て行った。綿貫は扉が閉まると、再び途中になった書類の控えのメモにかかった。控え終ると、大きな書類袋に厳封し、鞄《かばん》の中へ入れ、小脇《こわき》に抱えて席をたった。時計を見ると、五時半であった。

これから有楽町のしゃぶしゃぶ屋で、阪神銀行東京事務所長の芥川に書類を手渡し、その後、大同銀行従業員組合の熊本委員長と会うことになっていた。

熊本委員長の方は、銀行合併の場合、組合の意向が大きなウェイトを持つから、今から宣撫《せんぶ》工作を開始しておくためであった。

日劇の向いのビルの手前でタクシーを降りると、綿貫は雑踏にまぎれ込むように歩き、ビルの地階にある『花くま』のガラス戸を開けた。民芸調にしつらえた店内は、夕食時には少し間があるせいかがらんとし、仲居が手持ち無沙汰《ぶさた》にたっている。

「ようお越しやす、奥で待ってはります」

女将《おかみ》が、眼ざとく綿貫の姿を見つけて、奥座敷の一つに案内した。芥川の坐《すわ》っている座敷机には空になった湯呑茶碗《ゆのみぢゃわん》があり、大分前から待ち受けていたようだった。

「お待たせ致しましたかな」

綿貫はぬうっと部屋に入り、芥川の前に坐ると、

「ご多忙の中、無理などご依頼をして恐縮です、本来なら今夜はゆっくりと一献をさし上げねばならぬのですが、電話で申し上げておりましたように、万俵から書類をお受取りしたら、すぐその足で神戸に届けるよう命じられていますので、勝手ですが、その……」

ちらっと綿貫の鞄に目を遣《や》った。綿貫としても、時をおかず、万俵の手に渡る方が安心であったから、鞄の中から分厚な書類袋を取り出した。

「じゃあ、これを万俵頭取に――、くどいようですが、まったくの部外秘であることに心を配って下さい、万一、このことが洩れると、私の社会的生命は終りですからねえ」

芥川の眼をじっと見据えると、芥川も縁なし眼鏡をきらりと光らせ、

「有難うございました、確かにお受取り致します」

ずっしりと手ごたえのある書類袋をおし戴《いただ》くようにして、受け取りかけると、

「で、受取書は？」

促すように云った。綿貫は、万俵に対して、㊙書類と引換えに自分のポストを確約する一札を是非とも貰い受けたいと、申し入れているのだった。

「これはどうも——、つい書類に気を取られて……、これが万俵からことづかって参りましたもので、どうぞお改め下さい」

芥川は出来ることなら、渡さずにすませたかったような気配で、胸の内ポケットから白封筒を取り出し、綿貫の前へおしやった。厳封した封筒を開けると、中には万俵頭取の名刺が入っており、裏面に万俵自身の毛筆で、一筆したためられていた。

御高配多謝
御約束厳守
簡単な一文であったが、綿貫は、憑《つ》かれたような眼で、万俵大介の印鑑が捺《お》されて

いる〝万俵念書〟に見入った。

芥川が慌《あわただ》しく座敷を出て行くと、綿貫千太郎はもう一度、大同銀行の㊙資料と引換えに取りつけた〝万俵念書〟に見入った。御高配多謝、御約束厳守と書かれているだけだったが、それでも言を左右にしてなかなか書こうとしなかった万俵大介から、印鑑を捺した一札が取れたのは成功だと思った。これさえあれば万俵から梯子《はしご》をはずされる心配がなく、万一の場合は、万俵を自分と抱合い心中させることも出来る。

「どうぞ、あちらのお部屋でおます」

芥川とかち合わないようにと、予《あらかじ》め用意しておいた奥の別室に人を案内する女将の声がした。大同銀行従業員組合の熊本委員長が来たらしい。綿貫は急いで万俵念書を上衣《うわぎ》のポケットにしまい込み、小用を足して来た風《ふう》を装いながら、熊本の入った奥の部屋に向った。

襖《ふすま》を開けると、まだ四十前のくせにむっくり太った熊本委員長は、ちょうど坐ったところだった。

「どうも専務にお待ち戴いたようで、恐縮です、運悪くタクシーがなかなか拾えなかったものですから――」

申しわけなさそうに、頭をかいた。

「いや、わしも今さっき着いたところだ、同じ銀行から出てくるんだから一緒に来ればいいようなものの、専務と組合委員長では、痛くもない腹を探られるからねぇ」

綿貫が云うと、熊本は浅黒い顔をおしぼりでごしごしとこすり、

「全く馬鹿《ばか》げたことですがねぇ、この四月に組合の専従になってからは、公式の労使懇談の会合以外、専務にはとんとご無沙汰してしまいました」

熊本は、綿貫が融資部長だった頃の部下で、結婚の仲人《なこうど》までして貰い、実質的には綿貫の腹心の部下だった。それなればこそ、綿貫も個人的な呼出しをかけられ、現在の組合の動静を聞き出すことによって、阪神銀行との合併の下工作を無理なく運べるのだった。銀行の組合は、他の企業と比べると、御用組合も同然だが、非組合員は頭取以下全行員数の約一割、残りの九割が組合員で組織率一〇〇パーセントに近いから、銀行合併という大問題になると、組合の諒承《りようしよう》がなければ絶対といっていいほど成立しない。したがって組合は経営者にとって、平素はおとなしい猫であっても、合併問題を抱えれば、眠れる獅子《しし》になりかねない。

酒が運ばれ、座敷机の上にしゃぶしゃぶの用意が整うと、綿貫は熊本の盃《さかずき》に酒を注《つ》いでやり、

「委員長になってから、君はまた一段と人間の幅が大きくなったようじゃないか、わしが委員長になれとすすめた頃は、困ります、自信ありませんと逃げの一手だったが、いざなってみると、歴代の誰よりも評判がいいんで、喜んでいる、しかし無理して体をこわしとりはせんかね」

犒うように云うと、熊本は人の好《よ》さそうな笑いをうかべて、綿貫に返盃《へんぱい》し、

「体は学生時代からレスリングで鍛えてますから、誰にも負けん自信があります、ですが今月のはじめ、八年ぶりに風邪をひきましてねぇ、女房はびっくり仰天しましたが、これで人並になれたと喜んでるんです」

蛮カラな笑い声をあげた。綿貫も吹き出しながら、こいつは昔とちっとも変っていないと安堵《あんど》した。この四月に委員長になるまでの経歴は、大学卒として早からず、遅からず出世しているし、持ち前のファイトと体力にまつわるエピソードは入行当時から尽きない。ことに入行二年目に配属された大田支店で、或《あ》る農家が一町歩程の田畑を宅地として売ることを聞き込むや、その農家の土間に三日三晩泊り込み、大の銀行嫌いのじいさんを根負けさせて、当時の金額で三千万円近い現金を、二十四歳の熊本に全額預金させた話は行内誌にも載って、つとに名を馳《は》せた。

しゃぶしゃぶ鍋《なべ》が煮たって来ると、綿貫はあとは自分たちでやるからと仲居に席を

退《さが》らせ、

「ところで最近の組合はどうなんだね、こんなことを唐突に聞くのも、この頃は組合の生《なま》の声が聞えんもので、仲人もやったし、赤ん坊の名付親にもなって気心の知れた君に、今日は進講して貰おうと思ったわけだが……」

さり気なく切り出した。

「専務にご進講などとは柄じゃありませんが、最近の若い者は云いたいことをどしどし云いますから、組合大会や代議員会は活発ですよ」

まだよく火の通らない神戸肉を、かまわず口の中に入れながら応《こた》えた。

「そりゃあいい傾向だ、で、どんなことがみんなの関心事なんかね」

「何しろ大へんな物価高ですから、ベース・アップの要求にも増して、住宅対策が大きいですね、住宅貸付金の限度をもっと引き上げるとか、社宅を増設するとか、せめて結婚したらすぐ社宅へ入れるようにする、入れない者には家賃の補給金をもっと引き上げるとかすべきですね、専務、東京で今、若い人が結婚すると、家賃はいくらだと思われますか」

「そうだな、一万五、六千円かね」

「冗談じゃありませんん、二万円以下のところなんかないです、普通二万四、五千円はしますね、しかも結婚年齢は年々、若くなる一方ですから、一万円前後の補給金を貰っても、一万四、五千円は家賃に消えてしまいます、それなのに片や社宅に入っている者は、四、五千円のただ同然の家賃で、しかも年齢が行っており、給与も高いので、上下《うえした》、大きな矛盾があります」

熊本は、次第に労使話合いの席でぶつような演説口調になって来た。

「なるほど、考えないといかん切実な問題だ、その他《ほか》にはどんなことが出ているのだね」

綿貫は、熊本の盃に注ぎながら聞くと、酒豪の熊本は、水を飲み干すようにぐいと空け、

「住宅問題の次は、超過勤務が多くなって、やたら忙しくなったことが挙げられますね、仕事の量は増えるのに、人が増えないことが最大の原因ですが、女子でも月に十時間乃至《ないし》二十時間、男子は三十時間などざらで、役付の連中になると、六十時間から七十時間のオーバー・ワークなんですよ、だからもっと早く帰れる体制をつくるべきで、女子なんか、銀行はお稽古事《けいこごと》の時間がないといって、就職希望者が減ってますし、役付者も子供の教育一つ出来ないとこぼしています、それでもまだ戦中派以前の者は、銀行のためと云われれば黙って働きますが、若い者は随《つ》いて来ません、もう十年もた

てば、われわれだってドライな今の若者を統括して行くのは困難じゃないかと危惧《きぐ》しているぐらいですから、ましてや経営者には真剣に従業員対策を考えて貰いませんとねぇ」

「おいおい、あんまり脅かさんでくれよ、われわれだって君たちの着実な仕事ぶりは充分に評価し、報いたいと思ってはいるが、激烈な銀行競争を勝ち抜いて行くためには、内部蓄積をはかり、経営の土台を固めて行かなければならんのだから、経営者は経営者なりに、君らとの板挟《いたばさ》みになって、頭を悩ましておるのだよ」

綿貫は、苦しい経営者の立場を述べ、

「だが、組合からみて当行の経営陣はどうなんだろうねぇ、日銀からは相も変らず天下りが続き、寄合世帯で必ずしもしっくり行っていない点があるのだが――」

「その点については、専務の方こそいろいろご苦労がおありだと思いますが、はっきり云って、各支店毎《ごと》の分会へオルグに行くと、うちの経営陣は大丈夫か、また日銀から天下りが来るのか、天下りはわれわれのことを真剣に考えていてくれるのかといった若手の辛辣《しんらつ》な意見が多いのですよ」

熊本が云うと、綿貫はさらに盃をすすめた。

「そうか、想像はしていたが、そんなに天下り批判が強いのかね」

「そりゃあ強いですよ、大体ですね、日銀の温室育ちの役員たちに、われわれが溝板《どぶいた》踏んでやっている預金集めの苦労なんか、到底、解《わか》らんでしょう、そういうのが経営者におさまって、国際金融情勢がどうの、金融政策がどうのと、口先ばかりのことを云っても、若い者の共感がどうして得られますか、やはり専務のアサヒ石鹸《せっけん》への融資じゃありませんが、石鹼粉をかぶってという人でなきゃあ、当行の経営者としての資格はないですよ」

どんと座敷机を叩《たた》いた。熊本の性格からして、自分に忠義だてして、調子を合わせているだけとは思えなかったから、綿貫は熊本のその言葉で、自分が日銀進駐軍の追出し工作をはじめても、組合が足を引っぱる懸念はないという確信を深めた。

「熊本君、云いにくいことを、よくぞずばりと云ってくれた、そういう経営陣への苦言を呈してくれるのは、君のような侍なればこそだ、しかし現執行部や組合OBの中には、一人や二人、日銀支持派もいるんじゃないのかね」

組合の日銀支持派を探り出すために一歩、話を進めると、

「現執行部にはそんなのはおりませんが、僕の二代前の委員長で、いまだに組合に根強い影響力を持っている草加さん、あの人は日銀派と協調ムードで、われわれとはちょっと——」

と云い、にやりと笑った。草加は、熊本とは対照的に地味だが知性派であり、今は外国部次長として、日銀天下りの外国担当の白河専務の管轄《かんかつ》に入っている。綿貫は早速、草加に対する巧妙な配置転換を考えねばならぬと思いめぐらせながら、

「熊本君、君とは融資部時代、縄のれんでよく飲んだものだな、あの当時、君がおはこでよく歌っていた都の西北、あれを久しぶりに聞かせてくれんかね」

俄《にわ》かに湿っぽい声で云った。熊本は訝《いぶか》しげに盃を置き、

「専務、急にどうなさったのですか」

綿貫の顔を覗《のぞ》き込んだ。

「うむ、こうやって君とさしで話し合えるのも、あるいは今日が最後かもしれんのでなあ」

詠嘆口調で呟《つぶや》いた。

「なんですって！ 専務、ほんとですか、わけを話して下さいよ」

昂《たかぶ》った声で、聞いた。

「わしは、君のさっきからの話を聞いて決心したんだよ、君ら後に続く若い人のことを考えると、生っちょろい日銀進駐軍や、大過なく退職金さえ貰《もら》えばいいというような連中に、大同銀行の将来を委《ゆだ》ねてなるものか、わしは日銀進駐軍と一戦やる、たと

え敗《やぶ》れてわしの方が出て行く結果になろうと、悔いはせん」

決心するように云《い》うと、熱血漢の熊本は忽《たちま》ち感激し、

「専務、よくぞご心中をお話し下さいました、狼煙《のろし》を上げるとなれば、私も組合工作はぬかりなくやります、専務一人を犬死させません！」

酔いの廻った声を張り上げた。綿貫は有難うと、感極まったように云いながら、心の中では、これなら日銀進駐軍追出しの次に、阪神銀行との合併を切り出しても、熊本とは組めるという自信を持った。

ブルーの絹のアンサンブル・ドレスをまとった万樹子の姿が三面鏡に明るく映し出され、ピン・クッションを手にしたデザイナーが、手早く仮縫を進めている。

「あら、お痩《や》せになりましたのね、ウエストが六十二センチにおなりになりましたわ」

「そう、少し気苦労があると、覿面《てきめん》に痩せるものなのね」

「ご冗談じゃありませんわ、何のご苦労もないご身分で、気苦労などとは――」

万樹子の作りつけの洋裁店から、仮縫に来ているデザイナーは真《ま》に受けず、

「ウエストをもう少しお詰めして、裾《すそ》に向ってフレヤーの量を増やした方が、新しいシルエットでございましてよ」

「そうね、その方がパーティに出かけるアンサンブルらしい華やぎが出るわね」

「お仕立上りは、いつ頃にさせて戴《いただ》きましょう」

「来週の土曜日に間に合わせて戴きたいわ、新調のドレスで出かけたいから――」

着て行くあてのないパーティのことを、ことさら華やかに云いながら、万樹子はさっきから奥座敷の様子を気にしていた。

万俵家から実家へ帰って一カ月目の今朝《けさ》、相子から、できればお父さまにもお目もじ致したいから、夕食がおすみになった頃、お訪ねしたいという電話があり、いま相子は母の佳江《よしえ》と会っているのだった。

廊下に足音がし、母の佳江が顔を覗かせた。

「仮縫はまだですか、もう随分、お待ち戴いているから、早う顔をお出しするものですよ」

「でも、私、会いたくないわ、あの人とは顔を合わせるのもいやだわ」

「けど、向うのお舅《とう》さまのお使いでお見えですから、そんなわけにはいきませんよ、ちょっと臥《ふ》せっていてとお断わりしているけれど、そうお待ち戴けません、急いで支度なさい」

云いつけると、仮縫をしているデザイナーは、

「ちょうど、終るところでございますから、すぐお脱がせ致しますわ」

手早くピン印《じるし》をつけ、うしろへ廻ってピンが肌に刺さらぬようにドレスを脱がせた。スリップ一枚になった万樹子は、流産した体とは思えぬほど豊満でみずみずしかった。佳江は眩《まばゆ》げに眼を瞬《しばた》かせ、万樹子がジャージーのワンピースを着終ると、促すように先にたって客間へ足を運んだ。

客間には、相子が改まった和服姿で、床の間をはずした位置に坐《すわ》っていた。万樹子が入って行くと、にこやかな笑顔で、

「ごきげんよろしゅう――、その後、お工合はいかがでございますの？」

万樹子が実家《さと》帰りした翌日、万俵大介の指示で相子が安田家を訪ねたのに対し、安田家の口上は、万樹子は体の工合が勝《すぐ》れないので暫《しばら》く実家で静養させて戴くというものだった。

「ええ、おかげさまで――」

万樹子が素っ気なく応えると、

「それはようございましたこと、ご静養の甲斐《かい》あって、お工合がおよろしいようでし

たら、ぼつぼつお戻り戴きたいのですが——、二子さんと三子さんも、お嫂《ねえ》さまがいらっしゃらなくて淋《さび》しいと、お待ちしておりましてよ」

万樹子が実家帰りする日、険しく云い争ったことなどは忘れ果てたように下手《したで》に出、

「それにお舅さまが、何かと理由もあるだろうが、ともかく戻るようにと申しておられます」

と云うと、万樹子は俄かに顔を硬《こわ》ばらせた。

「まあ、どう遊ばしたのかしら、何かお舅さまに、ご不満でも——」

万樹子は、眼を伏せて首を振った。

「では、お姑《かあ》さまに何かご不満が？」

「いいえ、お姑さまはいい方です」

「じゃあ、一体、万俵家のどこがご不満なのでしょう、お聞かせ下さいましな」

相子は、万俵大介と妻妾同衾《さいしょうどうきん》の生活を営みながら、平然として聞いた。その盗《ぬす》っ人《と》たけだけしさに、万樹子は怯《おび》えを覚えた。それは万樹子の結婚前の異性関係の事実を握っているから、万俵家の妻妾同衾の秘密は、決して発《あば》かれないという自信の上にたっている。母の佳江が横から、

「やはり先刻来、お話し申しておりましたように、万俵家のご両親には何の不満もご

ざいませんが、銀平さんにもう一つ、おいたわりがないことが原因のようでおます」

と云うと、万樹子も眼を上げ、

「私が帰ったあと、あの人はどんな様子なのです？」

銀平は、万樹子が離婚を決意して実家へ帰ったと聞いても、その方が彼女のために倖《しあわ》せでしょうと、妙にさばさばした表情だったが、相子は、

「銀平さんも、万樹子さまがこう長く帰られないと、さすがにお寂しいのか、早く帰って貰いたいご様子ですわ」

「じゃあ、どうしてご自身でいらっしゃらないのです」

「このところ、お仕事の方がますます忙しくなられて――」

「忙しい、忙しいは、あの人の口癖ですわ、妻が突然、実家へ帰ったというのに、一カ月の間、電話一本かけて寄こさず、すべて他《ほか》の人にことの処理を委ねていらっしゃる、そんなところが血が通わなさすぎますわ、しかも銀平さんのそうしたやり方を通していらっしゃる万俵家そのものも、私には冷た過ぎます！」

「万樹子、何という云い方をするのです、そんな云い方でお話しすることは、お父さまも、この私も許しませんよ」

佳江が厳しく窘《たしな》めると、

「お父さまやお母さまに、いくらお話ししても、到底、お解りにならないわ、結婚とか家庭というものに、何の感動も持たない人のいたわりのなさ、薄情さが、私を不幸にし、私を子供の産めない体にしてしまったのだわ、あの人は、まともな生活の出来ない人よ！」

なおも云い募りかけると、

「万樹子さま、あなたが子供を産めなくなったのは、もちろん、銀平さんに半分の責任はあるでしょうが、あなたご自身にも流産するような不注意がなかったかどうか、反省して戴かなくてはならぬことが、あるのではございませんかしら？」

静かな語調であったが、相子は、暗に万樹子の婚前の異性関係を、ほのめかすように云った。万樹子は瞬時、言葉を跡切《とぎ》らせたが、思い詰めた表情で、

「銀平さんご自身に、お越し戴きたいと思いますわ」

「じゃあ、銀平さんがお迎えに参れば、解決するというわけですね」

万樹子は押し黙ったが、母の佳江が、

「我儘《わがまま》申し上げてすみませんが、ここは一つ、万樹子の云い分をかなえてやって下さいまし、先日来、主人ともいろいろ話しているのですけれど、要は銀平さんにお越し戴くよりほかないと、主人も申しております」

相子は内心むっとしたが、ここで高飛車に出て、万俵、安田家の閨閥《けいばつ》に罅《ひび》を入れることは、万俵家における自分の立場にも響くことであったから、

「では帰りまして、銀平さんにその旨《むね》をお伝え致します、何かとお大切に――」

と云い、慎しく席をたった。そして安田家を出ると、待たせてあった車で、相子はすぐ万俵家に引き返した。

万俵大介は、書斎で机に向っていた。相子が入って行くと、

「どうだったんだね、話は？」

パイプに火を点《つ》けながら、聞いた。

「お話になりませんわ、人をさんざん待たせておいて、やっと顔を出したと思うと、銀平さん自身が迎えに来なくては帰らないと、云うのですから――」

と云い、佳江の話を通して、安田太左衛門も、銀平に対しては相当、硬ばった気持を抱いているらしいことを話した。

「銀平も困った奴《やつ》だな、だが、万樹子には、どうしても帰って来て貰わねばならぬから、迎えに行くように、私から銀平に話す」

と云いながら、大同銀行との合併を成功させるまでは、阪神銀行の筆頭株主である

大阪重工社長の安田太左衛門とまずくなるわけにはいかないと思った。

「あなた、今夜はどなたかお客さまでも？」

「うむ、芥川が急ぎの用件があって、もうそろそろ来る頃なんだ」

綿貫千太郎から大同銀行の㊙資料を受け取って、羽田を七時に発《た》つ旨、連絡して来たのだった。相子は大介のさり気ない語調の中にも、いつにない緊張感を感じ取り、

「じゃあ私、お先に失礼致しますわ」

着物の裾を翻《ひるがえ》して、書斎を出て行った。大介の眼に錆朱《さびしゅ》ぼかしの着物の裏が妙に艶《なま》めかしく映り、今夜は相子と同衾する日であったことが、ちらっと脳裡《り》を掠《かす》めた時、女中が芥川の来訪を告げに来た。

居間で寧子に挨拶《あいさつ》する芥川の声が聞え、やがて書斎へ入って来た。

「どうも遅くなりました、この頃の飛行機は遅着ばかりで困ります」

「で、綿貫はすぐに引き渡してくれたかね」

「はい、しかし、受取書はがっちり取られました」

芥川は、出来れば渡したくなかった〝万俵念書〟のことを云い、

「例の役員陣の身上調査書は、早速、お目通し戴いておりますね」

書斎机の鍵《かぎ》のかかった引出しに視線をあてた。

外部に洩《も》れることを警戒し、三つの企業専門の人事興信所に分散して、三雲頭取以下、十六名の役員の詳細な身上調査を依頼し、その調査結果を、一昨日《おととい》、万俵の自邸宛《あて》に送付したのだった。そこには、各人の経歴、家族、係累《けいるい》、趣味はもちろん、資産、行内外の風評、交際範囲、特定企業及び特定個人との密着関係から行内人脈、綿貫との親密度まで書き込まれている。

「慎重に眼を通したよ、妙な総会屋と親しかったり、特定の取引先と密着している役員は一、二いるようだが、特に〝要注意〟の人物はいないようだな、三雲頭取を除けば、まあみな、無難というか、凡庸な役員ばかりだねぇ」

「全く同感ですが、三雲頭取は九年前に夫人を亡《な》くされたにもかかわらず、正真正銘、女性関係は潔白というのには、実のところ驚き入りましたよ」

万俵がこの宏大《こうだい》な邸内で、妻妾同居の生活を営んでいることまでは、さすがの芥川も知らず、女性関係を口にすると、万俵は不快そうに、

「つまらんことに感心するじゃないか、それより早速、資料の検討に移ろう、まず最初に年齢別の人員構成と、給与実態の資料を出してくれ給《たま》え」

と促すと、芥川は厳封した厚さ五センチほどの書類袋の中から、手早く選《え》り出し、万俵の方へ差し出した。合併に際して、余剰人員の整理と給与水準の調整は、最も手

をやく困難な仕事であった。

万俵は鋭い視線で、びっしり並んだ数字を追って行き、

「人員構成をみると、当行と同じように大同銀行にも中高年層が多いねぇ、余剰人員の整理は、合併後すぐには手をつけられないにしても、極めて非効率だから、速《すみ》やかに整理を促進する計画案を検討しなくてはならない」

と云うと、芥川も体を乗り出してその数字に見入りながら、万俵の指示をメモした。

「次に給与の実態だが、大同銀行の平均定例給与は六万四千百十一円で、当行の六万五千八百三十一円より、千七百二十円低いわけだねぇ、となると、合併銀行の給与水準は高い方の当行に調整することになるから、人件費だけでも月約千七百万の負担増になる——、芥川君、賞与のはね返りを含めると、計どれくらい膨《ふく》らみそうかねぇ」

平均給与と入行年次別の給与体系一覧表を芥川の方におしやった。芥川は暫く試算していたが、

「平均賞与は大同銀行十八万八千五百二十四円、当行十八万九千三百五十円で、その差は八百二十六円ですから、さして膨らむことはないと存じます、しかし人件費の実態については相当、専門的な高度の知識を必要としますので、本件について人事部長にそろそろ話をする時期ではないかと思いますが——」

と進言すると、

「じゃあ、ここ二、三日のうちに私から直接、話すことにしよう、それから役員人事については、最初の一年間は一切、手をつけず、専務は専務、常務は常務のままで行き、二年目に一割内外のカット、三年目には新人も登庸しなければ新銀行の内部のモラル、士気に影響するから、三割カットして、新たに阪神、大同二対一の比率で役員を入れ替えることだ」

大介が云った時、女中が、夜食と飲物を運んで来た。㊙資料を拡《ひろ》げているテーブルとは別のテーブルにクロスを敷き、セットすると、ぴたりと扉を閉ざして出て行った。

夜のしじまが万俵家を押し包み、やがて一つまた一つ、部屋の灯《あか》りが消えて行く中で、大介と芥川が向い合っている書斎の灯りだけが、深夜まであかあかと点いていた。

## 二 章

秋の気配が深まった皇居の森を、万俵大介は東京支店の頭取室から眺めていた。

東京事務所長の芥川が、大同銀行の㊙資料を携えて岡本の自邸へやって来たのは、十日前の夜である。あの晩は午前二時頃までかかって、芥川とともに、綿貫千太郎の手渡してくれた㊙資料に眼を通し、翌日は頭取室で大亀専務を交えて合併メリットとデメリットの試算を行なったのだった。

合併メリットは、何といっても店舗と取引企業の問題に尽きる。ことに大同銀行の店舗数は都市銀行中第二位で、全国的に支店網が張りめぐらされているから、地銀的色彩の強い阪神銀行にとっては、それが最大の利点で、両行が合併すれば名実ともに都市銀行としての業容が備わるはずだった。

扉《ドア》が開き、芥川が入って来た。

「頭取、お待たせ致しました、只今《ただいま》、大同銀行二百三十五支店の実地調査の資料が出《で》揃《そろ》いましたので、お目通し下さい」

細長く丸めて持って来た地図を、万俵の机の上に拡げた。五十万分の一の精密な日本地図で、六大都市を中心に赤丸と青丸の印《しるし》がびっしり書き込まれている。赤丸が阪神銀行の支店、青丸が大同銀行の支店であることは一目瞭然《りょうぜん》であった。万俵は回転椅《い》子《す》からたち上り、眼を凝らすように両行支店地図に見入った。芥川も体を乗り出し、

「主要都市の大同銀行の各支店については、私と総務課長の黒井で手分けして実際に見て廻り、立地条件や当行支店との距離、将来の発展性等について、この眼で確かめて参りました、やはり紙の上に書いてある所番地と実際の立地条件は、ほんとに当ってみないことには解《わか》らないもので、同じ東京の京橋といっても、たった一番地違いで裏通りだったり、場所は角店《かどみせ》でも、建物が老朽化していたりして、店舗価値が随分、違って参りますからねぇ」

と云《い》い、大同銀行二百三十五支店の立地条件と阪神銀行各支店との距離を詳細に記した一覧表と、全支店のカラー写真を取り出して説明した。芥川自身と黒井総務課長が検分した以外の支店は、来年度の店舗政策の資料にしたいという口実で、各支店長に報告させたのだった。

万俵は舌なめずりするような視線で、それらを丹念に見て行き、

「当行との重複店舗はどのくらい、出そうかね」

「大まかなところ、京浜地域で十、京阪神八、四国九州三、計二十一店舗は出そうな感じが致します」

「二十一店舗か――、ではその浮いた分の支店をどこへ出すか、新店舗計画は、早急《そうきゅう》に考えなければならんな」

そう云うと、万俵は内外の銀行が鎬《しのぎ》を削るように並んでいる大手町の金融街に面した窓にたって行った。都市銀行の新店舗申請は、大蔵省の厳しい行政指導によって年間、一行一店舗に抑えられているが、統一経理基準の導入と配当の自由化によって、格差がますます開いて来た都市銀行を合併へ駆《か》りたてて行くために、大蔵省は半年前、『合併による重複店舗はその同数だけ、配置転換を認める』という意味の銀行局長通達を出していた。したがって阪神、大同の合併が成功すれば、銀行として咽喉《のど》もとから手が出そうなその優遇措置を、どこよりも先に蒙《こうむ》ることが出来るのだった。

「そろそろ二時近くですが、頭取はお出かけになるご予定ではございませんか」

芥川が時間を気にするように云った。

「もうそんな時間か――、遅れるとまずい会合だから、出かけるとしよう」

「今日は地域開発委員会でございますか」

万俵が政策委員をしている会の一つを口にすると、

「いや、そうではない、阪神特殊鋼の財務内容の調査結果が出たので、その件で長期開発銀行へ出向くのだよ」

「しかし、その件でしたら、主《おも》な協調融資銀行七行が、融資担当の専務、常務を出してつくっている事故処理委員会で発表されることになっていたのではございませんか」

「ところが、そういうわけにはいかん事態が出て来たらしくてねぇ」

「すると調査の結果、思いもかけない膿《うみ》が出て来たとでもいうのでしょうか」

目下の合併問題と関連のあることだけに、声をひそめた。

「それは向うへ行って、話を聞いてみないことには解らない、長期開発銀行の宮本頭取と大同銀行の三雲頭取の三者だけの極秘の会合だから、渋野常務にはこのことは伏せておくように」

万俵は釘《くぎ》をさし、部屋を出た。

五日前、突然、神戸の本店頭取室に長期開発銀行の宮本頭取自身から電話がかかって来、「阪神特殊鋼の調査結果がまとまりましたが、銀行団の専務、常務クラスにあからさまに出来ないことが出て参ったので、サブ・メインである大同銀行の三雲頭取とともに、内々にご相談したく、弊行へご足労願います」と伝えられたのだった。万俵は電話を受けたその時も、会合に出向いて行く今も、何の動揺も感じていなかった。

ホテル・ニューオータニの芙蓉《ふよう》の間《ま》で、アサヒ石鹼《せっけん》の創立五十周年記念パーティが行なわれていた。正午から始まったパーティで、会場には官公庁、同業者、販売店、取引銀行の招待者が三百人近く出席し、昼間から水割で顔をほてらせる者、ホステス相手に大声で喋《しゃべ》っている者など、洗剤石鹼という業種らしい気さくな姿が見受けられる。

そんな中で、アサヒ石鹼のメイン・バンクである大同銀行の三雲頭取は、下へもおかぬもてなしを受けていたが、型通りの挨拶がすむと、あとはアサヒ石鹼の役員たちと話題も合わず、一刻も早く会場を出たい気持に駈られていた。

「おや、頭取、こちらにお見えでございましたか」

蒸れるような人混みの向うから、綿貫が赭《あか》ら顔に汗を吹き出して寄って来た。綿貫はパーティが始まった時間からずっと会場に詰めっきりで、まるでアサヒ石鹼の社長のような愛想をふりまき、顔見知りの一人一人に挨拶して廻っていた。

「今日は盛会で何よりですね、長い取引先だけに、君にとっても今日の創立記念パーティは感慨無量のものがあるでしょう」

三雲はカクテル・グラスを片手に祝うと、綿貫は得意満面の笑みをうかべ、

「そりゃあ、頭取、一介の石鹸屋だったアサヒ石鹸を、今日《こんにち》ここまで育て上げるに当っては、いろいろなことがございましたからねぇ、今でも一番懐《なつ》かしい思い出というと、隅田《すみだ》川《がわ》沿いの小さなトタン屋根の工場で、石鹸職人と一緒になって、石鹸粉の成分を、ああでもない、こうでもないと洗面器を十幾つも並べて実験したことでございますよ、あの頃は、私も若かったんですねぇ」

自分の言葉に酩酊《めいてい》するように云った。横から綿貫と同年輩のアサヒ石鹸の役員が、

「私どもとて、あの頃のことは、いまだに忘れもしません、未来の専務たる綿貫さんに、空《から》っ風が吹き通しの土間で何くれとなくご相談に乗って戴《いただ》き、はては算盤《そろばん》しかお持ちになったことのない手を、石鹸粉や漂白剤で荒してしまうなど、今から考えると、もったいないことばかり――」

感激するように、言葉を跡切《とぎ》らせた。

「だが、あの頃は楽しかったな、むしろ洗濯機用の洗剤で当てて、会社が急速に伸び、二部上場になった後の方が、気苦労がつきないものだよ、業績がよければよいで、綿貫は情実貸金をしているんじゃないかと痛くもない腹を探られ、不振になればなるで、同族経営の石鹸会社など、もはや将来性がないからと融資の打切りを迫られたりする

んだからねぇ、しかし喜びも悲しみも幾星霜、ロイヤル化粧品を買収して以後、株価はみるみる百円棒高になるし、今日の五十周年記念は、一点の雲もない秋空の如《ごと》き晴れやかさだねぇ」

綿貫は、三雲にあてつけるように陽気に喋った。しかし多少の誇張はあっても、概《おおむ》ね事実であるだけに、阪神特殊鋼のことで苦悩している三雲の胸に鋭く突き刺さった。

「では私は、そろそろ失礼するとしよう」

長期開発銀行に行かなければならない時間であった。

「おや、もうお帰りになるので？　さっきお見えになったばかりですから、せめて、二、三十分はおいでになって下さいよ、社長と副社長がもうすぐ挨拶に会場を廻りますので、花を添えてやって下さい」

綿貫は、いかにも情がないと云わんばかりに云った。

「だが、二時から大事な所用があるから、もう会場を出なければ――」

時間を気にするように云うと、

「ほう、ここより大事な所用が、今日、ございましたかねぇ」

厭味《いやみ》たっぷりに云ったが、三雲は振りきるように会場を出た。

人いきれが蒸れるように籠《こも》っていた会場から階下の玄関に出ると、ひやりとした外気が頗に快かった。しかし、待たせてある車に乗り込むと、これから行く長期開発銀行でどんな話が切り出されるのか、三雲は次第に不安な気持に包まれ、五日前に宮本頭取自身がかけて来た電話を思い返した。宮本頭取は用件を述べた後、「阪神銀行の万俵頭取を交えた三人だけの会合で人目が憚《はばか》られますので、特にお出迎えも致しませんが、地下の駐車場から直接、頭取応接室に上って来て下さい」と云い添えたのだった。

三雲は緊張した表情で、車の前方を見詰めていた。

万俵大介を乗せた車は、虎《とら》ノ門《もん》の長期開発銀行の地下駐車場へ滑り込んだ。すぐ前を徐行していた黒塗りのベンツから、大同銀行の三雲頭取が降りたつのが見えた。

「やあ、三雲さん、本日はどうも――」

万俵は会釈《えしやく》したが、三雲は沈んだ表情で、

「ちょうど、ご一緒でしたね」

言葉少なに応《こた》え、二人揃って来客専用のエレベーターに乗った。三雲はエレベーターの中でも重く口を噤《つぐ》み、こころなしか顔色も冴《さ》えない。万俵はそんな三雲の様子を、獲物《えもの》を撃つような視線で、窺《うかが》っていた。

五階でエレベーターが停まった。役員室ゾーンで、秘書課員が万俵と三雲の姿を見付け、目だたぬように奥まった頭取専用の応接室へ案内した。

宮本頭取は、すぐ姿を現わした。

「これはこれはお二方《ふたかた》、お揃いで、本日はお呼びたてした形になって申しわけございません、どうぞ、こちらへ――」

小柄だが、温和な風貌《ふうぼう》と包容力のある性格で知られ、それが長期の設備資金銀行の頭取として、市中銀行の間で信頼され、何か問題があった時も、まとめ役として大いに役だっていた。

「頭取、この度は阪神特殊鋼の調査、何かとお手数をおかけ致しました」

万俵がメイン・バンクであり、親会社である立場で挨拶《あいさつ》すると、三雲も、

「平素は何かとお世話になっている上に、この度はまたお手をお煩《わずら》わせ致しております」

と挨拶し、宮本頭取を挟《はさ》んで、三雲と万俵は向い合って坐《すわ》った。

「本日、極秘で両行の頭取にお運び戴きましたのは、阪神特殊鋼の財務調査の結果が、当初、予想していた以上に悪く、一企業の存廃にかかわる事態にたち至っているから

です」

宮本頭取が云うと、万俵はいかにも面目なげに眼を伏せたが、三雲は、

「で、その調査結果の内容は――」

心の動揺を押し隠すように聞いた。宮本頭取は手に持った書類を繰り、

「調査結果の概略を記《しる》したものを用意しておりますので、それにお目通しを戴きながら、お話を進めて行きたいと存じます」

調査の要点を記載した書類を、三雲と万俵の双方に手渡した。

「先般のガス爆発事故に伴う直接、間接的な損害額は、会社側見込みの十六億五千万を上廻り、約十八億と見られ、加えて輸出キャンセルによる不良在庫は約十億、これら負債に加えて問題になるのは、固定資産の内容で、既にここ二ヵ年間の投資額二百億に対し、月の水揚げは僅《わず》か五億しか増えておらず、その上、大部分の設備が遊休しているから、資産価値はかなり割り引いてみる必要があります、さらに固定資産、在庫その他に、これまで四百八十億が投じられておりますが、これらを調達している資金は、自己資本が六十億、残りすべては他人資本で、自己資本の約七倍の他人資本によって賄《まかな》われていることになりますから、一口に云って、資本構成は不良と云えましょう」

宮本頭取は一気にそう説明し、

「万俵頭取、ちょっと厳し過ぎますか」

万俵への配慮を示すように云ったが、万俵はメモに視線を向けたまま、

「いいえ――、どうぞお続け下さい」

と応えた。宮本頭取は続いて、収支状況は、現在の市況のもとでは毎月一億五千万程度の赤字が累加《るいか》される状態で、ここ一年間は市況回復の見込みも薄く、赤字から黒字にすることはまずもって不可能との見解を出し、

「このような厳しい状況下において、各行の融資比率が今回の調査でかなり乱れていることが判明し、特に両行さんを前において甚《はなは》だ申し上げにくいことながら、両行の協調融資の足並の乱れが見られます」

と云った。三雲が訝《いぶか》しげに、

「協調融資の乱れですって？　それはどういう意味なんでしょう、具体的におっしゃって下さい」

「従来の融資比率が変っているのです、借入残高が阪神銀行九十億、大同銀行百億で大同さんの比率が増えて、阪神さんの方が下っているのです」

「え、阪神さんの方が下っているなど、そんなことが……」

三雲は信じられないように、万俵を見た。万俵が阪神特殊鋼の銭高常務に命じて行なわせた見せかけ融資の結果であったが、三雲はそれに気付いていない。宮本頭取は、両行の微妙な確執に巻き込まれるのを避けるように沈黙していた。

「万俵さん、一体、どうしたことです」

三雲は、ひたと射るような眼《まな》ざしを向けた。

「私もこんな数字になっていることなど知らなかったので、愕《おどろ》いているのです、おたくが突っ込み過ぎていらっしゃるのではないですか」

万俵は、平然としらをきった。

「突っ込み過ぎだなど、冗談じゃありません、当行の資金表では別枠《べつわく》融資を加えても、御行《おんこう》の比率の方が高くなっています、それがいつの間にか、何故《なぜ》、逆転したのでしょうか、おかしいじゃありませんか！」

三雲がさらに迫るように云った時、宮本頭取が両者を取りなすように、

「思うに、これは阪神銀行さんの資金の都合で、融資の実行が一時遅れになったものと思われますが――」

と云うと、万俵はすぐ言葉を継ぎ、

「私も、そのようにしか考えられません、こんなことで大同銀行さんとの協調融資の

足並が乱れることがあれば、私の不徳の致すところで、深くお詫《わ》び申し上げます」

姿勢を正して陳謝したが、三雲は、万俵に不信の念を抱いた。これまでもメイン・バンクでありながら、阪神特殊鋼に対する融資額を削減し、ことあるごとに大同銀行へだけ苦しい資金繰りを押しつけ、つい最近の一時不渡りの買戻し資金でも、面倒をみなかったことを思い合せると、三雲の胸には、万俵大介が背後で糸を引いているような疑惑さえ生じた。

「私にはまだ釈然としないものがあります、万俵頭取は、阪神特殊鋼の経営に対して、何か格別なご見解をお持ちなのでしょうか、もしそうなら、この際、腹蔵のないご意見をお聞かせ戴きたい」

「格別の見解などあるはずがありませんよ、メイン・バンクとして、また私自身は肉親としての情もあり、全力を尽しているつもりです」

ぬけぬけと応えた。三雲の眼に憤《いきどお》りの色が奔《はし》った。

「融資比率が逆転していて、なおかつ全力を尽したとおっしゃるのですか」

詰め寄るように云うと、宮本頭取は、

「まあ、まあ、融資比率については十億の差ですから、早速、阪神銀行さんが一挙に貸出しされれば解決することじゃありませんか、それより意外な事実が出て来ました、実は先に挙げました負債に加えて、阪神特殊鋼が日歩十銭（年利三六・五パーセント）もの高歩《たかぶ》借りをしていたことと、架空売上げを計上していたことが判明したのです」

「えっ、高歩借りを……」

万俵と三雲は、異口同音に聞き返した。街の金融機関から、高利で借りる高歩借りは、銀行間で最も嫌忌《けんき》されていることだった。

「実は経費元帳を調査したところ、多額の利子を支払っているにもかかわらず、それに対応する銀行名の記載がないところから、一億五千万の高歩借りの利子が、簿外《ぼがい》負債としてあることが判明したのです、さらにまた、経営不振から売上げ増加を強いられた地方の営業所が、架空売上げを三億六千万も計上していることが解《わか》り、もはや末期的症状を呈していると云《い》わざるを得ません」

宮本頭取は温和な顔をやや険しくし、

「このような状態で万一、阪神特殊鋼が倒産でもすると、総額五百五十億の債権が生じ、われわれ銀行筋は巨額のこげつきをつくってしまう一方、連鎖倒産する下請けも続出する事態にたち至りますから、そんな事態に陥らぬ前に、会社更生法を申請することも考慮すべきでしょう」

もはや結論を急ぐように云った。万俵は表情を動かさなかったが、三雲はみるみる

顔を硬《こわ》ばらせ、

「それは時機尚早だと思います、先刻来の固定資産の評価は、観方《みかた》を変えると、そのまま阪神特殊鋼の長所になるではありませんか、高炉が完成し、あれだけの設備が稼《か》動《どう》しはじめると、一転、りっぱな虎になる、万俵専務以下、優れた技術陣が健在ですから、その設備と技術を生かすための再建策を考えるべきだと思いますよ、万俵さん、いかがですか」


真っ向から救済意見を打ち出した。万俵は瞬時、思案するように腕組みし、

「三雲頭取のお気持のほどは有難い、しかし、既に他行は逃げ腰で、おたくで一時不渡りの買戻しをして戴いた後も、当行へは何度も泣きついて来ている、したがって今後も支援を続けるとすれば、おたくとうちの二行だけということになりますが、このまま万一、阪神特殊鋼が野たれ死することにでもなれば、三雲さん、どうなさるおつもりです？」


さすがの三雲も、口詰った。宮本頭取は事態の深刻さを慮《おもんぱか》るように、

「阪神特殊鋼がつぶれたりしては、産業界に大へんな混乱を招くことになる、この際、石川社長と万俵専務を呼んで、経営者側の再建策をとくと聞いた上で結論を出すことにしましょう、それまでは事故処理委員会には、〝調査遅延〟と報告しておきます」

しめ括《くく》るように云った。

万俵鉄平は、耳もとに伝わって来る三雲頭取の言葉が信じられなかった。

「頭取、そんな——、メインの阪神銀行と御行の融資比率が逆転してしまっているなど、私には到底、考えられません、断じてそんなことは——」

強く否定するように云ったが、受話器を通して伝わって来る三雲の言葉を聞いて行くうちに、動悸《どうき》が大きく搏《う》ちはじめた。

「——解りました、直ちに経理担当常務を呼んでことの真偽を糺《ただ》し、もし事実ならすぐさま御行本店へ伺います、暫《しばら》くの間、ご猶予《ゆうよ》下さいますよう」

鉄平は受話器を置くなり、銭高常務を呼ぶよう、秘書に命じた。専務室に入って来た銭高は、鉄平の険しい顔色を窺うように、

「専務、あの、何か急なご用でも……、もしお急ぎでなければ、人と約束をしているものですから、後程にして戴くと助かるのでございますが——」

「いや、重大な話だ、そこへかけ給《たま》え」

鉄平は、自分の机の前の椅子《いす》を指し、

「阪神銀行と大同銀行の借入残高は、今、いくらになっているのかね」

「何かと思いましたら、そんなことで――、つい先日もご説明致した通り、阪神百十億、大同百億ですが、それがどうか致しましたんでございますか」

口髭《くちひげ》を撫《な》で、とぼけた表情で聞いた。

「間違いないね、ほんとにその通りなんだな」

「いやでございますねぇ、専務、そんな恐《こわ》い眼で睨《にら》みつけられたりして……なんだか先代の万俵敬介頭取に叱《しか》られているみたいな錯覚を起しますよ」

銭高は、鉄平の視線から逃れる云いわけのように冗談めかして笑ったが、頬のこけた貧相な顔は心中の動揺を隠しきれず、引き歪《ゆが》んだ。

「銭高君、阪神銀行が百十億で、大同銀行が百億という借入表は、大同銀行に対してだけで、阪神銀行をはじめ他の銀行には、大同銀行百億、阪神銀行九十億と、メインが逆転してしまっている表《ひょう》が渡っているというじゃないか、これはどういうことか、説明し給え」

声を荒らげて迫ると、銭高はみるみる顔を青白ませて、やがて観念したように、

「申しわけございません、実は阪神銀行の融資の実行が、向うの都合で少々遅延し、ただでさえ苦しい資金繰りがにっちもさっちも行かなくなりましたので、会社を思う

あまりに大同銀行からさらに資金を引き出すべく、阪神銀行の融資の遅れを隠した表を作って持って行き、ここ三カ月ほど、従来の比率以上の借り増しをしておった次第です」

「それじゃあ阪神銀行の見せかけ融資で、大同銀行を騙《だま》していたというわけか！　つい今しがた、三雲頭取から電話があり、そのことの指摘に対して、断じてそんな不明朗なことはないと答えたばかりだ、こともあろうに、三雲頭取に何ということをしてくれたんだ！」

「え、三雲頭取からご指摘が……、頭取はなぜ、そのことを――」

「そんな詮索《せんさく》より、君は何故《なぜ》、僕までも騙していたんだ、阪神銀行はなぜ融資の実行を遅らせているのだ、これは君一人の才覚なのか」

鉄平は顔を朱奔《しゅばし》らせ、銭高の前に仁王だちになった。

「阪神銀行の融資の実行が遅れていることは、向うさんのご事情でございまして――、ただ融資の実行は確実だというお約束を戴いていましたので、熱風炉の爆発事故や、その後の再建策でくたくたになっておられる専務に、これ以上ご心配かけてはと――、むろん私一人の独断で、どなたに相談したわけでも、命じられたわけでもございません」

鉄平の凄《すさま》じい気勢におじけ、銭高はしどろもどろに応《こた》えた。

「では、ほんとうに君一人の才覚でやったことかどうか、聞いてみようじゃないか」

鉄平はそう云うなり、机の上の電話のダイヤルを廻した。

「どちらへお電話をなさるのです」

「父にだ、このままで三雲頭取のところへは行けない」

「しかし、どうして万俵頭取に……、頭取は何ら関知されていないことです、お電話はおとどまり下さい！」

いきなり、銭高は、鉄平の腕に組みつき、電話器を取りかけたが、鉄平は激しく銭高の手を振り払うと、電話に出て来た秘書の速水に、父に繋《つな》ぐよう頼んだ。しかし万俵頭取は、今朝《けさ》から上京したという返事であった。

「銭高君、他《ほか》に私に隠しているようなことはないだろうな、私はこれからすぐ東京へ飛ぶが、会社の浮沈にかかわる大事な時だから、他に何かあれば包み隠さず、全部話してほしい」

と云ったが、銭高は黙って首を振った。鉄平は三雲に上京の旨《むね》を伝え、急いで飛行機の切符を手配させた。今からなら大同銀行本店へ、六時半には到着出来るはずだった。

大同銀行の頭取室には、夜の灯《あか》りが点《つ》いていた。三雲は苛《いら》だたしい思いで、鉄平の到着を待ち受けていた。

昼間、長期開発銀行で極秘裡《ごくひり》に行なわれた長期開発、阪神、大同の三頭取会談から帰るなり、三雲は融資部長を呼びつけて協調融資銀行の借入明細表を持って来させ、仔細《しさい》に眼を通したが、やはり阪神銀行百十億、大同銀行百億で、融資順位は阪神の方が上になっている。にもかかわらず、長期開発銀行の調査で大同銀行の方がトップになっているというのは、明らかに阪神特殊鋼から大同銀行に提出されている資金表は偽りだということになる。だが、なぜ他行と大同銀行へ渡す資金表を変える必要があったのか――。融資部長は、突然、資金表を見る三雲に訝《いぶか》しげな顔をしたのだったが、三雲としては自らが推進した阪神特殊鋼の資金表に疑問があるとは云えず、ちょっと思いついたことがあってと、言葉を濁していた。しかし、それもいずれは行内に知れわたり、阪神特殊鋼の融資をめぐって、自分と綿貫千太郎との対立がさらに深まるだろうと思った。

インターフォンが鳴り、心きいた秘書の一人が、目だたぬように万俵鉄平を案内して来た。鉄平は慌《あわただ》しく頭取室へ入って来るなり、

「遅くなりました、先程のお電話によるお問い合せの件について、ご説明に参上致しました」

と挨拶《あいさつ》したが、いつもの精悍《せいかん》な顔は青ざめている。

「一体、どうなっているのです、阪神銀行からの借入れは？」

見せかけ融資であることを、心の一部で否定している三雲は、つとめて平静に質問した。その平静さに胸をえぐられる思いで、鉄平は云い澱《よど》んだ。

「実は……、頭取からお電話のあと、早速、調査致しましたところ、阪神銀行から入っていると思い込んでいた融資が、実際にはまだ融資を受けておりませんでした——」

「じゃあ、あなたの会社では、まだ融資を受けていない分まで、借入金として書き入れるのですか」

ぴしりと鳴るような声が、部屋に響いた。

「申しわけございません、阪神銀行が融資を実行するまでのごく短期間のことだというので、そのような報告がお手もとに行っていたのです」

「それはあなたも、承知の上だったのですか」

「——迂闊《うかつ》にも、私は知りませんでした……」

恥じ入るように応えた。

「知らなかったではすまない、もし、これが意図的に行なわれたものであるなら、卑劣な見せかけ融資に他《ほか》ならず、当行を偽ったことになります、いかに技術者出身で経理に疎《うと》いと云っても、専務たるあなたが、このような重大事に気付かずにいたとすれば、失礼ながら、あなたがよほど凡庸なのか、それともよほどことが巧妙に行なわれたということになりますねぇ」

三雲の言葉に鋭さが増し、

「一体、誰が実際に見せかけ融資を行なったのです？」

と問い糺した。

「実は、当社の経理担当常務が、阪神銀行の融資が遅れたので、苦しまぎれに御行《おんこう》から借り増すために、ここ三カ月ほど心ならずも見せかけ融資の帳簿操作をしておったということです――」

「しかし、経理担当常務一人だけの独断で、これだけ見事な見せかけ融資がやれますでしょうかねぇ」

三雲の眼に、ありありと疑惑の色がうかび、

「私の想像では、阪神特殊鋼側は、少なくとも経理担当常務と経理部長、阪神銀行側

は、融資担当常務と本店営業部長、貸付課長、そのあたりまでが組んでやらない限り、こんな巧妙な見せかけ融資はやり通せるものではないと思う、それにしても、なぜ見せかけ融資までして、当行から借り増そうとしたのか、そこが私は理解に苦しみます」

きめつけるように云った途端、鉄平の顔色が変った。阪神特殊鋼と阪神銀行が組んで見せかけ融資を行なう限り、父の万俵大介が背後で糸をひいているに違いなかった。最初から何らかの意図をもって見せかけ融資を行なったとするなら、何をもくろみ、何を目的としていたのだろうか——。そして三雲の云うように、阪神銀行の貸付課長あたりまでが組んでいたとするならば、貸付課長である弟の銀平も介在していたことになる。そう思うと、鉄平は心の芯《しん》まで冷えて行くのを覚えた。

「その他にも、経理面で不審な点があります、街の金融機関から高歩《たかぶ》借りをしていることと、架空売上げを計上していることです」

「えっ、高歩借り？　架空売上げ——、一体、どれぐらいですか、お解りならお教え戴《いただ》きたい」

信じられぬように聞いた。

「高歩借りが日歩十銭で一億五千万、架空売上げが三億六千万もあります」

鉄平はがっくりと肩を落した。高歩借りが、銀行間で最も嫌忌《けんき》されているのは、鉄平もよく承知していることだった。

「ですが、頭取は、それをどうしてご存知になったのですか」

「しかるべき筋から知ったことだが、君はこれをも、知らなかったというのですか、それなら君は経営者として失格だ、そんな経営者に賭《か》けた私自身もまた、一行の頭取として失格だ、私は騙されていた——」

不意に三雲の肩が怒りに震え、両の拳《こぶし》を握りしめた。

「違うのです、頭取……」

鉄平は、絶句した。

「なにが違うのです、たしかに高炉にすべてを賭けている君はりっぱだ、しかし、鉄を作るだけが事業ではない、今まで君が何度も、資金繰りの無理を云って来た時に、もっと早く私自身も阪神特殊鋼の経理上の欠陥に気付くべきだった、しかも当行を欺《あざむ》く見せかけ融資まで行なわれていたというのだから……、それにしても、メイン・バンクの頭取であり、あなたの父上である万俵大介氏は、この事態をどう考えておられるのです」

「頭取からお電話を戴いた後、すぐ父に連絡したのですが、折悪《あ》しく上京していて、まだ会っておりません、しかし早急《さっきゅう》に父に会って意向を質《ただ》し……」

と云いかけ、鉄平は言葉につかえた。父に会ってみたところで、局面の打開が計れるかどうかは疑問であった。三雲の顔にふっと憐《あわ》れみの色がうかんだが、

「ともかく、早急に父上と会って打開策を考えることです、当行としては、もはや現状のままではおつき合い出来かねる状態になっているから、融資の実行が遅れている阪神銀行の借入れを早くして、誠意のあるところを示して貰《もら》いたい、今後の話はそれからです」

これまでの温情主義を断ち切るように、きっぱりと云った。

赤坂と新橋で二つの宴席をすませた万俵大介は、麴町《こうじまち》の行邸《こうてい》へ帰らず、世田谷の一子の家へ向って車を走らせていた。

快く酔いの廻った体をシートに深々ともたせかけて眼を閉じているうちに、うとうととまどろんだが、昼間、長期開発銀行で秘《ひそ》かに行なわれた三頭取会のことが、頭を掠《かす》めた途端、眼を醒《さ》ました。まさか高歩借りまでしなければならないほど、阪神特殊鋼の経営内容が悪化しているとは思っていなかったが、長期開発銀行の調査結果によ

ると、大同銀行の突っ込み方は、銭高から報告を受けていた融資額とほぼ変らず、計算通り、着々と自分の野望が遂げられていると思った。

成城町の住宅街に車が入り、生垣《いけがき》をめぐらせた家の前に停まると、一子がすぐ出迎えた。

「お父さま、先程はお電話でどうも――、美馬はまだ帰っておりませんけれど、宏《ひろし》が起きて、待っておりましてよ」

久しぶりの父の訪問を喜ぶように云《い》うと、内玄関に宏が走り出、

「お祖父《じい》ちゃま、ご機嫌よう」

半ズボンにハイソックスをはいた恰好《かっこう》でお辞儀した。

「こんなに遅くまで、よく待っていてくれたね、明日、学校は大丈夫かな」

美馬中《あたる》とよく似た顔だちの宏の顔を覗《のぞ》き込むと、宏も一緒に応接間に随《つ》いて入り、

「明日はテストだから、どっちみち、勉強しなきゃあならなかったんだよ」

「小学生で十時過ぎまで勉強しなくては、いけないのかね」

「お祖父ちゃまは古いなあ、パパのように東大へ入ろうと思ったら、今のうちから差をつけておかなくちゃあ」

宏は、真面目《まじめ》くさった顔で云い、

「お祖父ちゃまは、二子おばちゃまのお嫁入りのことで来たの」

「そうだよ、宏は、二子おばちゃまが好きかい」

「大好きだよ、でもおばちゃま、お嫁に行きたくないって云ってたよ、どうしてなの」

不思議そうに聞いた。

「宏ちゃん、もうお寝《やす》みなさい、明日のテストに障《さわ》りますよ」

一子が横合いから促し、おやすみなさいと宏が挨拶して出て行くと、

「二子ちゃんは、この間もうちへ来て、細川さんとの結婚を随分いやがってましたけど、無理に進めて大丈夫でしょうかしら」

案ずるように云った。

「無理とか、何とか云っても、今さら破談に出来るわけがないじゃないか、大体、お前にしても、鉄平にしても、二子の我儘《わがまま》をまともに受けて、あれこれ心配するから、よけい私たちに反抗するんだ」

「でも、相子さんのなさり方は初めから強引過ぎると思いますわ、二子ちゃんの相手は、どうしても細川一也さんでなくてはならないみたいですもの」

もの静かであったが、言外に強い批判を籠《こ》めて云うと、

「本人のためにも、万俵家のためにも、最適の配偶者と判断した上でのことだから当然だろう、それとも一子は、鉄平と同じように、阪神特殊鋼の一之瀬とかいう技術者《エンジニア》と結婚させたいのかね」

咎《とが》めだてるように云った。

「ええ、二子ちゃん自身が望んでいることですから――」

一子は、いつになくはっきりとした口調で頷《うなず》いた。大介は険しい表情で、

「二子は、阪神特殊鋼の技術者などにはやれない、だからお前も、二度とこのことは口にするんじゃない、解《わか》ったな」

「でも、どうして阪神特殊鋼の技術者がいけないのでしょうか、鉄平兄さまに伺うと、一之瀬四々彦さんという方は東大工学部の出身で、マサチューセッツ工科大学へも留学なさった優秀な方だそうではありませんか、銀平さんも、万樹子さんと結婚して一年ちょっとで破綻《はたん》しかかっているということですし、どうか二子ちゃんを倖《しあわ》せにしてあげて下さい」

涙ぐむように云うと、

「一子、もういい加減にしないか」

声高に大介が叱《しか》りつけた時、応接間の扉《とびら》が開き、美馬が入って来た。一子は表情を

取り繕い、

「あら、お出迎えもしないで、ごめんなさい、すぐお茶のお支度を――」

と云って、部屋を出て行った。美馬は愛想よく、

「お久しぶりです、国会の予算委員会が長びき、遅くなって、随分、お待たせしてしまいました」

「いや、久しぶりに宏の顔が見られ愉快だったよ、それより明日、佐橋総理を官邸に訪ねる時間は、うまく取れたかね」

細川家と縁組を結ぶことにより、新たな縁戚《えんせき》関係になる佐橋総理に、挨拶をすべく、出向くことになっているのだった。

「総理もこのところ何かと多忙で、時間を取るのが大へんらしいですが、大蔵省から秘書官として出向している秋野君に強引に頼んで、明日、午後三時半から十五分間、予定を取ってもらいましたよ」

主計局次長の実力のほどを、匂《にお》わせるように云った。

「それは早速と有難う、じゃあ明日は、日経連の地域開発委員会が終った後、中君がアレンジしてくれた帝国製鉄の兵藤《ひょうどう》副社長と例の件で話をし、それからすぐ官邸へ行けば間に合うだろうねぇ」

その予定を娯《たの》しむように云うと、

「兵藤副社長とのお話が長びかなければ充分だと思いますよ、しかし、お舅《とう》さん、ほんとうのところ、阪神特殊鋼を手放されるおつもりなんですか」

美馬は、半信半疑の面持で念を押した。

「今さら何を云っているのだ、決心したからこそ、君から帝国製鉄の兵藤副社長にそれとなく耳うちして貰って、会う機会を作ったんじゃないか」

「そりゃあそうですが、何といっても、ご自分の長男の会社ですからねぇ――」

さすがの美馬も、まだふっきれないように云った。半月前、大介から、「阪神特殊鋼はもはや独り歩きは無理だから、できれば、以前、傘下《さんか》の特殊鋼会社との合併を打診して来た帝国製鉄に、今もその意思があるかどうか、聞いて貰いたい」と頼まれたのだった。美馬は早速、兵藤副社長が主宰する〝兵六会〟の席上で、そのことを耳うちすると、予定をびっしり書き記した手帖《てちょう》を取り出して、日経連の地域開発委員会の後ではどうかと、云ったのだった。地域開発委員会は、兵藤自身が委員長をし、万俵も委員をしているところから、万一、二人の会談が人目にふれても不自然でないのを配慮してのことだった。

*

大手町にある日経連ビル十二階の会議室の扉《ドア》が内側から押し開かれると、十七、八名の財界人は銘々に資料を手にして出て来た。

午後一時から開かれていた地域開発委員会が終ったばかりである。国土の有効利用、過疎《かそ》地帯の政策研究の委員会だったが、識見豊かな一流企業の社長、副社長たちがそれぞれ自信と個性を漲《みなぎ》らせた表情で、会議のあとの寛《くつろ》いだ話を交わしている。そんな中で委員長である帝国製鉄の兵藤副社長は、八十キロの巨体を動かして、誰彼となく気さくに話していたが、〝日経連の官房長〟として政界へのパイプ役を一身に担《にな》っているだけあって、重厚さが身についている。五井物産の社長が兵藤のそばへ寄り、

「産業振興協議会の資金集めの件、不況でどこも渋くてねぇ、兵藤さんから各社へお電話をお願いしますよ」

と声をかけると、

「承知しました、おかけしておきましょう」

こともなげに応《こた》えているのが、万俵大介にも見て取れた。万俵はこれから兵藤と極秘で話す内容を頭にうかべながら、人目にたたぬよう、エレベーターには乗らずそっ

と階段から十階へ下りた。十階にある会員談話室の、いつも兵藤が常用しているNO・3の部屋で会うことになっているのだった。

「ちょっとお待たせしたようですな」

程なく兵藤も階段から下りて来て、わが家《や》の部屋のように、NO・3と記《しる》された扉を開けて万俵を請《しよう》じ入れ、ボーイにケーキと紅茶を命じた。北欧調の木目を生かした落ち着いた部屋の中で、テーブルを挟《はさ》んで向い合うと、ビルの谷間を走る車の流れが眼下に小さく見える。ケーキと紅茶が運ばれて来ると、兵藤は大きなショート・ケーキにぱくりとかぶりつき、

「こう金詰りだと参りますね、阪神さんも、面倒をみて下さいよ」

と笑った。金融引締めと不況の最中《さなか》であったから、金詰りの話は、財界人の日常の挨拶《あいさつ》のようなものだったが、膨大な金を食う鉄鋼会社を背負っている兵藤の言葉には実感があった。万俵はケーキには手をつけず、紅茶を飲みながら、

「いや、不景気で苦しいのは銀行とて同じですが、おかげさまで貸出先に他行さんほど大きな傷人《けがにん》が出ていませんので、資金繰りはどうにか順調に行っています、ただ先日、娘婿《むすめむこ》の美馬からお話ししておりますように、阪神特殊鋼が少し熱を出しているので、そのご相談なんですよ」

互いに忙しい体であったから、無駄話は一切ぬきで、要件を切り出すと、兵藤の顔が引き締まった。

「それで、そのご相談の内容は?」

「実は五年前に、御社《おんしゃ》の系列会社である昭和特殊鋼と阪神特殊鋼との対等合併のお誘いを受けたことがありますが、あの時はまだ阪神特殊鋼が健在で、しかもどんどん伸びる見通しもあったので、もう少し独り歩きさせようと思って、お断わりした次第ですが、今もまだ、そのお気持が残っておられるようなら、この際もう一度、お話を再燃させたいと思いましてねぇ」

縁談を運ぶようなさり気なさで、切り出した。

「美馬君からお話がありましたので、早速、社長と話をし、詰めてみました、私としてはなるべくご期待に添いたいと思っていますが、社長が云うには、いろいろとご整理願いたいものを整理して戴かない限り、この話はお受けしかねると申しておりましてねぇ、それがうまく行けば、まとまらない話ではありませんよ」

阪神特殊鋼が抱えている膨大な負債を片付け、すっきり贅肉《ぜいにく》が取れてからなら、話に応じるという云い方をした。

「ごもっとも、いろいろ内《ない》整理をしなければならない問題もありますので、その方の具体的なめどがつき次第、ご連絡することにしましょう」

万俵がことさら気軽な応え方をすると、

「しかし問題は、そんなに簡単に整理がつくかということじゃないですかねぇ、万俵さんが云われるように微熱程度の段階ならともかく、容態は相当、悪化しているようじゃないですか」

無遠慮に、ずばりと云った。その語調で、兵藤が阪神特殊鋼の経営実態をすでに相当、根深く洗っていることが察せられた。おそらく八月末に五菱銀行で一時不渡りを起したことも、九月中頃に二十億の商社金融をこれまで付き合いのなかった五菱商事に、突如として頼んだことも、知っているらしい。しかし今、容態の悪化を認めてしまえば、足もとをみて少しでも安く買い叩《たた》こうとする帝国製鉄の思うつぼにはまるから、万俵はゆったりとしたもの腰で、

「容態の重い軽いの判断は、鉄鋼マンの兵藤さんと、銀行マンの私とでは多少の喰い違いがあると思いますが、阪神特殊鋼はご承知のように私の亡父の代に設立した会社で、含み資産等は充分、評価して戴けると思います」

「では、阪神特殊鋼に対する融資比率が、メイン・バンクである阪神さんの方がサブ・メインの大同さんより低いのは、どういうわけなんです？」

すかさず、兵藤は畳みかけた。

「ああ、その件でしたら、私の方の行内事情で、融資の実行が一時、遅れているだけのことですよ」

と応えたが、極秘裡《ごくひり》に行われたはずの長期開発銀行の調査結果までキャッチしているらしい様子が窺《うかが》われ、さすがは財界奥の院の一人といわれるだけのことはあると、万俵は少なからぬ驚きを覚えた。

しかし兵藤はそんな気振《けぶ》りを微塵《みじん》も見せず、ケーキを平らげると、

「それにしても万俵さん、経営内容はともかくとして、あれだけの設備と技術を持っている会社を、なぜ手放されるのですか」

「それはほかならぬ兵藤さんがいつもおっしゃっているお説と、私も同じだからですよ、特殊鋼業界は高度成長を見越して企業が乱立ぎみであり、今度の不況で業界再編成は避けられぬ方向に来ています、こうした現実を直視すると、無理をして今、阪神特殊鋼をたち直らせても、この先、何年もつか解らず、それならいっそ今のうちに、業界第一位の阪神特殊鋼と、三位の昭和特殊鋼を合併させておいた方が、結局は阪神特殊鋼を生かす道だと考えたのです」

まことしやかに述べた。兵藤は暫《しばら》く、沈思した後、

「メイン・バンクのあなたのご意向は解りましたが、これは、当社とおたくの二者だけで運べる話ですか」

豪放細心と云われる如《ごと》く、話を詰めた。

「もちろん、今の阪神特殊鋼は、当行の一存だけで身の振り方をつけるわけには行かず、大同銀行さんの意向を取りつけねばなりませんが、それは私の方から出来ない話ではありません」

「じゃあ、大同さんと阪神さんとの話合いは、万俵さんにお任せすることにしますが、この件に付随して、阪神銀行さんとしてのご注文は何です？」

ストレートに聞いた。万俵も即座に、

「当行をもっとご利用戴《いただ》きたいということです、御社における当行の融資順位は現在八位ですが、せめて三、四位まで高めさせて戴きたい」

「ほう、万俵さんのような都市銀行ただ一人のオーナー頭取でも、当社における融資順位などを気にされますか」

兵藤は、急に尊大に笑った。そこには、帝国製鉄ということだけで金融機関が看板取引したさに犇《ひしめ》き集まって来るのをいいことに、自分の方から頭割りにきめた融資率で押し通している日本最大の鉄鋼会社の尊大さと、〝鉄は国家なり〟という思い上りが、剥出《むきだ》しにされていた。万俵は一瞬、不快になったが、ここで帝国製鉄における融資順位を三、四位にしておけば、大同銀行を合併した時、大同銀行の融資額を含めて、日本最大の企業のトップ・バンクになりうると考えた。

「当方の注文は、お含み戴けますか」

万俵は念を押した。兵藤はそれには応えず、

「万俵さん、もしこの合併が実現すれば、新会社の社長には、あなたのご子息の万俵鉄平氏を考えておられるのでしょうか」

「いや、それは考えておりません、私は息子のことを考えているのではなく、阪神特殊鋼という会社が生き延びることを考えているのです」

あまりに冷徹で、見事な応えであったが、二人きりの密室めいた室内には、ひやりと冷気がたつようであった。

「ほう、これはまた冷厳で鳴る万俵さんらしいお言葉、われわれ凡人は息子のこととなると、そこまでとても割り切れませんよ」

兵藤は半ば驚き、半ば真《ま》に受けかねるように、じっと万俵の顔を見、

「ご意向のほどは解りました、では本日のところはこれで――」

と云い、腰を上げた。万俵も揃《そろ》って部屋を出、エレベーターに乗った。

「お嬢さんの結婚式の日取りはおきまりですか、うちの細川一也君は、将来有望な青年ですから、ひとつよろしく——」

「これはいたみ入ります、挙式は来春、三月三日ですので、私の方こそよろしくお願い致します」

兵藤は頷《うなず》き、

「で、これからどちらへ？」

「私はちょっと総理官邸へ——」

万俵はさらりと応えながら、鉄平が昨日《きのう》から自分を追って上京し、今頃は銀行で自分を待ち構えているであろうことを思いうかべた。しかし万俵は、ここ当分、鉄平には会わぬ気持を固めていた。

永田町の総理官邸に向う万俵の車の対向車線を、警備車が三台、列を連《つら》ねてゆっくり通り抜けて行く。夕方からの学生デモに備えてのことらしく、国会周辺に近付くと、さらにジュラルミンの楯《たて》と携帯無線機を持った機動隊員が二、三人ずつ組になって、要所、要所を固めていた。

永田町一番地の総理官邸前に車が着くと、正門脇《わき》にしつらえられている警官詰所から制服警官が出て来て、万俵を誰何《すいか》した。車の窓を開け、氏名を名乗ると、詰所の電話で官邸内と連絡を取って、万俵大介の来訪を照合しているらしく、門の外で暫く待たされた後、ようやく唐草《からくさ》模様で縁取られた錬鉄《れんてつ》の扉《とびら》は重々しく両開きにされ、万俵の車を通した。

棕櫚《しゅろ》の植込みのあるロータリーを徐行し、玄関ポーチで車を降りると、万俵は両側に威儀を正して起立している衛士と私服警官に軽く会釈《えしゃく》し、赤い絨毯《じゅうたん》を敷き詰めたホールに足を踏み入れた。天井の高い、広いホールであったが、辺《あた》りは人影一つなく、森閑と静まり返って、ヴェールで掩《おお》われたように薄暗い。

万俵はふと、この官邸で曾《かつ》て起った幾つかの血なまぐさい政治事件を思い起した。そうした血を見ずとも、この総理官邸には過去四十余年、熾烈《しれつ》な権力の争いや権謀術数が渦巻《うずま》き、繰り返されて来ている。ある意味で総理官邸は、斜め向いの白亜の国会議事堂よりはるかに政治の中枢《ちゅうすう》であった。

「万俵頭取ですね――」

人影のない薄暗いホールのどこから出て来たのか、しのびやかな人の気配が間近にした。振り向くと、三十前後の秘書官がたっていた。万俵が頷くと、

「どうぞ――、ご案内申し上げます」

抑揚のない低い声でそれだけ云《い》い、ホール正面の赤い絨毯を敷いた階段を、先にたって上って行った。薄暗くてよく見極められなかったが、ホールの左右にも、上下に通じる幾つもの階段があるようで、百人近いという官邸の職員が、どこで、どのような仕事をしているのか、まるで無人の館《やかた》のようにひっそりとしている。

二階へ上ると、左手に受付があり、深い皺《しわ》を刻んだ官邸の主《ぬし》のような男が、じろりと万俵を一瞥《いちべつ》したが、秘書官の目くばせで、そのまま通過し、万俵はひとまず、秘書官次室へ通された。事務秘書の部屋らしく、六、七人の職員が黙々と仕事をしており、万俵を案内して来た秘書官は、少しお待ち願いますと云うと、ここまでで自分の任務が完了したような無関心さで、自分の席に坐《すわ》った。

万俵は戸惑い、美馬のルートで今日、佐橋総理に会う時間を取り計らってくれた大蔵省出向の秋野総理秘書官の名を口にしかけると、次の部屋に続く分厚い扉が開かれ、鄭重《ていちょう》に呼び入れられた。そこが総理秘書官室で、三十坪ほどの奥行きのある部屋の左手に首席秘書官、突き当りに外務省、大蔵省、警察庁から各一名ずつ出向して来ている秘書官の机が並んでいる。

「万俵頭取でいらっしゃいますね、私、秋野でございます」

秋野秘書官がたって来、名刺をさし出した。大蔵省の主計局育ちで、総理官邸に転出する直前の役職は、主計官であったというのが、美馬から聞いた経歴だが、現在の銀行局銀行課長の井床《いどこ》がやはり総理秘書官だったことを思い合せると、万俵は四十二歳の秋野に、鄭重な初対面の挨拶をし、今日の格別の計らいを謝したが、同室の秘書官への思惑から互いに美馬のことにはふれなかった。

「恐縮ですが、総理は三時四十五分に官邸を出られますので、お話は十五分間でおすませ下さいますよう」

秋野はもの柔らかな口調の中にも、時間厳守を求めて、秘書官次室と総理秘書官室を遮《さえぎ》っている扉より、さらに分厚い扉を開けた。三番目に開かれた部屋が、ようやく総理執務室であった。

佐橋総理は、窓を背にした大きな執務机の前で、両手を椅子《いす》の肘《ひじ》について、坐っていた。斜め後方には国旗が掲げられている。

「本日は、ご多忙の中、突然お邪魔致し、恐縮に存じます」

万俵は、銀髪端正な表情に適度の頬笑みをうかべて挨拶すると、

「まあ、どうぞそちらに——」

佐橋総理は、特徴のある大きな眼で机の前の椅子を指した。関西に来る折は、関西財界人で作っている会合に出て来て、如才なく愛想を振りまくその眼が、こうして一

対一で向い合うと、一種の威圧感をもって映る。万俵はこの時、自分が都市銀行でただ一人のオーナー頭取とは云いながら、たかだか第十位の地銀的都市銀行の頭取にしか過ぎないことにかすかな劣等感を覚えた。

指された椅子に腰を下ろすと、万俵は、

「本日、お伺いしたのはほかでもございません、私どもの次女が過日、細川信也氏のご長男一也君と婚約が整い、はからずも佐橋総理ご夫妻と、新たに姻戚《いんせき》関係を結ばせて戴くことになりましたので、そのご挨拶と、挙式が来春三月三日ですので、総理がもし国内におられるようでございましたら、是非ともご臨席賜わりたく、お願いに参上した次第です」

「ほう、それはご丁寧に――、細川信也は家内の弟だが、そういえば適齢期の青年がおったようだねぇ」

佐橋総理はそう云っただけで、予想以上に反応が薄かった。総理夫人の予定に合わせて、二度も正式の見合いの日取りを変更し、京都の嵯峨《さが》の『吉兆』であれほど大そうにした見合いであるにもかかわらず、総理には全く伝わっていないのか、あるいは伝わっても、とっくに忘れ去られているらしい。万俵は自尊心を傷つけられて、視線を総理の背後へ移した。窓には、ライフルで狙撃《そげき》されても、弾丸《たま》が貫通しないように、六枚張りの防弾ガラスが塡《は》め込まれ、外は広い芝生の庭であった。天王山を背にした一万坪の宏大《こうだい》な岡本の自邸の庭と比べれば、さしたることもなかったが、この官邸の庭は、ヘリコプターが離着陸出来るよう整備され、一昨年の訪米の時も、昨年のアジア各国訪問の時も、佐橋総理はここから羽田へ直行している。

万俵は視線を佐橋総理へ向けた。今日のほんとうの目的は、総理夫人の甥《おい》の細川一也との婚約を有難がって報告に来、田舎者扱いされるためではない。来たるべき大同銀行との合併に備え、いざ事を公《おおやけ》にした時に諒承《りようしよう》を取りつけやすくするために、さり気なく、今からそれを響かせに来たのであった。

「ところで総理、現在の不景気はまだ当分、続きそうでしょうか」

「さあ、どうだろうねぇ、そういう問題は、万俵さん、あなた方の方が明るいでしょう」

国会答弁のように、軽くいなすように応《こた》えをはずしたが、万俵はそこが狙《ねら》いであった。

「銀行といわず、産業界といわず、全く環境が厳しくなりつつあります、これからは思いきって従来の発想を変え、業界再編成がやりやすいように、行政を仕向けて戴かないと、いろいろ困難な問題が出て参ります」

「うむ——」

「いずれ私の方にも将来、そんな問題が出て来るかもしれませんが、その節は——」

意味深長に、そこで言葉をきった。遠からずほんとうに〝そんな問題〟が持ち込まれて来るなどとは思っていない佐橋総理は、安易に顎《あご》で頷き、

「阪神銀行の預金順位は、何位だったかね」

至極《しごく》、鷹揚《おうよう》に聞いた。十五分の面会時間がそろそろ終りに近づきかけているので、せめてものお愛想で聞いたのだった。愛想を忘れないのは、政府関係者以外が総理執務室を訪れるのに、全く手ぶらであるはずがないからだった。後日の〝挨拶〟を考えている万俵は、落ち着き払った表情で、

「現在、十位です」

近々、このランクを一挙に五位に上げるプランを持って参上しますと、口にまで出かかる衝動を抑えて応えた。佐橋総理は、改めて阪神銀行がそんな下位の銀行なのかと思ったらしかったが、万俵は、

「永田大蔵大臣には常日頃、とりわけご厄介になってまして、感謝いたしております」

と云うと、佐橋総理にもその言葉の意味は響いたらしい。

「永田君とねぇ、彼にならば、何でも遠慮なく持ち込んで、云ってくれていいよ」

「お言葉、有難うございます、お忙しいなかをお邪魔申しあげました、では本日はこれで失礼させて戴きます」

万俵は一礼して席をたった。〝永田大臣になら何でも持ち込んで云ってくれ〟という佐橋総理の言葉は、まさに千金に値する言葉であった。今度、永田大臣に会い、具体的に大同銀行との合併を打ち明ける時、佐橋総理のこの言葉を伝えれば、永田大臣の面倒見《み》も一層、よくなるというものであった。

万俵は、入って来た時の道順ではなく、総理執務室の向うの応接間を通り、別の廊下を通って出た。総理を訪れる者は、必ず一方通行で、決して誰とも顔を合わせることのない仕掛になっているようであった。

久しぶりに万俵家のダイニング・ルームから、晩餐《ばんさん》の賑《にぎ》やかな笑い声がたっていた。昼間、東京で帝国製鉄の兵藤副社長と会い、そのあと佐橋総理とも会って、夕方の飛行機で帰って来た万俵大介は、極めて上機嫌で食卓に向っていた。大介を正面に、寧子と相子、二子と三子が向い合って坐り、大介は血の滴《したた》るような生焼《レアー》のフィレ・ス

テーキを口に運びながら、

「二子、お前の華燭《かしょく》の典は盛大になるよ、今日、総理官邸へそのご挨拶《あいさつ》に行って来たよ」

「まあ、すごい、総理官邸って、万一の場合に備えて、中は迷路のようになっているんですってね」

二子より三子が、好奇心に満ちた顔を向けた。

「迷路というほどではないが、思いがけないところに階段があったり、廊下がわざと曲りくねってつけられたりしているね、総理執務室は防弾ガラスと鋼鉄の防弾扉《ドア》で囲まれ、一種独特な雰囲気《ふんいき》だったよ」

大介はそう応えながら、厳重に警備された建物の中で、一国の宰相としてぬくぬくと権力の座に坐っている男の顔を思いうかべた。それはどう見ても好ましい顔とは云えなかった。官僚政治家の冷たさと狡猾《こうかつ》さを身につけ、権謀術数を弄《ろう》して官僚組織を動かし、政敵は平然と金で買収する汚《よご》れた手の持主だったが、今の万俵大介はその汚れた手と結びつくことが必要であった。大介が唇に滲《にじ》んだステーキの脂《あぶら》をナプキンで拭《ぬぐ》い、フォークを置くと、相子が大きな眼を輝かせ、

「それで、総理との会見はいかがでございましたの」

「何しろ予定がびっしりで、十五分ほどしか時間がなかったが、近く姻戚関係になる挨拶をし、結婚式へのご出席をよくお願いして来たよ」

「それじゃあ、二子さんの結婚式には総理ご夫妻にご出席戴けますのね、すばらしいわ、銀平さんと万樹子さんの時だって、祝辞の代読だったんですもの——」

相子は自ら演出した舞台の幕が開くのを娯《たの》しむように、

「二子さんの式服は、白無垢《しろむく》紋綸子《もんりんず》の着物に、白唐織《からおり》の裲襠《うちかけ》、お色直しは疋田《ひった》の振袖《ふりそで》とイヴニング・ドレスにきめておりますけど、お色直しをもう一回ふやしましょうか」

「けど、それでは花嫁の二子が疲れてしまいますわ」

母の寧子が案ずるように云うと、

「それぐらいは辛抱しなくては——、お仲人《なこうど》の小泉夫人のお電話では、参議院議長でいらっしゃる一也さんの伯父さまの細川節也さまも、この婚約を喜ばれ、結婚式には実力大臣をはじめ、錚々《そうそう》たる政治家の顔を揃えるとおっしゃっているそうですわ」

相子が声を弾《はず》ませ、三子も羨《うらや》ましそうに相槌《あいづち》を打った。大介はワイン・グラスに口をつけながら、さらに上機嫌で、

「二子、お前は倖《しあわ》せ者だねぇ、帝国製鉄の兵藤副社長にも会ったが、細川一也君の評

判はとてもいいし、ひょっとしたら帝国製鉄とは仕事の面で親しい間柄になるかもしれないから、こんないい縁組はない」

と云うと、それまで頑《かたく》なほど口を閉ざしていた二子は、父の方をまっすぐ見、

「私、今からでも細川さんとの婚約は解消して戴《いただ》きたいと思っております」

はっきりした口調で云うと、大介は、グラスの手を止めたが、すぐ声に出して笑い、

「何を云うのだい、今頃、恥ずかしがらなくていい、嫁入り前の娘のデリケートな感傷はお父さまだって解《わか》っているよ」

「いいえ、お父さま、私はそんな感傷でものを云っているのではありません、私はほんとうに――」

改まった姿勢で云いかけると、大介はさらに声をたてて笑い、

「いいよ、いいよ、解ってる、そんなことより、新婚旅行にパリへ行って、ツール・ダルジャンの鴨《かも》料理でも食べて来ることだな、セーヌ川沿いのテーブルに坐って、夜間照明に照らし出されたノートル・ダム寺院を眺めながら、冷たいポタージュからはじまる美味《おい》しい料理を食べるんだ、お隣の席には伯爵《はくしやく》夫人がいるという、あの雰囲気を楽しんでおいで」

いつになく、饒舌《じようぜつ》に喋《しやべ》った。

「あら、お酔いになりましたの」

相子が艶《なま》めいた眼《まな》ざしを向けると、

「いや、酔ってなどいない、今日はとてもいい晩餐だよ」

なおもあれこれと、新婚旅行の話をし、デザートのシャーベットを食べ終ると、たまには銀平のところへ寄ってやろうと、席をたった。

南側の緩い傾斜を上って、日本館との間にある池の傍《そば》まで来ると、大介は足を停め、そこから見える鉄平の住まいへ眼を向けた。鉄平は、まさか父が帰神してしまっているとは知らず、阪神銀行東京支店か麴町の行邸で、今も執拗《しつよう》に自分を待っていると思うと、残忍な快感がこみ上げて来、阪神特殊鋼が思惑通りの決着をみるまでは、どんなことがあっても鉄平に会うまいと、改めて腹を決めた。

池の前を通り過ぎ、銀平の南欧風の住まいまで来ると、居間に灯りが点《つ》いていた。庭から直接ベランダへ上ると、長椅子に寝そべって、経済誌の頁《ページ》を繰っている銀平の姿が見えた。ガラス戸を開けて、入ると、

「誰かと思ったら、お父さんですか」

銀平は、ものぐさそうに体を起した。

「珍しいね、お前もこの程度の早さには帰っているのかい」

「いえ、今日は四、五日続いた深酔いで、さすがにグロッギーになりましてねぇ」

そう云《い》いながらも、やはり飲んでいたらしく、テーブルの上にブランディ・グラスが載っている。

「どうです、召し上りますか」

「うむ、貰《もら》おう」

大介はグラスを受け取り、

「どうだい、もういい加減に万樹子を迎えに行ったら――」

「またそのお話ですか、それなら答えは同じです、僕はのこのこ行きませんよ」

「だが、向うは相子が行き、寧子が足を運んでも、やはりお前が直接、迎えに行って誠意を示さない限り帰さないと云っているのだから、自分自身で行くことだ」

「勝手に出て行って、誠意を強要するなんて滑稽《こっけい》ですよ、僕は行きません」

「そんなに万樹子が気に入らないなら、何も難かしいことは云わない、適当に遊べばいいじゃないか、ともかくこのところ、万樹子を万俵家から離縁《さ》らせるわけにはいかない」

命じるように云うと、銀平の青白んだ顔が大介の方へ向き直った。

「お父さん、万樹子を離縁《さ》らすことが、どうしてそんなに重大な問題なんです、二子

「それだけじゃない——」

重い口調で応え、大介は暫《しばら》くブランディ・グラスの琥珀《こはく》色の液体を見つめていたが、

「銀平、当行は近々、合併する」

と告げると、銀平はさすがに表情を動かした。

「なるほど、そういうわけだったのですか、合併相手はどこなんです？」

「大同銀行だ——、但《ただ》しこの合併は、当行が実質的に大同銀行を呑《の》み込む合併だから、心配することはない」

「心配なんかしませんが、どうやってそんな合併が可能なんですか」

銀平は、バンカーらしく受けて聞いた。

「それはまだお前にも云えない、だが小が大を呑むからには、二年がかりで慎重な準備をし、美馬を通して、大蔵省銀行局にはもちろん、永田大蔵大臣にも周到な根廻しをしてある、あとは株主の旗振り役として安田太左衛門氏の力が必要だから、今、安田家とまずくなるわけにはいかない、場合によっては私も一緒に行くから、お前はこの際、是非、万樹子を迎えに行っておくれ」

鉄平に対する時とは打って変った思いやりと優しさを籠《こ》めて、大介は云った。

ゴルフ・ネットの標的の真ん中にボールが命中し、万樹子は得意気に二子を振り返った。

「二子さん、ちょっとした腕前でしょ」

「ええ、お始めになってどのくらいなの？」

「半月そこそこってところかしら、近くに打ち放しの練習場があるので、目下はそこのコーチについて基本的な打ち方のレッスンを受けているんだけど、練習場や家のインドアは早く卒業して、コースに出たいわ」

万樹子はそう云い、キュロット・スカートの裾《すそ》を翻《ひるがえ》して、再びボールを打った。中心の的からはずれるボールもあるが、多くはクラブの真芯《ましん》に当り、ばしっ、ばしっと標的の布を鳴らす音が、安田家の広い芝生の庭に響き渡る。

二子はやや離れたガーデン・チェアに坐《すわ》って、クッキーをつまみながら、

「ナイス・ショット！ その調子なら間もなく、コースに出られるわ」

「ところが、私のコーチったら、コースを廻る話になると、あと暫くのご辛抱をと一

向、煮えきらないから、いらいらしてしまうのよ」

その途端、万樹子は大きく空振りした。銀平自身が迎えに来るならという条件付きで、万俵家に帰ることを諒承《りょうしょう》してから一週間経《た》っているのに、銀平からは電話一本かかって来ないことが、万樹子の心を苛《いら》だたせているのだった。

「万樹子さん、今日、お電話下さったの、何かご用があったんじゃなくて?」

二子は思いきって、聞いてみた。万樹子の電話は、万俵家にではなく、ピアノのレッスン先にかかって来た。「久しぶりにあなたと会って、お喋りしたいわ」と云われ、レッスンの帰りに安田家を訪ねたのだった。

「二子さん、あなたもお打ちにならない?」

万樹子は、二子の問いにはすぐに応《こた》えず、クラブをさし出した。冴《さ》えた秋の陽はいつの間にか翳《かげ》り、ゴルフ・ネットの標的の輪郭がぼんやりと薄らぎはじめていたが、
二子はスタンスをきめて、打った。

「このアイアン五番、少し重いわね」
二、三打、打ってみて云うと、
「そうかしら、……ところで、銀平さんのその後のご様子はいかが?」

万樹子は、ようやく口をきった。

「まああってところかしら、それより万樹子さんは、お戻りになるお気持、全然ないの？」

「目下、考慮中よ、でも家の方じゃあ、特に父が態度を硬化させているわ、いくら何でも、銀平君は誠意がなさすぎるって――」

「そうおっしゃられても仕方がないわ、でも万樹子さんご自身、銀平兄さんに会って、話してみようとはお思いにならないの」

「そんなの厭《いや》よ、向うからそう云って来るならともかく、私の方からは絶対、そんな申入れなどしないわ」

「それは万樹子さんの意地？　それとも愛情――」

「愛情だなんて、とんでもないわ、銀平さんとの間には、そんな感情はとっくに失《な》くなっているのよ」

万樹子は、投げやるように云った。

「愛情が失くなっているのなら、一体、何を考慮中なの？　私には解らないわ」

二子がそう云った途端、万樹子の顔が引き歪《ゆが》んだ。

「――私にだって解らないわ、だから苛々するんじゃない！　こんな状態って、生殺しも同然よ、私は、まだあなたと同じ二十四歳なのよ」

ヒステリックに叫んだかと思うと、うっと声を殺すように嗚咽《おえつ》した。二子は胸を衝《つ》かれ、慰める言葉もなく、押し黙った。

「まあ、まあ、こんな暗うなっても、まだ打ってはりますの」

芝生の向うから、万樹子の母の佳江が近付いて来た。二子は慌《あわ》てて持っていたクラブを振り、

「気がつきませんでしたわ、すっかり夢中になっていたものですから――」

と応えたが、二人の傍《そば》に来た佳江は、

「二子さん、お夕食ご一緒して下さいね、もうすぐ用意が整いますから」

万樹子を訪ねて来てくれたことを心から喜ぶように云った。

「有難うございます、でも私、今日はこれから三宮へ行く用がありますから、もう失礼させて戴きますわ」

「あら、こんな遅くなって三宮へ？　お買物なら明日にして、今日はご一緒してよ」

万樹子は、せがむように云った。

「お買物じゃなくて、お約束があるの、ピアノのお友達のお誕生日なので――」

一之瀬四々彦と会うためであったが、二子はそう云い繕い、万樹子と母の佳江に挨《あい》拶《さつ》して、安田家を出た。

三宮で電車を降りると、二子は、フラワー・ロードに面した神戸市役所の前まで駈《か》けるようにして歩いた。一之瀬四々彦が、阪神特殊鋼の帰途、車を運転してきて、七時にそこで落ち合うことになっていたのだ。

市役所前の花壇のところまで行くと、前方から、四々彦のブルー・バードが走って来て停まった。

「待たせて失敬――、社の方で出かける前に、ちょっと仕事があったものだから」

と云い、助手席の扉《ドア》を開けた。

「お仕事で遅れたのなら、勘弁してあげるわ」

悪戯《いたずら》っぽく笑って、二子は助手席に坐り、

「私、今、無性に夜の海が見たいの、舞子海岸まで参りましょうよ」

と云った。四々彦はちょっと躊躇《ためら》うような様子をしたが、ハンドルをきって、フラワー・ロードをUターンすると、海岸通りに車を走らせた。暮れなずんだ海の向うに、大きな船体が黒いシルエットを描き、かすかに重油の混じった潮風が匂《にお》って来る。

「熱風炉の工事、兄に聞いたのですけれど、ようやく再開されたのですってねえ」

二子が云うと、四々彦は油気のない髪を風に吹かせながら、

「警察関係の現場検証で長い間、待たされましたが、ともかく再開されて嬉《うれ》しい限りですよ、あとは熱風炉の中へ積む特殊耐火煉瓦《れんが》さえ出来上って来れば、復元工事は一気呵成《かせい》に進むでしょう、高炉はもう完成しているし、操業まであと四カ月ほどですよ」

技術者らしい喜びを嚙《か》みしめるように、云った。

塩屋を通り過ぎるあたりから、海沿いの国道は急に車が少なくなり、四々彦はスピードを上げた。暗い海に浮かんだ燈浮標《とうふひょう》の光が点滅し、その向うに淡路島の灯りが見える。

舞子海岸の砂浜と松林が続く道に入ると、四々彦は車を海べりの砂浜ぎりぎりの場所に進めた。星空の静かな夜だったが、砂浜に打ち寄せる波の音は、意外に大きい。

四々彦と二子は、車の中に坐ったまま、暫く海に眼を注いでいた。

「四々彦さん、あなたとのこと、兄から父に話して貰うことになっていたのですけど、私自身が父に話しますわ、いいでしょう」

二子は、思い詰めるような語調で云い、四々彦を見た。

「じゃあ、帝国製鉄の方との婚約は、解消したというわけですか」

そこまで云う限り、既に婚約解消の上だろうと、四々彦は考えた。

「いいえ、父は昨日《きのう》、東京から帰って来て、結婚式には、佐橋総理や帝国製鉄の兵藤副社長も出席して戴《いただ》けるようお願いして来たと、上機嫌で話してましたわ」

「そこまで話が進んでいて、あなたは、よくそんな他人《ひと》ごとのように話せますね、いくら周囲がむりやりにことを運んだといっても、僕には到底、理解出来ない――」

四々彦が咎《とが》めるように云うと、

「だって、兄も、あなたも、高炉が出来るまでとおっしゃっていたから、それまでお待ちしてたんですわ、四々彦さんのお気持に、変りはないのでしょう」

「変らない、だけど……」

「だけど、何？」

四々彦は、フロント・ガラスの向うの浜辺に打ち寄せる波頭を厳しい顔でじっと見詰めたまま、応えなかった。

「四々彦さん、私の父が恐いの？」

「君のお父さんが？　僕にとって恐いのは、そこまで運んでいる婚約を解消して、僕と結婚することをはっきりさせた時、君に集中する非難だよ」

「覚悟はしています、でも私は、自分がほんとうに愛している人の前を眼をつぶって通り過ぎ、他《ほか》の人と結婚することなど出来ないの！」

迸《ほとばし》る気持をぶっつけるように二子は、四々彦の胸に顔を埋めた。四々彦の両手が二子の頬に触れ、唇を重ねた。波の音を遠く聞きながら、はじめての長い口づけだった。

四々彦の腕の中で、二子は眼を閉じた。やがて顔を離すと、四々彦は、

「万俵専務には出来るだけ早い機会にお話しし、それからあなたの家へ諒解を戴きに行く」

熱っぽい真摯《しんし》な眼で云い、ふと何を思ったのか、

「さっきの話では、万俵頭取は昨日、東京から帰られたそうだけど、間違いはないですね」

確かめるように聞いた。

「ええ、昨日、六時半頃に帰って参りましたわ、それが何か？」

二子は、怪訝《けげん》そうに応えた。

「おかしいな、昨夜七時頃、東京の万俵専務から高炉のことで僕に電話があり、資金繰りの件でどうしても父に会わなければならないので、上京中の父を追っているが、まだ会えずにいるから、今晩は帰れないと、そうおっしゃっていたんだ……」

「じゃあ、父はわざと兄を避けたのかしら……」

「しかし、なぜ、そんなことを……」

「四々彦さん、私、今度の婚約を通して気になることが一つあるの、……阪神特殊鋼は、まさか帝国製鉄の傘下《さんか》へ入れられるようなことはなくて?」

「いくら何でも、それは二子さんの考え過ぎだろう、将来、そんなことにならないように、高炉を建てたんじゃないですか」

四々彦は、二子の心配をふっきるように云《い》った。

「それならいいのですけど——、この間、帝国製鉄のその方と、東京の姉夫妻をまじえてお食事した時、義兄《あに》とその方の間で、帝国製鉄と阪神特殊鋼が親密な関係になればいいという話が出たので席をたってしまったんです、でも昨夜、父がいうには、兵藤副社長と会った時もそんな話が出たようなことを云っていましたの、それで、あまり符合するし、もしやと不吉な思いがしたんです——」

二子が云うと、四々彦は真っ暗な夜の海に向って、唇を噛《か》んだ。


高血圧症で臥《ふ》せったきりの石川正治を、万俵大介は土曜日の午後、芦屋の邸《やしき》に見舞った。玄関に出迎えた大介の妹の千鶴は、広縁づたいに奥まった寝室へ案内しながら、

「お忙しいのによく来て下さったわね、ちょうど会社の銭高常務がお見舞に来て下さ

っているんですのよ」

「ふうん、銭高君が――、鉄平は来るかね」

大介は、手入れの行き届いた庭に眼を遣《や》った。

「ええ、半月に一度はどんなに忙しくても来て下さるけど、なんだか疲れきった顔をしているわね、大丈夫なの」

「大丈夫って、何が――」

「もちろん体よ、うちの人に続いて鉄平さんに倒れられたら、大へんですもの」

「ああ体のことか、鉄平は生来、身体頑健だから、心配はいらんだろう」

素っ気なく云った。

廊下を折れ、奥まった寝室の襖《ふすま》を開くと、石川正治は枕屏風《まくらびょうぶ》を前にして三枚重ねの緞子《どんす》の蒲団《ふとん》に臥せっていた。枕《まくら》もとには銭高が畏《かしこ》まっている。

「あなた、兄が見舞に参りましたよ」

千鶴が声をかけると、銭高を相手に愚痴をこぼしていたらしい石川は慌てて上体を起し、銭高も下座《しもざ》へ下った。

「どうぞそのまま――、一頃《ひところ》よりお元気そうじゃありませんか」

万俵は、枕もとに坐《すわ》り、強いて明るい口調で云った。鶴《つる》のような痩身《そうしん》の石川は、高

血圧症特有の赤味を帯びた顔を頷《うなず》かせ、

「お陰《かげ》でどうにか入院せずにはすんだものの、痩《や》せた者の高血圧は危険だそうで、医者からなお静養を命じられています、会社のことが気になりながらも、まだ出られないんですよ」

弱々しい笑いを見せた。義兄に対するというより、千鶴の夫として阪神特殊鋼の社長に据えられているという気兼ねがありありと窺《うかが》われた。

「あなたは、サラリーマン社長ではないんですから、そんなことを気にせず、充分、静養につとめられることですよ、今日の血圧はどの位なんですか」

と聞くと、千鶴が、

「今朝《けさ》、お医者さまに往診して戴いた時は、一七〇でしたわ」

「じゃあ、ちょっと高いな、昨日、姫路のうちの山林《やま》でとれた松茸《まつたけ》を、例年のように山守《やまもり》が持って来たので、家の者に届けさせますよ、焼松茸にでもして賞味して下さい」

気持を引きたてるように云うと、

「ほう、もうそんな季節になりましたか――、好物だから早速、頂戴《ちようだい》します、ところで今日は、会社のことで何かお話があるんじゃないのですか」

病人らしい敏感さで、聞いた。

「それそれ、すぐそういう風に気を遣うから、よくなられんのですよ、それとも銭高君が何かつまらんことを喋《しゃべ》ったのかね」

じろりと睨《にら》むと、銭高は、

「いえ、私もお見舞に伺っただけで、別に――」

ねっそりとした表情で、否定した。

「確かに銭高君も、鉄平君も、それから時折、見舞に来てくれる他の役員たちも、爆発事故のあと事故処理委員会が出来て、長期開発銀行に財務内容の調査を受けたが、会社の資金繰りは銀行間の話合いで順調にいっていると、口を揃《そろ》えて云うには云う、しかしそれにしては、どうして皆、ああ元気のない顔をしているのか……、ことに鉄平君に至っては疲労困憊《こんぱい》している様子じゃないですか、義兄《にい》さん、隠さずにほんとうのことをおっしゃって下さい、阪神特殊鋼はよほど危機に瀕《ひん》しているんではないですか」

と云うなり、石川は上体を起しかけ、そのはずみで、枕もとの薬袋から、降圧剤がばらばらと畳に散らばった。

「まあ気持を鎮《しず》めなさい、そりゃあ阪神特殊鋼は苦しくないといえば嘘《うそ》になるが、業界全体が不況のどん底なんだから、どこも同じですよ、そのうち抜本的な切抜け策を考えますから、あなたはともかく養生専一にして下さい」

と云いながら、もと通り寝かせにかかると、石川は不安そうに大介の顔を見詰めたまま、

「抜本的な切抜け策というと……、今まで通り、阪神銀行が親銀行として面倒をみて下さることに変りはないのでしょうね」

確かめるように聞いた。銭高は視線を逸《そ》らしたが、万俵は急に高飛車な口調で、

「そういうことはあなたが心配しなくともいいのですよ、お疲れのようだから、私はこれで帰りますが、暫《しばら》くぐっすりとお寝《やす》みになったらいかがです、銭高君、君も失礼し給《たま》え」

と席をたつと、銭高も病人に挨拶して寝室を出た。

「あら、もうお帰りですの、せっかく、おうすをたてましたのに――」

広縁のガラス障子を開けて、千鶴が抹茶《まっちゃ》を運んで来た。

「いや、銭高君と話があるから、ちょっと座敷を借りる」

二人が樹齢百年を数える松と築山《つきやま》の見える座敷に入り、紫檀《したん》の座敷机を隔てて坐ると、千鶴は干菓子と抹茶を置いて、すぐ部屋を出た。

万俵と銭高は黙って、干菓子を口にし、抹茶を飲んだ。しかし茶碗《ちゃわん》が空《から》になっても、万俵は何も云い出さず、織部焼《おりべやき》の肌合いを楽しむように、掌《たなごころ》に入れて眺めているばかりだった。

「あのう……本日、こちらの方へ伺うようにと、秘書の速水君を通じて連絡がありましたのですが——」

銭高は、長い沈黙に耐えきれぬように口を開いたが、万俵はなおも茶碗から眼を離さず、うむと頷いただけだった。

「頭取のご用は、明後日、長期開発銀行で行なわれる三頭取会の席に、専務と私が呼ばれている件についてでございましょうか」

再び銭高は、しびれをきらすように聞いた。長期開発銀行からは石川社長、万俵専務、銭高の三人に呼出しがかかっていたが、石川社長は病臥《びょうが》中で出席出来ない旨《むね》を返事し、万俵鉄平と銭高が出向くことになっていた。

万俵は、茶碗からようやく眼を上げ、

「むろん明後日の件だ、心の準備は出来ているだろうねぇ」

低い押しつけるような声で云った。銭高ははっと顔色を動かし、

「頭取、私は長期開発銀行でどんなことを聞かれるのでしょうか、私は何も……」

「何を聞かれるか、それは解《わか》らない、明後日の三頭取会では、当行はむしろ受身の立場だからねぇ」

他人事《ひとごと》のように応《こた》えた。

「ですが、一番、追及される点といえば、大同銀行から借り増すための見せかけ融資を行なったということでございましょう、しかしそれは頭取からのご指示で、そのご指示通り帳簿操作をしただけであり、私個人としては何の動機もないわけでして……」

恨みがましく、万俵を上眼遣いに見た。万俵から見せかけ融資を指示されたあと、担保の面でも、それまでの融資額に見合った担保を手厚く確保しておきたいからと云われ、その面でのかなり強引な操作も強いられていた。だから銭高は、万俵が阪神特殊鋼に何を企《たくら》んでいるのかを察知していたが、万俵は眉《まゆ》一つ動かさず、

「で、君は、三頭取会でそのことを衝《つ》かれたら、どういう答弁をするのかね」

「それは……むろん私一人の独断で行なったと申しますが……、しかしその結果、ということにはなりませんでしょうね」

両手を前につき出し、縄つきの恰好《かっこう》をした。それは滑稽《こっけい》というより、みじめな男の姿であった。

「当然じゃないか、そんな馬鹿《ばか》な！　だが高利を借りていた点はまずかったな」

「その点も、いよいよ資金に詰って、再び不渡りを出しそうになったので、頭取のところに参上致しましたら……」

と云い、あとは言葉を呑《の》んだ。万俵に、これ以上は他行からも借りられず、高利に手を出すよりほかなくなりましたと訴えた時、万俵はいいとも、やめろとも云わなかったが、今さらそれを口にしてみても仕方がなかった。

銭高は既に、万俵から将来の生活を保証して貰《もら》っているのだった。それは万俵家の女たちが身につけているダイヤやエメラルドの指輪の二つか三つ分に相当したが、高校生を頭《かしら》に三人の子供がいる五十五歳の銭高には有難い額といえた。


東京虎ノ門にある長期開発銀行の頭取専用応接室の扉《とびら》は、固く閉ざされていた。大きな丸テーブルに長期開発銀行の宮本頭取、阪神銀行の万俵頭取、大同銀行の三雲頭取が席をとり、その向い側に阪神特殊鋼の専務である万俵鉄平と常務の銭高が畏《かしこ》まるように坐って、もう一時間も前から、財務調査に基づく阪神特殊鋼側の事情が聴取されていた。

宮本頭取は、日頃の包容力のある温和な表情を厳しく引き締め、

「先程来、ご説明した通り、阪神特殊鋼の財務調査の結果は、容易ならざる事態を示しており、銀行団としては重大な決意をしなければならぬわけです、阪神特殊鋼の経営陣としては、現状をどのように認識しておられますか」

鉄平に向って聞いた。連日の疲労で青黯《あおぐろ》い顔をしていたが、鉄平は姿勢を正して、

「極めて困難な事態にあることは、重々承知しておりますが、いま一度、融資のご協力を得て、何としても高炉を稼動させ、一貫生産によるコスト・ダウンで経営内容を改善したいと思っております、そのためには、いかなる苛酷《かこく》な条件にもうち克《か》つ所存でございます」

誠心を披瀝《ひれき》しながら、斜め向いの父の顔を見た。何度、面会を求めても断わられ、遂《つい》にこのような公式の場でしか会うことが出来なかったのだった。

「なるほど、ご決意のほどは結構ですが、今の御社の財務内容は、あなたのどりっぱな決意とはあまりにも裏腹な結果になっており、その点について、あと二、三、お尋ねします」

宮本頭取はそこで一旦、言葉をきり、

「あなたは阪神銀行と大同銀行との間に、協調融資の乱れがあったことを、ご存じで

すか」

〝協調融資の乱れ〟という紳士的な表現をしたが、それは〝見せかけ融資〟のことだった。

「その点については過日、三雲頭取からご質問があった時点で、初めて知りました、病床の石川社長に代って実質上の経営責任者である私が迂闊《うかつ》に見過していた点、心中よりお詫《わ》び致します」

「それでは経理担当の銭高常務に伺いますが、阪神特殊鋼から大同銀行に報告されていた阪神銀行の融資額を水増ししたのは、なぜですか、こうしたことが道義的に由々しい問題であるのを、銀行出身者としてのあなたは、よく承知されているはずではありませんか」

厳しい詰問《きつもん》に、万俵から因果を含められている銭高は、恐縮しきった姿で応えた。

「申しわけございません、阪神銀行の融資の実行が遅れましたので、苦しまぎれに大同銀行さんから借り増すために、私の一存で行なってしまったのでございます」

三雲頭取はきっとした眼《まな》ざしを、銭高に向けた。

「単にそれだけの理由ですか、経理担当の立場を利用して万一、阪神特殊鋼が倒産に瀕《ひん》した時、阪神銀行にだけは損害を与えまいと、配慮したのではないですか」

「とんでもありません、当社が倒れるなど、われわれは夢想だにしておりません、ともかく高炉が稼動すれば、赤字資金も軽減され、楽になることは目に見えているのですから、全く一時的な資金ショートを切り抜けるための操作にほかなりません」

平身低頭して銭高が云い繕うと、三雲は万俵の方へ向き直り、

「まことに不躾《ぶしつけ》なことながら、こういう事実をメイン・バンクの万俵頭取が全然、関知されていなかったというのは、理解に苦しみます、万俵頭取に何らかのお考えがあったのではないのでしょうか」

核心に迫るように聞き糺《ただ》した。万俵はいささかも表情を変えず、

「当行の融資の実行が遅れていた点については、それなりの行内事情があったからで、阪神特殊鋼には諒承《りょうしょう》ずみのことです、一方、当行の融資の遅れた額を、大同銀行さんに融資して貰うよう特に名ざしで指示した事実は全くありません」

平然と云ってのけた。

「それなら、銭高常務にさらにお伺いしますが、阪神銀行に相当額の預金がありながら、高歩《たかぶ》借りまでしたのはどういうつもりですか」

「架空売上げを計上して、売上げを水増ししたり、見せかけ融資を行なっているうちに辻褄《つじつま》が合わなくなったので、あくまで一時的な穴埋めのつもりで高歩借りに手を出

しました」

と応えると、長期開発銀行の宮本頭取は、

「それにしても、せめてメイン・バンクには高歩借りのことを話して、或《あ》る時点で高利を返済すべきではないでしょうか」

と畳み込んだ。

「――たしかに或る時点で、メインには思いきって話すべきでしたが、高歩借りまでしているとは、さすがに云えず、迷っているうちに会社の内容が急速に悪化し、高利の金も返せないようになったのです」

「今まで、そうした言語道断の状態を当行に隠していたことは、粉飾行為ではありませんか」

三雲の声が気色ばんだ。銭高は言葉に詰ったが、鉄平がつと顔を上げた。

「粉飾などという意図は、私を含めて、当社には毛頭ございません、私の不明の致すところで、今日《こんにち》のような状態にたち至りましたが、いま一度、お力添えを得て、この危機を乗り越え、何としても高炉を稼動させて戴《いただ》きたく存じます、お願いします！」

鉄平は思わず、父の万俵大介へ縋《すが》りつくように膝《ひざ》を前へ進めたが、その父は他人のような無表情な眼を向けていた。宮本頭取は、

「あなたのご決意のほどは承っておきましょう、阪神特殊鋼を今後どうするかは、今から余人を混じえず、私たちで協議しますから、お引き取り下さい」

退席を促した。

万俵鉄平と銭高が部屋を出て行くと、お茶が入れ替えられ、暫時《ざんじ》、重苦しい沈黙が続いたが、三頭取の胸中には、それぞれの思いが去来していた。三雲の胸には、いかに銭高が云《い》い繕おうとも、万俵大介に対する不信感が消えなかったし、万俵は、今からどうたち廻れば、自分に有利な場面転換が図れるかが関心の的だった。宮本頭取は、長期開発銀行の頭取として、両行をいかに妥協させて、まとめるかということだけに心を傾けていた。

やがて、宮本頭取は口を開いた。

「いかがです、阪神さんのお考えは？」

まず話をメイン・バンクの万俵に向けた。

「情において阪神特殊鋼に支援を続けたいのですが、大衆の金を預かる銀行として、先の見通しがつかぬまま、ずるずる貸し込んで行くことは、一行の損失のみならず、社会的に指弾を浴びることにもなりますから、この際、思いきって整理、縮小を図るべきだと思います」

私情を混じえぬ厳しい意見を述べると、三雲は、

「万俵さん、あなたのそのごもっともなご意見を伺う前に、私としてあなたに申し上げたいことがあります、つまり阪神特殊鋼の万俵専務は確かに経理面に疎《うと》く、資金繰りの破綻《はたん》のもとになったが、万俵専務の企業に対する態度は、今でも正しいと思っています、真摯《しんし》な万俵専務の態度と、それを阪神銀行が強力にバック・アップされているということで、当行もまた、基幹産業育成の意味から、阪神銀行さんと協力して来ました、にもかかわらず、今日に至って、それが信のおけないものであったということは、私として全く割りきれない思いです」

噴き上げて来る憤《いきどお》りを抑えるように、瞬時、言葉を跡切《とぎ》らせ、

「私としてはもはや、阪神特殊鋼に対する情熱は失いかけている……しかし、阪神特殊鋼が特殊鋼業界最初の高炉を持って一貫生産に踏み切ることに私が賛同し、その実現のために融資して来たこと自体は間違っていないと思うので、いま一度、お互いの立場に固執せず、阪神特殊鋼の今後を考えるべきだと思う」

そう結ぶと、万俵の上半身が不意に前へ屈《かが》んだ。

「三雲さん、あなたのほんとうのお気持を聞かせて戴いて嬉《うれ》しい――、そこまであなたに云われることは、私として申しわけない気持で一杯です、あなたの云われる企業

育成という銀行の使命については、私とて同じ考えですが、自分の息子だけに、どこか甘いところがあるのではないかと、息子を助けたい気持より、銀行家としての使命が先にたってしまい、その結果としてあなたにご迷惑をおかけしてしまいました、その点、心からお詫びいたします——」

深々と頭を下げたが、もはや万俵大介を信じない三雲は、

「お詫びして戴くより、今後、具体的にどうするかということのほうが大事です、長期開発銀行さんのご意向はいかがです」

と打診した。宮本頭取は、

「正直に云って当行は、今回のことがあったからというわけではありませんが、長期設備銀行の性格上、阪神特殊鋼の担保と睨《にら》み合せると、これぐらいが限度と思います」

話の取りなし役はしても、火中に栗《くり》を拾うような融資は、体《てい》よく断わった。

「そうなると、三雲さん、おたくとうちの二行だけで阪神特殊鋼の面倒を見ることになり、他行にはこれ以上の融資は望めませんから、やはりこの際、一時的に不名誉でも、会社更生法の手続きを取って、抜本的なたて直しを図るべきでしょう」

万俵はすかさず、思うつぼに話を向けた。

「しかし、基幹産業であり、業界第一位の阪神特殊鋼が、会社更生法の適用を受けることになれば、社会的な影響は大きく、関連企業に連鎖倒産が起る可能性も強い、また長期的に見て、成長力のない企業ならともかく、一時的に不況に叩《たた》かれ、経営が悪化したからといって見放すのは、万俵さん、あまりに軽々しい結論じゃありませんか」

「おっしゃる通りです、だが当面の問題は資金です、それがどうしようもない段階では、会社更生法の適用を受けて、一旦《いったん》、整理しないことには、どこからの融資も援助も受けられず、下手をすると、野たれ死してしまいます、もっとも、日銀か、大蔵省の格別のお墨付でもあれば別ですがねぇ、三雲さん、あなたに何かお考えでもあるのですか」

暗に日銀出身の三雲に、日銀特別融資の計らいを打診させるような云い方をすると、三雲は、

「じゃあ、日銀総裁に会って、ともかく一度、相談してみましょう」

万俵の狡猾《こうかつ》な罠《わな》にはまるように応えてしまった。

三雲は、いつもより早く独りで朝食をすませ、病床の娘の志保《しほ》を起さぬようにそっと自室へ戻って、出勤の支度にかかった。

書斎に続いた居間には、片側に洋服簞笥《だんす》や整理簞笥が作りつけられてある。洋服簞笥の中にはブラッシュされた服が整然とハンガーにかかり、乱れ籠《かご》には純白のワイシャツと下着が老婢《ろうひ》の手で整えられていた。毎朝、下着を着替えるのが三雲の癖で、九年前に亡《な》くなった妻は、癇性《かんしょう》過ぎると笑ったものだが、いまだにその癖は癒《なお》らない。下着を脱ぎ替え、ズボンを穿《は》き、ワイシャツを着ていると、志保が入って来た。

「お父さま、今朝《けさ》はお早いのですね」

透けるように白い顔に、深いブルーの室内着の色が映えるようであった。

「お早う、今朝は銀行へ出る前に寄るところがあるのでねぇ」

ネクタイを結び終り、上衣《うわぎ》をつけると、志保が、

「あら、ネクタイが少しまがっておりますわ、それに胸ポケットのハンカチーフもお忘れになって――」

三雲にしては珍しいことであった。

「どうか遊ばしまして？　お父さま、この頃、お顔の色が冴《さ》えませんし――」

整理簞笥から純白のローンのハンカチーフを取り出し、父の胸ポケットにさし入れ

ながら、志保は長い睫毛《まつげ》の眼を曇らせた。

「いや、別に何でもない、忙しくて少し疲れているだけだから、心配しなくていいのだよ」

と応《こた》えたが、昨日《きのう》、長期開発銀行で開かれた二回目の三頭取会が終るなり、阪神特殊鋼に対する日銀の特別融資を依頼するため、松平総裁に緊急の面会を申し入れ、今朝九時前に訪ねることになっていた。

「旦那《だんな》さま、お車が参りました」

老婢が、銀行の迎えの車が来たことを告げた。

「ではお父さま、行っていらっしゃいまし、あまりご無理をなさらないで――」

志保はなおも気遣うように云って、玄関まで父を見送った。

車に乗り込むと、三雲は重苦しく黙り込んだ。阪神特殊鋼への日銀特融の可能性が極めて困難な上に、松平総裁と自分との関係があまりうまく行ってないからでもあった。七年前、当時はまだ理事の松平からすすめられた通り彼の妻の妹を後添えに迎えていたなら、二人の間柄が、気まずくこじれることはなかったはずだった。しかし当時は妻を亡くしてまだ二年目だったし、病身の志保のことを考えると、松平から「夫と死別した義妹だが、君にえらく執心で、他家からの再婚話に乗らないので、是非とも貰《もら》ってやってくれないか」と頼まれても、応じられなかった。それが自尊心の人一倍強い松平の気持を傷つけ、さらにその後、義妹が神経性の病気になったことで松平との関係は決定的にまずくなってしまったのだった。

車は八時四十五分、日本橋本石町《ほんごくちょう》の日本銀行に着いた。正面玄関で車を降りると、守衛たちは恭《うやうや》しく、曾《かつ》ての日銀理事を迎えた。

総裁室のある二階へ上ると、昨日、電話した綾部《あやべ》秘書役が総裁室から出て来た。

「これは三雲頭取、昨日はせっかくお電話を戴きながら、こんな朝早くにしか時間がお取り出来ず、申しわけございません」

総裁の懐《ふところ》ろ刀として、理事同等もしくはそれ以上の権限を振るっている綾部であったが、先輩に対する姿勢は、鄭重《ていちょう》すぎるほど鄭重であった。

「いや、私の方こそ突然、無理を申し上げました、総裁はよろしいですか」

「どうぞ、お入り下さい――」

綾部秘書役は、総裁室の大きな扉《とびら》を押し開いた。外部の来訪者は、総裁応接室で会うのが慣例であったが、三雲が日銀出身者であるという内輪な意味と、極秘で会いたいという申し入れに対し、綾部秘書役が裁量したのだった。

ドームのように天井の高い三十坪程の室内は、正倉院の古代裂《ぎれ》を模写したような古めかしい壁模様と調度品に囲まれ、奥まった一角に大きな執務机が置かれていた。瘦《そう》身《しん》をダーク・スーツに包み、執務机の前に坐《すわ》っていた松平総裁は、入って来た三雲を睥睨《へいげい》するような鋭い眼つきで見た。

「総裁、本日は取り急ぎご相談申し上げたいことがあって参上致しました」

改まった姿勢で挨拶《あいさつ》すると、松平総裁は鷲鼻《わしばな》の下の小さくつぼんだ唇を開いた。

「阪神特殊鋼の件ですか」

三雲はあっと息を吞《の》んだ。おそらく長期開発銀行の宮本頭取が万一の時の責任を慮《おもんぱか》り、三雲より先んじて、阪神特殊鋼のさし迫った事態を耳に入れていたらしい。

「仰《おお》せの通り、そのことでお願い致したいことがございます」

松平総裁は天津絨毯《テンシンじゅうたん》の上をゆっくり歩いて、応接用のソファに来、三雲と向い合って坐った。

「突然ですが、総裁、阪神特殊鋼に対し、日銀法第二十五条の適用をお考え願えませんでしょうか」

直截《ちょくせつ》に切り出した。日本銀行法第二十五条『日本銀行ハ主務大臣ノ認可ヲ受ケ信用制度ノ保持育成ノ為《ため》必要ナル業務ヲ行フコトヲ得』は、いわゆる〝日銀特別融資〟の発令を意味する条文であった。

「三雲君、君らしくない依頼じゃないか、日銀特融がよほどの場合でなければ行なえないことは、承知のはずだ、山川証券の場合は、金融機関であり、万一、倒産した場合は、証券市場が大混乱、金融恐慌《きょうこう》を惹起《じゃっき》するおそれがあったから、止《や》むなく第二十五条の発令に踏み切ったが、一般産業会社の救済のためには、そうそう簡単に行なえない」

「お言葉ですが、阪神特殊鋼は基幹産業であり、万一、倒産の羽目にたち至った際には関連会社、下請けの連鎖倒産が起り、その波及するところはきわめて大ですから、金融恐慌と同じような社会不安を招くことが目に見えております」

「だが、形はどこまでも一般産業会社の救済じゃあないか、そういう前例はいまだ曾てないだけに、日銀がなぜ一企業の救済に乗り出したかという説明を、どうつけるつもりかね」

松平総裁は、冷やかな語調で云った。三雲は顔を蒼《あお》ざめさせ、

「実は、この件は阪神特殊鋼の問題であると同時に、当行の問題でもあります、と申しますのは、当行の阪神特殊鋼への貸込みは、メインの阪神銀行を上廻って百億にのぼり、当行系列の相互銀行、信用金庫にも当行が保証して貸し込んでいる分がありますし、したがって万一、阪神特殊鋼が倒産した場合、当行はそれらの保証分もかぶらね

ばならず、まさに非常なる危機にたち至っております」

と云ったが、松平総裁は黙したままだった。

「私の不明で、まことに申しわけない事態になり、伝統ある日銀出身の頭取としての名を辱《はずか》しめるような結果にもなりましたが……、何卒《なにとぞ》、総裁のご英断による、二十五条の適用を重ねてお願い申し上げます」

必死の面持で云うと、松平総裁は、

「阪神銀行では、この問題にどう対処しようとしているのかね」

「阪神特殊鋼の実質上の経営者である万俵専務が、阪神銀行の万俵頭取の令息だけに苦慮しているようですが、結論的には会社更生法の手続きを取るほかないという方向に向いています、しかし万俵頭取が裏で何かを意図して、動いているという疑惑は、私からふっきれません」

三雲が応えると、松平総裁は鷲のように尖《とが》った鼻を仰向け、円形の高い天井の一点を凝視した。何かを思索する時の癖で、今、三雲が口にした万俵の何らかの意図について、思いをめぐらせているのだった。松平総裁は、一介の地銀的都市銀行の頭取でありながら冷徹怪異な雰囲気《ふんいき》を持つ万俵大介の姿を脳裡《り》に思いうかべていたが、ふと万俵の背後に、永田大蔵大臣の顔がちらついた。三雲が云う通りやはり何かがある

――、それが何であるか、三雲の話だけでは解《わか》らないが、永田大蔵大臣と親密な関係にある万俵が、もしや意図的に三雲をして、阪神特殊鋼に貸し込ませたのではないかという疑惑を持った途端、松平総裁は身の毛のよだつような思いがした。と同時に三雲がどうなろうと、自分はこの件に深入りしてはならないと思った。

「三雲君、君のいう事情はよく解ったよ、問題は阪神特殊鋼だけでなく、大同銀行にもあるということが――、だが、先程も云ったように、表に出るのは、どこまでも阪神特殊鋼に日銀特融を行なったという事実であり、日銀がなぜそんな一企業に特融したのか、日銀出身者が頭取に天下っている大同銀行の貸込みを助けるためではないかと、国会あたりでも問題にされかねないだろう、そうなると、大同銀行が、メインの阪神銀行を上廻る不良貸付を阪神特殊鋼にしたのは、日銀の監督不行届に一半の責任があると、こちらも追及されることになる、三雲君、それでも君は日銀特融を要請するつもりかね」

巧みに大義名分を押したてた。日銀出身者だけに、三雲はその大義名分に抗する言葉もなく、うな垂れた。阪神特殊鋼の救済は事実上、潰《つい》えたのだった。

総裁室を出た三雲は、陽の射《さ》し込んで来ない中世の回廊のような薄暗い廊下を悄然《しようぜん》と歩きながら、奈落《ならく》に落ちて行くような思いに打ちひしがれた。

＊

東名高速道路の御殿場インター・チェンジから箱根に上るドライブ・ウェイには車の影一つなく、箱根外輪山《がいりんざん》の紅葉《もみじ》が鮮やかな色彩のコントラストを見せていた。

万俵大介は、窓ガラスを半分開いた。十月下旬の山の空気はさすがに冷たく、足元にまで吹き込んで来たが、午前十一時半に東京・麴町の行邸を出て、既に二時間半も車に乗りづめの万俵にはむしろ快かった。

「大臣の山荘には定刻に着きそうかね」

万俵は、永田大蔵大臣の顔を思いうかべながら、運転手に聞いた。

「はい、この先の乙女峠《おとめとうげ》を越えますと、三十分ほどですから、三時の定刻にお着けできると存じます」

万俵は頷《うなず》き、窓を閉めた。国会あけで静養中の永田大臣を芦《あし》ノ湖畔《こはん》にある山荘に訪ねるのは、阪神特殊鋼の決定的な危機も絡《から》めて、阪神、大同両行の合併を打ち明けるためであった。

車が海抜一千メートルの乙女峠を登り切ったところで、背後を振り返ると、眼前に富士山が壮麗な姿を見せて拡《ひろ》がっていた。紺碧《こんぺき》の空に、すでに六合目あたりまで新雪をいただき、雄大なスロープを描いて裾野《すその》までくっきりとうかび上っている。万俵はその山容に見惚《みと》れながら、日本の象徴である富士山を間近に仰ぎ、一国の大蔵行政を司《つかさど》る大臣と戦後はじめての都市銀行の合併話をすることに、幸先《さいさき》のよさを感じた。

芦ノ湖の永田大臣の山荘は、箱根神社下の鬱蒼《うつそう》とした杉並木の奥にあった。萱葺《かやぶ》きの門の横に地元警察から派遣された警官が警備に当っていたが、万俵が車からおりたつと、来訪が知らされているらしく、すぐ門を開けた。昨年五月に新築された山荘で、新築祝に万俵は鞍馬《くらま》石の庭石を贈っていた。

延段《のべだん》を上ると、新しい民家風に設計された山荘の玄関に、永田の妻が出迎えた。

「ご遠路をお疲れでございましょう、さあどうぞ――」

言葉に永田と同郷の茨城訛《なま》りが残り、およそ大臣夫人ぶったところのない気さくなもの腰で、玄関から客間に案内した。

芦ノ湖が見下ろせる座敷には、床寄《とこよ》りに囲炉裏《いろり》がきられ、自在にかけた鉄瓶《てつびん》がしゅんしゅんと湯気をたてている。万俵は囲炉裏の前に坐り、運ばれた茶に口をつけ、

「奥さまにはご無沙汰《ぶさた》致しておりますが、お噂《うわさ》はよく娘婿《むすめむこ》から伺っておりますよ、春から詩吟を始められたとか――」

「内緒にしておいて下さいって申し上げたのに、美馬さんもお人の悪い――、永田は

耳障《ざわ》りだからやめろやめろと申しますが、春田さんや美馬さんに励まされて続けていますの」

「やめろとは大臣も暴君ですね、詩吟は健康のためにもよろしいそうで、是非、お続けになるべきです」

笑いながら云《い》った。こうした打ちとけた会話が出来るのも、曾て永田が冷飯食いをしていた頃、美馬を伴《とも》にして永田の家を訪れていたからであった。

永田の妻と入れ替るように障子に人影が映り、永田が小柄な痩身に大島の対《つい》を着て現われた。

「これは大臣、ご静養先のご静謐《せいひつ》をおさわがせして恐縮です、結構なご普《ふ》請《しん》で先程から感じ入っております」

薩摩《さつま》葦《よし》の糸通しの天井、欅《けやき》の床柱、赤木の肥松《こえまつ》の囲炉裏框《がまち》を褒めると、永田はまんざらでもない笑いをうかべ、

「ついでに、新築祝に戴《いただ》いた石をご覧戴きますかな」

と云い、広縁にたった。躑躅《つつじ》と石南花《しゃくなげ》が植え込まれたゆるやかな斜面の庭の向うに芦ノ湖が一望のもとに見渡せ、右手上空に富士山が聳《そび》えたっている。これほどの場所を永田はどのようにして手に入れたのか、思いをめぐらせていると、

「鞍馬石は、そこの躑躅の寄せ植えの間に置きましたよ」

永田は庭の中ほどに置いた二つの石のうちの一つを眼で指した。高さ四尺近い逸品で傍《かたわ》らの秩父《ちちぶ》石と好対照をなしている。

「これはどうも——、横の秩父石も結構ですね」

「いや、あれは大きいだけが取柄だよ、さあ寒いから、中へ入りますか」

永田はそう云い、障子を閉めて、囲炉裏の前に坐った。庭石を見ている間に炭がつぎ足されたらしく、あかあかとおこり、灰には青海波《せいがいは》の文様《もんよう》が描かれ、囲炉裏を浄《きよ》めている。

万俵は、真向いの永田大臣の顔をまっすぐ見、

「ご静養先ですから、用件を簡単に申し上げます、実は私の方の阪神特殊鋼の件ですが、これ以上、今の状態で生きのびることは困難ですので、二、三日中に大同銀行の三雲頭取と通産大臣を訪ね、会社更生法による政府救済をお願いに参ることになりました」

と報告した。永田大臣は煮えたぎる鉄瓶に眼を遣《や》ったまま、暫《しばら》く沈黙していたが、三白眼《さんぱくがん》を上げると、

「駄目か——、協調融資の銀行団でもっと面倒をみることが出来ないのかね」

念を押すように、聞いた。

「非力にして、これ以上はどうしても――」

言葉少なに応《こた》えると、永田は再び何事か沈思するように腕組みした。

不意に庭のどこかでケーンと、ひときわ甲高い鳥の声がした。雉《きじ》の鳴声であった。

万俵は今年の正月、志摩半島で恒例の雉撃ちをした折、鉄平にもう少しのところで誤射されかけたことを思い出し、今の雉の声が鉄平の悲痛な叫びのように思われて、ぞっと冷たいものが背筋を奔《はし》ったが、永田は決断したらしく、

「よし、阪神特殊鋼の件は諒解《りょうかい》した、だが関連倒産はできるだけ最小限に食い止めるようにして貰いたい」

命じるように云い、

「阪神特殊鋼が倒れるのは致し方ないとして、融資銀行は大丈夫かね、もしそれで銀行ががたがたになるようなら、一般預金者に迷惑が及び、大蔵省としても責任問題になる」

大蔵大臣らしい言辞であった。万俵はすかさず畳み込んだ。

「大臣、今日のもう一つの用件はそのことなのです」

「というと、君のところの銀行が工合でも悪いのかね」

「いえ、当行は幸いにして軽微ですが、問題は大同銀行で、もしかして大同銀行はこの件が命取りになるかもしれません」

「なに、大同銀行が？　どういうことなんだ」

永田は囲炉裏の炭火を火箸《ひばし》で挟《はさ》み、説明を促した。

「大同銀行が、阪神特殊鋼へ食い込んで来たそもそもの経緯は、基幹産業との取引という看板取引的な意味と同時に、西の方に進出基盤を持ちたいという二つの動機があったためと思われます、私の方としても、阪神特殊鋼はとても一行で面倒見きれる規模でなくなって来ましたので、結構なお申し入れと思い、以後、協力して支援して参りました、ところが大同銀行の方は、特殊鋼の不況が深刻になっても積極融資の方針を変更されず、正直申して私の方も心配はしていましたが、他行さんの融資方針にとやかく嘴《くちばし》を入れるのもさし出がましく、今日《こんにち》に至りましたが、この度の長期開発銀行の財務調査で、大同銀行はメインの当行を上廻る融資を行ない、大へんな深入りをしていることが判明したのです」

表情を曇らせながら、ぬけぬけと云い、

「阪神特殊鋼が全く他人の企業であれば、これは大同銀行さんのご意思による融資だからと横も向けましょうが、何しろ実子が経営にあたっている会社だけに、私としても寝ざめが悪く、道義的な責任を感じないではいられません、当行で大同銀行さんに対して、何かして上げられることがあるならと——」

万俵はわざとそこで言葉を切り、謎《なぞ》をかけるように永田の眼の奥を凝視した。その途端、三白眼がちかっと光り、貧相な顔に凄味《すごみ》が浮かんだが、すぐそら恍《とぼ》けた表情で、

「大同銀行といえども、痩《や》せても枯れても都市銀行なんだから、万が一のことがあっては困るが、業務提携でもするつもりかね」

「業務提携では、もはや靴の上から足を掻《か》くような効果しかありません」

「すると、抱え込むつもりか」

「もし、大臣のお許しさえあれば——、先日、次女の結婚披露の件で、佐橋総理を官邸にお訪ねした折、総理は永田大臣には何でも云ってくれていいということでございましたので——」

ここぞとばかりに斬《き》り込むと、永田は薄く笑い、

「相変らず万俵さん、あんたは鯱《しゃち》が鯨《くじら》を呑《の》み込むことばかり考えていたらしいね、だが、いざ現実の問題となると、形の上でどうしても不均衡の譏《そし》りはまぬがれないね、そこのところを世間にどう納得させるか、難かしい問題だねぇ」

いかにも難かしそうに云った。万俵は心外な思いがした。

「大同銀行の救済について、銀行局の方では、別な青写真でもあるのでしょうか」

「大同銀行は恰好《かっこう》な花嫁だから、一つや二つの組合せは当然、銀行局構想としてあるだろうが、そんなのはなんとでもなる、私が云っているのは、さっきも云ったように不均衡の問題だ」

銀行合併の許認可は所詮《しょせん》、大蔵大臣たる自分の胸先三寸だと言外に匂《にお》わせながら、再度、形の不均衡に難色を示した。今さら口にするまでもないことに難くせをつけ、首をたてにふらないのは、要は合併認可の〝値〟を釣り上げるためであるらしい。永田の胸中を読み取ると、万俵は閉め切ったガラス障子越しに見える庭石に眼を向け、

「大臣、あの鞍馬石と秩父石は、形も色も全く異質で、一緒に並べて置くなど、およそ頭では考えられないことですのに、事実、ああして組み合せて置くと、案外、置き栄《ば》えが致しますね、銀行合併とて、あれと同じではないでしょうか」

と云うと、永田も石の方を見、

「それは云えるかもしれない、だがこの庭には、もう二つぐらいはあってもいいだろう」

呟《つぶや》くように云った。互いに禅問答のようなやりとりだったが、万俵は年来の執念を燃やし続けて来た〝小が大を食う〟合併を大蔵大臣の権力に名を借りて、何が何でも

認めさせようとしているのであり、永田は、それを認めるためには、二百万か三百万の鞍馬石の値段でなく、もうあとマルが二つほど足りないことをほのめかしているのだった。

「なるほど、あと二つほどなら私の方の出入りの庭石屋に探させ、いずれお届け致しますよ」

万俵はぎらぎらと脂《あぶら》ぎったこの会談をさり気なく受け、双方の取引は暗黙裡《り》に成立した。

「いつの間にか、随分、長居してしまいました、それでは只今《ただいま》の件、私の方の人間を早速、春田銀行局長のもとにさし向け、当行の考えを具体的にお話ししてよろしいでしょうか」

「うむ、とりあえずそれは必要だからやってくれ給《たま》え、事務的に問題がなければ、阪神特殊鋼の禍《わざわ》いを福に転じることが出来るのだからねぇ」

と云いながら、永田は灰に描いた青海波の上に、火箸で「大」と「小」の二文字を無造作に書き散らした。

高須相子は、芦ノ湖スカイラインを走らせていた車を停《と》めた。それはちょうど万俵大介が訪れている永田大臣の別邸がある辺《あた》りと、湖を挟んで、対角線の地点であった。今朝《けさ》、二子と細川一也の新居のことで、仲人《なこうど》の小泉夫人の赤坂のマンションを訪ねて打ち合せした後、久しぶりに箱根で寛《くつろ》ごうという万俵からの連絡で、相子は東京から独りレンタカーを運転して箱根へ来たのだった。

シーズン・オフのドライブ・ウェイは、殆《ほとん》ど往《ゆ》き交う車もなく、相子は車から降りると、ドライブ・ウェイの横の叢《くさむら》にたった。眼の下に拡がる芦ノ湖は、冴《さ》えた秋空の下に、引き込まれるようなエメラルド・グリーンの深い水を湛《たた》えている。対岸の山々は半ば冬の気配を見せているが、ところどころ点々と黄ばみ、湖面に近付くにつれて燃えるような赤さに紅葉し、山から湖面に至る細かな色の変化と人気《ひとけ》ない静けさが、スイスの山間《やまあい》にあるシュテッテ湖のたたずまいを想《おも》い起させた。

離婚した夫のリチャードとバカンスに出かけたところであった。シュヴィーツというスイスの国名と国旗の発祥地の近くにあるシュテッテ湖は、アルプスの山々に囲まれ、緑の結晶のように透明な水面に山影を映し、湖岸の船着場に、船が着いては離れて行く音が、静かな湖面に響いていた。その素朴《そぼく》で静まりかえった湖を見詰めながら、当時まだ若く健気《けなげ》だった相子は、大学の研究室に勤務する夫と、決して余裕のある生活ではなかったが、やがて子供を産み、倖《しあわ》せな家庭をつくることを話し合ったものだった。

谷間から吹き上げて来る風が俄《にわ》かに冷たさを増し、相子がたたずんでいる辺りに生《お》い茂っている芒《すすき》が、銀色の波をたてて風に揺らいだ。相子はスエードのコートの衿《えり》をたて、スカーフを首に巻きつけて急いで車に戻ると、仙石原《せんごくはら》の箱根観光ホテルに向った。

ホテルに着くと、万俵の方が先に着いていた。フロントで自室の鍵《キー》を受け取る時、相子はちらっと、五〇一番のキー・ボックスに眼を走らせ、鍵がないことを確かめた。万俵と外で泊る時は、必ず別々に部屋を取って、世間の眼を繕っているのだった。エレベーターを五階で降りると、相子は自分の部屋へ寄らず、まっすぐ万俵の部屋へ行った。

「お入り」

万俵の声がした。室内は暖房がきき、既にバスを使ってホテルの浴衣《ゆかた》に寛いだ万俵が窓際《まどぎわ》の長椅子《いす》に坐《すわ》り、月刊誌を読んでいた。

「早くお着きになりましたのね、いかがでございましたの、大臣のご機嫌は？」

「うむ、上機嫌だな、新築祝に贈った鞍馬石がたいそうお気に召したようだ」

万俵から何一つ具体的に聞かされていなかったが、毎日の万俵の機嫌や言葉の端々、そして体の調子や夜の営みを通して、相子には、万俵が何を考え、何をしつつあるのか、ほぼ推察出来るのだった。

「で、相子の方はどうだったんだい？」

「私の方も、上々ですのよ、小泉夫人とご一緒に、新居になる南平台《なんぺいだい》のマンションの仕上りを見に参りましたが、さすがに一也さんのお父さま、細川信也氏の設計だけあって、内部に、木目の壁材や柱がふんだんに使われていて、暖かい感じと品格のある内装でした、お隣のお部屋は、前最高裁長官の重光ご夫妻ですって――、でも肝腎《かんじん》の二子さんは、この頃、ますます、勝手気儘《きまま》な振舞いで、私も手をやいておりますのよ」

相子は、大きな溜息《ためいき》をついた。

「手をやくなど、相子らしくないじゃないか」

万俵は笑った。

「笑いごとじゃありませんわ、この頃、妙に外出が多くなり、この間も帰宅が遅いので出先を聞くと、万樹子さんのところへ寄っていたということなので、万樹子さんの様子を伺いかたがた、安田家へお電話すると、夕方、お帰りになったということで、いまだに頻繁《ひんぱん》に一之瀬四々彦と会っている様子ですの」

「まさか——、婚約して、結婚式の日取りまできまっているのに、一之瀬などと会ってみたところで、どうしようもないじゃないか」

「私もそうは思うのですが、二子さんは、鉄平さん似なのかしら、こうと決めたら、自分の思い通りにしないと気がすまない身勝手なところがありますから、心配しておりますの」

次々と見事な嫁入道具が出来上り、新居の用意も整いつつあるというのに、嫁入前の娘らしい喜び一つ見せない二子が腹だたしかった。

「そりゃあ、相子の思い過しだよ、二子のことより、むしろ気懸《きがか》りなのは、実家《さと》帰りしたまま、いまだに戻って来ない万樹子の方だな」

「あなたが銀平さんに、独りで行くのがいやなら、自分も一緒に行ってやるからと甘いことをおっしゃるから、銀平さんはますます他人事《ひとごと》のような顔をしているのですわ、それにしても、銀平さん自身が誠意をもって迎えに来ない限り、万俵家へ帰らないなんて、万樹子さんも随分な思い上りですこと——」

相子は、万樹子のことと云い、二子のことと云い、自分の思い通りに行かないことが重なって、不快な苛《いら》だちを覚えていた。両方とも万一、うまく行かない場合のことを考えると、それは万俵家の閨閥《けいばつ》推進役である自分の立場を損い、失うことであった。

「私、こんなこと、いやになって来たわ」

投げやるように云《い》うと、

「そんなこと相子に云われたら、私が困る、解《わか》ってるだろう？」

と云いながら、万俵は銀行合併が成功し、新銀行が誕生すれば、相子と自分の間は今までのようには行かなくなるだろうが、これほどの才能と容貌《ようぼう》を持った女を手放すには惜しいし、さりとて新銀行の頭取ともなれば、これまでのような妻妾《さいしょう》同居の生活は許されなくなるだろうと思った。

「相子、ここでバスをお使い――」

「だって着替えのお洋服は、私のお部屋よ」

「着替えなどいらない、晩餐《ばんさん》まで少し寝《やす》もう」

万俵はぬるむような声で云った。窓の外はすっかり暮れ落ち、薄墨色のかすかな稜《りよう》線《せん》を見せていた富士も、闇《やみ》の中に消えていた。

相子は湯上りの豊満な体にバスタオルを巻きつけただけの露《あら》わな姿で、万俵のベッドに入った。万俵の体はいつもより熱く昂《たかぶ》っていることが感じ取られた。仕事の上で何か征服欲を満たした時に必ず感じ取られる万俵の体の昂りであった。万俵の両手が、相子の背に廻り、唇が首筋に触れ、乳房に触れて行った。身をよじらせると、さらに

昂るように全身を愛撫《あいぶ》した。相子は喘《あえ》ぐように顔を上げ、

「ほんとうは、今夜は寧子さんの番ね」

と云うと、自分のその言葉に昂奮《こうふん》し、酔うように、相子の方から、万俵の体に四肢をからめて行った。

ほの暗い室内で濃密な情事が終っても、相子の体にはまだ尾を曳《ひ》くようなほてりが残っていた。相子は体をくねらせ、万俵の足に自分の足をからませたが、万俵は力を抜いたまま、応じなかった。

「やはり足は、纏足《てんそく》のように小さくて白い寧子さんの方なのね」

湿った声で相子が云った途端、大介の胸にふと、亡父が公卿《くげ》の女の手足はましゅまろのように白く柔らかいということだな、と云った言葉が思い出され、そこに自分の新妻を犯す脂ぎった亡父の顔が浮かび上り、その亡父の顔に、明後日《あさって》、最後の引導を渡す鉄平の顔が重なり合った。

万俵鉄平は、夜明け近くになっても、眠ることが出来なかった。今日、阪神特殊鋼に対する銀行団の結論が、メイン・バンクの阪神銀行で申し渡され、自社の命運が決

まるのであった。

傍《かたわ》らのベッドで寝んでいる妻の早苗を起さないように、そっとナイト・テーブルの灯《あか》りを点《つ》けると、水差しの水をコップに注《つ》いで、睡眠剤をさらに飲み足した。資金繰りにあけくれる毎日を切り抜けるため、数カ月前から使いはじめた睡眠剤は、またたく間に量が増えている。

「あなた、まだお寝みになれないの」

鉄平の気配に目を覚ました早苗は声をかけた。

「うむ、眠れない」

「あまり考え過ぎないで——、いくらお舅《とう》さまがあなたに冷たいといっても、見殺しになさるようなことはないわ」

夫の気持をいたわるように云った。

「解っている、しかし——」

鉄平は、ほの暗い天井を見上げた。

「しかし、なんだとおっしゃるの、あなたが考えていらっしゃることといえば鉄のことばかり——、家庭で子供たちとゆっくり寛《くつろ》ぐこともなく、年中、仕事に打ち込んでいるあなたの姿は、お舅さまにもよくお解りのはずだわ」

早苗は涙声で云い、枕《まくら》に顔を押しあてた。昼間はきりっと束ねてある髪が解かれて、毛先が両肩でこきざみに震えている。このところかまいつけてやれない妻に、鉄平はふと胸を衝《つ》かれたが、さりとて欲望も起らない。

「もうお寝み、少し眠くなって来た」

灯りを消すと、

「あなた、こんな時、大川の父が生きていてくれたら――」

早苗は縋《すが》りつくように云った。たしかに自由党の実力者で、通産大臣をはじめ数々の国務大臣の経歴を持ち、官僚にも隠然たる勢力を振るっていた大川一郎が生きていたなら、阪神特殊鋼はここまで追い詰められはしなかったろうという思いがする。しかし、今さら岳父《がくふ》の死を悲運と嘆いてもはじまらず、実の父である万俵大介を信頼するよりほかなかった。鉄平は一縷《いちる》の望みを抱いて、ようやく、うとうとと、まどろんだ。

午前八時に一旦《いったん》、阪神特殊鋼へ出社した後、鉄平は阪神銀行本店に出向いた。融資担当の渋野常務から、十時に頭取室へお運び願いたいと伝えられていたのだった。

東側玄関で車を降りると、睡眠不足の充血した眼に秋陽が眩《まぶ》しく照りつけ、眩暈《めまい》を感じたが、鉄平は足を踏んばるように玄関の階段を上った。

三階役員受付には、頭取秘書の速水《はやみ》が階下《した》からの連絡をうけて、出迎えていた。

「お待ち致しておりました、どうぞ――」

もの静かな口調で挨拶《あいさつ》したが、秀《ひい》でた額の下の澄んだ眼に、緊張感が漂っている。

鉄平は黙って頭取室に向い、速水が開いた扉《とびら》の中へ入った。

部屋では、父の万俵大介が頭取机の前の回転椅子に坐り、融資担当の渋野常務がその斜め横の椅子に坐って待ち受けていた。

鉄平は、父の前にたった。

「このところご心労をおかけして、申しわけありません、本日、銀行団の最終結論を伺いに参上致しました」

「そこへかけるよう――、話は渋野常務からする」

言葉短かに応《こた》えた。指《ゆび》された椅子に腰を下ろすと、渋野常務が口を開いた。

「では私から、五日前に長期開発銀行で行なわれた三頭取会、その翌々日、関西銀行協会で行なわれた七行専務、常務クラスによる事故処理委員会の結論をもとに、メイン・バンクとしての意見を申し上げます」

いつもの遠慮がちな口調とは打って変っている。

「まず長期開発銀行の宮本頭取、大同銀行の三雲頭取、万俵頭取の三頭取会の結論ですが、はじめは共に阪神特殊鋼救済のために最善を尽すという前提にたって、話合いが行なわれました、しかし百億を上廻る赤字欠損のみならず、今後、この赤字がどの程度、増えるかわからないという点で、最初に長期開発銀行が設備銀行という性格上、融資続行は不可能であるとしておりられ、次に三雲頭取と万俵頭取の間で政府救済としての日銀特融が話し合われ、三雲頭取が日銀ご出身であるところから、松平総裁に直接、日銀特融を申し入れられましたが、金融機関以外の私企業に対する特融は前例がないという理由で却下されました。

したがって三頭取会では阪神、大同二行による融資では支えきれないと判断し、七行専務、常務の事故処理委員会に結論を持ち越しました、ところが日銀特融却下が各行に伝わり、救済不可能の意見が圧倒的になり、メインの当行にすべてが委任された次第です」

三雲頭取の日銀特融工作の失敗が各行の融資方針に影響したかのような云い方をしたが、阪神特殊鋼救済に最も力を尽してくれたのは三雲頭取であるということを知っている鉄平は、ぐっと口を真一文字に結んでいた。

渋野常務はさらに、言葉を続けた。

「そこで、メインの当行の結論ですが、この段階ですから、歯に衣《きぬ》をきせずはっきり申し上げます、第一に阪神特殊鋼の現状については、既に今後の経営を続けられるような状態ではないと判断します、第二に今後の経営の継続についての経営陣の能力ですが、石川社長は病床にあるし、専務のあなたが経営に当られて現状を乗りきられるには、何といってもまだお若すぎ、キャリア不足と判断致します」

あからさまに、鉄平の経営能力を批判した。鉄平はきっと眉《まゆ》を上げ、渋野の言を遮《さえぎ》りかけたが、渋野は、

「以上の二点からして、会社の現状をいかに収拾するかであります、さし当って十日後に十九億の手形決済が迫っていますが、銀行団が手を引いた状況下で十九億の不渡りを出して倒産すれば、関連企業に連鎖倒産を起し、一阪神特殊鋼にとどまらず、大へんな混乱を招き、社会問題にもなります、よってこの際、会社更生法の適用を受け、債務の棚上げと同時に財産の保全をはかられることを勧告致します」

と告げた。万俵大介は依然として、渋野常務にだけしゃべらせ、自身は沈黙している。

鉄平は憤《いきどお》りで顔を朱奔《しゅばし》らせ、

「会社更生法の適用は、私としては受け入れられない、一昨日、東京で開かれた商社団の会合で、十日後の十九億の手形決済の期限は、銀行団が何らかの保証さえすれば延期し、阪神特殊鋼の自主更生に協力するという結論が出された、渋野常務、あなた

は商社団の、銀行団に対する救済要請を聞いているはずではありませんか」

「それは聞きました、しかし銀行には預金者保護という立場があり、どのような保証もはやすることは出来ません、第一、阪神特殊鋼自体、会社更生法による再建以外、生きのびる道はないと存じます」

「じゃあ伺うが、会社更生法によって、阪神特殊鋼の今後の経営はどう変るというのですか」

「それを検討するのは、会社更生法を申請して、整理をつけてからのことですが、われわれとしては、従来から親しい間柄にある帝国製鉄から人材を迎え入れ、原材料の購入から製品の販売まで、帝国製鉄のルートにのせれば、再建は早いと考えています」

渋野が応えた途端、鉄平は椅子《いす》からたち上った。

「それではまるで、帝国製鉄の傘下《さんか》にすっぽり入るも同然じゃないか、阪神特殊鋼を帝国製鉄に身売りさせる気なのか！」

青い焔《ほむら》を燃えたたせ、父と渋野に詰め寄ったが、万俵大介は眉一つ動かさない。渋野も瞬時、押し黙り、

「万俵専務、帝国製鉄の件については、まだ先の話で、今は会社更生法の申請を勧告

しているのです、あなたの会社に対する愛着は解りますが、あなた一人の執着のために、三千人の従業員と下請け、関連企業を犠牲にするのですか」

鉄平の崩れやすい点を衝いた。そのもくろみ通り、鉄平は振り上げた両の拳《こぶし》の持って行きどころがないように、たち竦《すく》んだ。

「当行の勧告を受け入れられますね」

すかさず、渋野が畳み込むと、

「――いや、私は、これまでやって来たことは間違っていないと信じている、今日《こんにち》の逆境を生みだした最大の原因は不測の熱風炉の爆発事故と、メインである阪神銀行の融資停止から起った資金繰りの窮迫だ、資金繰りさえもう暫《しばら》く続けば、私は高炉を稼動させ、会社を自力で再建させる自信がある、どうか会社がたち直るまで、今まで通りやらせてほしい」

鉄平はなおも強く更生法の申請を拒み、メインの援助を求めたが、渋野は、

「しかし万俵専務、もう遅うございますよ、あなたは暫くご静養下さい、会社更生法さえ申請して下されば、あとはわれわれで再建に当ります」

最後の言葉を口にした。鉄平ははっと、父の方を向いた。

「私に静養しろというのは、頭取の意思でもあるのですか」

しかし、万俵大介は応えなかった。

「渋野常務、私に辞めろというのは父の意思なのか、どうなんだ！」

狂ったように叫ぶと、

「鉄平、男というものは諦《あきら》めが肝腎だ、当行の決定通り、お前は暫く休養することだ！」

冷徹な声が飛んだ。一縷《いちる》の望みは父によって断ち切られた。鉄平はがっくりと肩を落し、

「仰《おお》せの通り、私は退きましょう、そのかわり、何とか更生会社にせずに生かしてほしい、せめてこの願いだけは聞き入れて下さい」

机の上に体を乗り出し、父に懇願すると、不意に万俵大介の顔に、憎悪《ぞうお》に似た色がうかんだ。

「女々《めめ》しいぞ、鉄平、いつまで祖父の亡霊に取り憑《つ》かれているのか！」

思いがけない言葉が浴びせられた。鉄平は愕然《がくぜん》とし、父の背後の壁に掛っている自分と瓜二《うりふた》つの先代、万俵敬介の肖像写真を見上げた。その途端、鉄平の心の奥底に残っていた父に対する肉親の絆《きずな》が、ぷつんと切れる思いがした。

「お父さん、あなたは——」

あとは言葉にならず、全身を戦慄《わなな》かせて父を凝視した。

鉄平は、深い衝撃を受けて阪神特殊鋼へ帰って来ると、まっすぐ専務室へ入らず、一之瀬常務の部屋へ足を向けた。今、自分の衝撃を受け止め、阪神特殊鋼の行くべき方向を誤たず考えられるのは、彼だと思った。だが一之瀬の姿は部屋には見当らず、秘書が、工場へ出かけられましたと告げた。工場長であり、常務である一之瀬としては、鉄平が阪神銀行から帰って来てから、病中の石川社長も出席して開かれる予定の緊急役員会まで、他《ほか》の役員のようにじっとしていられず、居てもたってもいられぬ思いで、現場へ出かけているに違いなかった。鉄平はジープに乗って、現場に向った。

高炉建設現場まで来ても、一之瀬の姿は見当らず、既に完成して稼動を待つばかりの高炉が聳《そび》えたっていた。その横にガス爆発事故を起した熱風炉が復旧しつつある。この熱風炉の事故さえなければ、今頃は高炉を動かし、銑鉄《せんてつ》がどんどん出ていたであろうにと、思わず歯がみし、原料ヤードのある岸壁の方へ眼を向けると、岸壁の端にたっている一之瀬の姿が見えた。

ジープの音に気付いたらしく、一之瀬は振り返って、鉄平を見た。

「専務――」

とだけ云《い》い、あとの言葉を跡切《とぎ》らせた。ジープを降り、眼を血走らせた表情で近付いて来る鉄平の様子で、すべてを察したのだろう。

鉄平は一之瀬の前にたつと、

「無念だ――、会社更生法の勧告を受けた……」

一言そう云うと、胸の中がごつごつと鳴り、耐えていた思いが、一度に噴き出して来た。一之瀬も激する気持を抑えかねるように、

「無念の思いは、私とて同じです、専務は高炉建設のために、技術・設備面だけではなく、自ら資金繰りにまで奔走され、よく体が持つと思われるほど精根を尽されました、ただ阪神銀行の頭取と阪神特殊鋼の専務という立場としては、そのような結論にしかならぬことでも、親子という間柄で何とかならなかったものでしょうか、そこが心残りです――」

「そこなのだ、私は経営者としての自分の非力、欠点は素直に詫《わ》び、父に助けを求めたが一蹴《いっしゅう》された、企業家同士というものは、親子といえども冷徹であらねばならぬとはいえ、親子の間も、人間性も捨てなければならぬものだろうか……、私は父の態度に割り切れぬものを感じる、或《ある》いは何らかの意図によって計られたような気もする……」

と云い、鉄平は、大阪湾寄りに見える帝国製鉄尼崎《あまがさき》製鉄所の煙突に無念の視線を向けた。

「何を云われるのです、親が子を計るなど――」

万俵大介と鉄平との間が、あまり温かではない親子であることを知っている一之瀬であったが、頭を振り、

「先代がお亡《な》くなりになる直前、万一、何かことがある時は若い鉄平を頼むと云い遺されました――、そのお言葉にもかかわらず、私は専務を補佐する力量にかけ、何のお役にもたちませんでした……」

一之瀬の眼に、はじめて涙が滲《にじ》んだが、

「専務、今はとつおいつ思っている時ではありません、正午からの緊急役員会を万遺《ばんい》漏《ろう》なくやり通されるまでは、心乱されてはいけません」

二人の背後から海風が冷たく吹きつけていたが、一之瀬は鉄平を励まし、支えるように云った。

本社事務所に戻ると、石川正治は病気をおして出社し、他の役員たちも既に役員会議室に集まって、緊張した表情で専務を迎えた。

社長の隣席に坐《すわ》ると、鉄平は沈痛な面持で口をきった。

「最後まで希望を捨てず、銀行側と話し合ったが、融資打切り、会社更生法の適用を勧告された——」

息を呑《の》む気配がし、石川社長は高血圧症の顔をみるみる紅潮させ、

「病床とはいえ、ことここに至るまで会社の危機を知らずにいて心苦しいが、今となっては皆さんで協議して、すべての事態に対処して戴《いただ》きたい——」

息切れするように云った。鉄平は言葉を継いだ。

「私としては、高炉さえ稼動すれば、一貫生産に入ってコスト・ダウンし得るから、何とか続けたい、そのためには私が責任を取って退いても、会社だけはこのまま生かしてほしいと頼んだが、それも容《い》れられなかった、今日まで、すべて高炉のため、高炉さえ出来ればと皆に協力を要請し、私自身も高炉に賭《か》けて来たが、会社更生法の手続きを取らざるを得ない事態にたち至り、役員諸氏をはじめ、従業員一同に申しわけない——」

鉄平は、頭を垂れた。一之瀬はたまりかねたように、

「いや、専務は死力を尽して闘われた、にもかかわらず、ガス爆発事故、特殊鋼の不況、そして金詰りと、一種の不運が重なったのです、もし専務が責められるなら、専務を補佐する任にある私たち三常務にも責任があります」

と云うと、経理担当の銭高常務は、口髭《くちひげ》をたくわえたねっそりとした表情で、

「私は全力を尽したつもりですよ、アメリカン・ベアリング社のキャンセル以来、四苦八苦で資金つなぎをしているところへ、思いがけない事故が起ったのです、あの事故さえ起らなければこんな窮地に陥らなかったはずでしょう、それにしてもあなた方は、いつだって技術第一主義で、経理には何の相談もなく、新しい設備を作る場合、まずそれをきめてから金の工面を押しつけるやり方をとられたことも、今日の羽目に繋《つな》がったといえますよ」

経理がいつも陽の当らぬ場であった積年の恨みまで口にした。

「しかし、高炉建設自体は今でも正しいことであったと思っている、だから私は技術、設備面だけではなく、金融面でも自ら一生懸命にやったのだが、こんな事態になって無念やる方ない、かくなった上は、社長と私が責任を取って退陣するから、あとに残った皆さんで、阪神特殊鋼が一日も早くたち直るべく再建策を考えて貰《もら》いたい、そのためには忍び難きを忍んで、会社更生法の適用に応じるのだ――」

鉄平は断腸の思いで云った。暫《しば》し声がなかったが、一之瀬は、

「会社更生法が適用されても、高炉計画は放棄せずにやって行けるのでしょうか」

技術者《エンジニア》らしい一徹さで云うと、銭高は、

「あんたは、高炉を動かすのに、どんなに金がいるか解《わか》っているのですか、高炉というのは、出来上った自動車を動かすような簡単なものではなく、原料、その他の運転資金がうんと要《い》る、これまでの債務を棚上げにして、設備、人員すべての面で縮小するのが、会社更生法の常ですよ」

経理面に疎《うと》い技術屋を窘《たしな》めるように云った。営業担当の川畑も、

「会社更生法が適用されると、当社のイメージ・ダウンが甚《はなは》だしく、ものを売る営業としては会社の信用、製品の信用ががた落ちして非常にやりにくくなりますね」

先行《さきゆき》に不安を覚えるように云い、一同は通夜《つや》の席のように沈んだ空気に包まれたが、鉄平は、

「倒産して野たれ死にするより、一時的には不名誉であっても、会社更生法の適用を受け、債務を棚上げにして、一日も早く技術と設備を誇る阪神特殊鋼を再建して貰いたい、それが今、私から皆に切に、お願いしたいことである――」

と云うと、一座は粛然とうな垂れた。鉄平は既に覚悟をきめた人らしく、静かに席をたった。これから会社更生法の適用を裁判所に申請するための書類作成に取りかかると同時に、下請けの連鎖倒産を食い止める手だてを講じなければならない。

## 三　章

神戸の街に、阪神特殊鋼倒産のニュースが旋風のように渦巻いていた。

関係者筋には朝から噂《うわさ》として流れていたが、正午近くになると決定的となり、三宮、元町の官庁、ビジネス街に、国鉄、私鉄の各駅の構内に、〝阪神特殊鋼倒産〟を報じるニュース速報が続々と貼《は》り出され、どこも、黒山の人だかりであった。

「おい、見てみい、阪神特殊鋼が倒産したんやて！」

「へええ、ほんまか、不景気いうたかて、あれほどの会社がなんでやろ」

「夏にどえらい爆発事故を起して、死傷者が出たやろ、あれが祟《たた》ったのと違うか」

口々に云《い》い、食い入るように速報記事を読んでいる。

阪神特殊鋼倒産
会社更生法適用を申請

経営不振で五百五十億円にのぼる負債を抱えるにいたった阪神特殊鋼（本社神戸市、資本金六十億、石川正治社長、従業員三千人）は、本日午前九時三十分、神戸地裁に会社更生法の適用を申請、受理された。同地裁は申請の内容審査を行ない、十二月初旬に更生法適用開始をきめるが、同社は特殊鋼業界第一位の大手メーカーで、系列の下請け業者がおよそ三百社にのぼるだけに、業界とくに関西業界に大きなショックを与えている。

更生法適用申請書によると、経営不振におちいった理由として、①設備投資の過大②製品価格の不安定③契約低下④過剰生産にともなう在庫経費の増大⑤資金ぐりの悪化⑥原材料購入価格の値上り――など十項目をあげ、さしあたって十一月十五日決済の十九億円の支払いが難かしくなったというもの。

今後は主取引銀行と大口株主である帝国製鉄の間で会社再建の具体策を協議するが、とりあえず、阪神銀行を中心にした七行で協調融資団をつくり、会社再建と連鎖反応の防止に努力する模様である。

不況が深刻化しているまっただ中での阪神特殊鋼の倒産は、戦後最大級という規模の大きさもさることながら、年末を間近に控えているだけに、人々の心をうそ寒くした。

それだけに阪神特殊鋼のある灘浜《なだはま》臨海工業地帯は、街中より一層、騒然としており、阪神特殊鋼の工場構内には、倒産事件を取材する新聞社、テレビ局のおびただしい車や下請け債権者のライトバン、トラックが犇《ひし》め合うようにずらりと並んで、異様に緊迫した気配が漂っている。

その中でも、最も殺気だっているのは、債権者が詰めかけている一階の経理部であった。

「何、ぐずぐずぬかしてる！　責任者を出せ、責任者を！」

「あんたとこは、更生法を打ったら借金棚上げで助かるやろが、うちはどないなるのや！　千五百万円の阪神特殊鋼の手形は紙屑《かみくず》になってしもうたんやぞ！　今すぐ弁償してくれんかったら、工場にある鋼材を持って帰ったる！　ええか！」

怒声が、四方八方から乱れ飛び、応対する経理部員たちは顔面蒼白《そうはく》になっている。

「まことに申しわけありません、皆さまには出来るだけご迷惑がかからないよう最善を尽しますので、今日のところはご諒承《りようしよう》を——」

「諒承やて？　ふざけたことを云うな、お前ら下っ端《ぱ》では話にならんから社長を呼んで来い！　わしは、あいつに話がある！」

一際《ひときわ》、居丈高な声がした。阪神特殊鋼の下請け会社の中では中クラスだが、一〇〇パーセント阪神特殊鋼に依存している戎《えびす》歯車の戎社長だった。

「石川社長は、高血圧で入院中でございまして――」

「なにい！　わしらが死ぬか生きるかの時に、病院へ逃げるとは何事や、引きずり出して来い！」

血相を変えて、食ってかかると、他の債権者たちも煽《あお》られるように、さらにいきりたった。奥の電話に出ていた経理部長の安井が、慌《あわ》てて飛んで来た。

「戎さん、若い者の説明不足で申しわけありません、石川社長の病状は重篤《じゅうとく》ですので、私がお話を聞かせて戴《いただ》きます」

宥《なだ》めるように云うと、戎社長はジャンパーのポケットから封書をひっ張り出した。

「安井さん、これ見なはれ！　播州《ばんしゅう》相互銀行から内容証明付で今朝《けさ》、送り付けられて来ましたんや」

文面は戎歯車が裏書した阪神特殊鋼の三千七百万円の手形を本日正午までに買い戻してほしい、もし出来なければ相殺《そうさい》勘定を起すというのだった。

「わしは昨日《きのう》、播州相互銀行へあんたんとこの手形を割りに行ったんや、ところが昨日に限って割ってくれん、妙やとは思うたが、まさか阪神特殊鋼が倒産するとは夢にも思うてへんから、そのまま帰ったら、夜の八時頃、支店長から電話がかかって、何が何でも三千七百万の阪神特殊鋼の手形を買い戻してほしいというのや、大半はとっくに割ってしもうてるから、急にそんなこと云われてもと押問答したあげく、今朝のこの内容証明や、相殺勘定されたら、うちの会社の当座預金や不動産一切の資産から、わしの個人預金や家内名義の不動産まで、金目《かねめ》のものは全部、銀行に押えられ、従業員と家族は干上《ひあが》ってしまうんや、何とかしてくれ！」

安井経理部長の胸座《むなぐら》を摑《つか》むと、下駄履きのまま駈《か》けつけた下請けの店主は、作業衣に油を滲《し》みこませ、

「わしら下請けのそのまた下請けの零細企業はもっとみじめやぞ！　あんたとこの製品に合うように買い入れた旋盤、工具の月賦《げっぷ》がまだ八十万以上も残ってるのに、仕事が無《の》うなったら六千円の家賃かて払えん、一家心中をせいというのか！　人殺し奴《め》！」

泣声で怒鳴ったが、安井経理部長は返す言葉もなく、頭を垂れるばかりだった。

債権者の怒声が渦まく一階とは対照的に、二階役員室の廊下は静まり返っていたが、記者会見が行なわれている役員会議室には、二十数人の各社の社会部記者とテレビの放送記者が詰めかけ、テレビ・ライトとフラッシュが万俵鉄平に容赦なく浴びせられ

ている。会社更生法をメイン・バンクの阪神銀行から勧告されたその日から六日五晩、連日徹夜の状態で更生計画案を経理部、営業部のスタッフと作成してきて、今朝九時半に自らの手で神戸地裁へ提出した鉄平は、頰がげっそり瘦《こ》けて土色の顔をしていたが、最後の力を振り搾《しぼ》るように、記者団と対《む》か い合っている。

「万俵専務、阪神特殊鋼がこれほど巨額な負債を抱えて倒産した原因は何だと考えますか、更生法にもって行くまでに、ほかに打つ手はなかったのですか」

記者たちは、初めから万俵鉄平を罪人扱いして詰問した。

「最大の原因は高炉建設の時期と、不況が重なり、資金繰りに破綻《はたん》を来たしたからです、むろん更生法を回避するためにも全力を尽しましたが、申請の止《や》むなきに至りました」

鉄平は、間近でたかれたフラッシュに充血した眼を瞬《しばた》かせて応《こた》えた。

「高炉といえば、八月に爆発事故を起して多くの犠牲者を出したばかりですが、特殊鋼が高炉を持つこと自体に、無理があったのではないですか」

「ロウ・コストのいい製品を生産し、今後の国際競争に勝ちぬくためには、是非とも必要なことでした」

「しかし、そのために建設途上で二十数人の死傷者を出した上、半年もたたぬ今また、五百五十億にのぼる負債を抱えて倒産し、三百社に及ぶ下請け関連企業が丸裸で抛《ほう》り出されたのですよ、あなたはそれでも高炉計画が間違っていたとは思わないのですか」

「事故で死傷された方、また今度の更生法申請でご迷惑をおかけする多数の債権者の方々には、お詫《わ》びの言葉もありません、ことここに至っては、爆発事故で完成が遅れている熱風炉を一日も早く復旧し、高炉を稼動《かどう》させることだと思っております、それがあの事故で死亡された方へのせめてもの供養《くよう》であり、多大なご迷惑をおかけした債権者の方々への償いだと考えております」

確固とした語調で云うと、

「それじゃあ、あなたは無謀ともいえる過大な設備投資を反省していないというのですね」

「驚きましたね、階下《した》に駈けつけて来ている債権者たちの憤《いきどお》りがあなたには全く聞えないのですか、弱い者は泣き寝入りしろと云うのですか」

記者たちは、一斉に鉄平を非難した。

「こんな結果を招いたことは私の非力であり、責任は痛感しています、しかし高炉建設自体は間違っていなかったと申し上げているのです」

「では、更生債権にならぬ零細な下請けに対して、あなたは私財を抛《なげう》ってでもという気持なんですか」

資産家の万俵一族の長男だけに、厭味《いやみ》な質問が出された。

「私で出来うる最大限のことはして償うつもりで、準備を進めております」

はっきり言明すると、

「ところで管財人は誰になりそうですか」

中に混じっていた経済記者が聞いた。

「今のところまだ決まっておりません」

「伝え聞くところでは、メインの阪神銀行は、鉄に明るい帝国製鉄から求めることを希望しているのに対し、あなたは反対のご様子ですが、その点どうなんですか」

「そんなことはありません、何事もメインと相談して決めて行きたいと思っています」

鉄平は咽喉《のど》もとに突き上げてくるものを、ぐいと呑《の》み下すように応え、記者会見は終った。新聞記者たちは夕刊の締切時間を気にするように蒼惶《そうこう》と席をたって行ったが、それぞれの頭の中には、〝二世経営者の甘さ〟〝技術屋経営者の限界〟というタイトルがもう決まっていた。テレビ・ライトが消され、人気《ひとけ》のなくなってがらんとした役員会議室で、万俵鉄平は頽《くずお》れるように椅子《いす》の背に体を投げ出した。

万俵大介は頭取室で、東京支店から刻々と入って来る電話に神経を集中させていた。つい先程の芥川からの電話では、阪神特殊鋼の会社更生法のニュースは東京方面でも反響が大きく、大蔵省、日銀関係にもショックを与えている模様を伝えて来ていた。

机の上の直通電話のベルが鳴った。

「芥川君か――」

万俵が受話器を取ると、

「いえ、私ですよ、私――、もしもし、綿貫千太郎でございますよ」

大同銀行の綿貫専務の昂《たかぶ》った声が聞えた。

「ああ、あなたでしたか――、こちらからおかけしたいと思っていたところですが、そちらの様子はいかがです」

と云うと、綿貫は咳払《せきばら》いをし、

「それですよ、実は先程、三雲頭取は大蔵省へ担保状況その他、とりあえず当行の現状を報告かたがたお詫びという形で参りましたが、メイン・バンクより多額の不良貸付をしたという点で、相当、厳しくやられそうですよ、一方、行内でも、メインより貸し込んでいたということで、行員たちが動揺し、三雲頭取批判の声が高まっております」

「そうすると綿貫さん、綿貫支持の多数派工作もこの際、一挙にというところですが、くれぐれも慎重を期して下さいよ、ではまた変ったことがあれば報《しら》せて下さい」

電話を切ると、またベルが鳴った。芥川からであった。

「頭取、只今《ただいま》、日銀廻りの冠《かんむり》から連絡が入り、正午に阪神特殊鋼の会社更生法に関する日銀総裁の談話発表があり、テレビ中継されるそうです」

阪神銀行の日銀担当の忍者からの情報を伝えた。

「そうか、あと十五分だな、近畿《きんき》財務局と日銀大阪支店へは大亀専務に行かせているが、君はすぐ大蔵省と日銀へ行って、主力銀行としてのお詫びかたがた双方の今後の動きを探ってくれ、今、綿貫君からの連絡で、大同銀行の三雲頭取が大蔵省へ行っているとのことだから、私もこちらが一段落つき次第、上京する」

と云い、受話器を置くと、融資担当の渋野常務が顔を出した。

「頭取、正午のニュースで、日銀総裁の談話発表があるそうです」

「うむ、芥川君から今、報せて来た」

「では私は、今からまだ少し残っております主要取引先への事情説明に廻って参ります」

大口株主会社と主要取引先へは、昨日《きのう》の深夜、役員たちが手分けして、新聞社へ洩《も》れないように、各経営者の私邸へ事態の説明に廻り、諒承を得ていたのだった。

万俵はすぐ、秘書の速水にポータブル・テレビを持って来させた。

正午のニュースが始まり、松平日銀総裁の特徴ある尖《とが》った鷲鼻《わしばな》と小さくつぼんだ口もとが画面に映り、持ち前の甲高い声で話し出した。

「この度の阪神特殊鋼の会社更生法の適用申請は、まことに遺憾《いかん》なことであります、各関係方面で協力して、同社の関連企業および金融機関に影響のないように努力して戴きたい、日銀としても相談を受ければ相応の対策を考慮する所存です。

また今回の件を通して痛感することは、企業の経営者は、経営に対してもっと厳しい姿勢と責任を持つ必要があり、同時に金融機関も、企業の実態把握《はあく》という点に努力すべきであります、なお金融引締め策が、倒産の一原因とも云われておりますが、今回の場合は、設備過大の経営のあり方に問題があったと考えられます」

と締め括《くく》った。永田大蔵大臣への根廻しがきいているためか、日銀総裁の談話も、阪神特殊鋼の経営姿勢こそ厳しく衝《つ》いていたが、メインの阪神銀行は特に名指しせず、一般金融機関という表現で銀行側の自粛を促している。しかも日銀特融は拒否したが、相談を受ければ相応の面倒を見るという云い方であった。

インターフォンが鳴り、総務部長の声がした。

「只今、毎朝新聞、日本新聞をはじめ五社の社会部記者が、頭取にコメントを求めに来ています」

「社会部記者か——、仕方がない、一時に商工会議所へ行く予定があるから、十五分間と時間をきって会おう」

馴染《なじ》みのない社会部記者には、この際、会いたくなかったが、逃げるわけにはいかなかった。

役員応接室には五人の社会部記者が待ち受け、日本新聞の記者が、真っ先に質問した。

「阪神特殊鋼は会社更生法の申立てをしたが、主力銀行としては同社の実態を充分に解明した上でのことですか」

「もちろんです、会社内容を充分に調べ、最後の最後まで、何とか会社更生法に持ち込まないように指導してきたが、これ以上、支援を続けることは、多くの債権者に迷惑をかけることになるので、会社更生法の申立てに至ったわけです、あくまで阪神特殊鋼の自発的な意思であり、主力銀行は、それに同意したのです」

万俵は、阪神特殊鋼と阪神銀行が談合の上で決めたのではないことを強調した。続いて毎朝新聞の記者が質問した。

「会社更生の事態になる前に、主力銀行として他《ほか》に打つ方法がなかったのですか」

「基幹産業である阪神特殊鋼の社会的責務、立場を考慮して、主力銀行としては最善の努力を続けて来ましたが、当の阪神特殊鋼が会社継続の意思を失ってはどうしようもありません」

「では主力銀行として、今後の事態にどのように対処されようとしているのですか」

「関連企業および下請けに迷惑をかけぬことに全力をあげます、その具体策として直ちに当行内に『特別相談室』を設けて、極力、関連企業、下請けの連鎖倒産を防止、打開に当ります」

「最後にもう一つ、債権者の多くは、阪神特殊鋼の実質的な経営者である万俵鉄平氏と阪神銀行の万俵頭取が親子であることから、まさかと思っていたムードが濃いのですが、その辺の責任をどう考えられますか」

社会部の記者らしい読者の興味をそそる質問であったが、万俵は、

「銀行の頭取としては、そのような質問にはお答え出来ません」

毅然《きぜん》として、突っ撥《ぱ》ねた。

新聞記者のインタビューが終ると、万俵はすぐ商工会議所へ阪神特殊鋼の会社更生法申請についての説明に行かなければならなかった。速水が関係資料を用意し、玄関に待たせた車に、万俵は早朝からの多忙さをいささかも感じさせない表情で乗り込んだ。

車が行ってしまうと、速水は朝から神経を張り詰め、動き詰めであった体をほっと休め、頭取室へ引き返そうとした時、ぽんと肩を叩《たた》かれた。振り返ると、万俵銀平が、

「どうだ、そっちは大へんだろう」

平常と変りのない様子で声をかけた。

「だが、頭取の方が、朝から行内指揮、東京連絡、新聞記者のインタビューなどで大へんだよ、君だってそうだろう」

「うん、僕も貸付課長として主要取引先へ説明に廻り、まだ昼食もしていないのだ、君もまだなら、どうだ一緒に――」

「いや、僕はまだできない、それより阪神特殊鋼の方はどんな工合なんだい、万俵専務はあの若さで、これほど大きな苦難に遭われて――」

速水が、鉄平の身を案じるように云《い》うと、

「馬鹿《ばか》だよ、兄貴は――、ほどほどにしておけばいいのに、死にもの狂いになるから

さ」

「しかし、万俵専務は、経営者としての信念を持って、自分のすべてを賭《か》け、死にもの狂いでやって来られた、その事業が一旦《いったん》、破綻《はたん》を来たすと、それまでの努力も経緯もすべて抹殺《まっさつ》され、経営者としての失敗だけが刻印されるというのは、あまりに残酷すぎる」

「そんなものだよ、経営は、まさに結果だけだ、君だって銀行マンだから解《わか》っているはずじゃないか」

「しかし、この場合は違う――」

「どう違うのだ――」

と云ったが、二人の会話はそこで跡切《とぎ》れた。大同銀行を合併しようともくろんでいる万俵大介の意図を知っている二人は、それ以上は口にせず、すっと右と左に別れた。

三雲志保は、静かに門を開けた。

「夜分にお邪魔致します」

門燈の下に、万俵鉄平がたっていた。

「まあ、万俵さん——、大へんでございましたでしょう、どうぞ、お入り下さいまし」

濃い睫毛《まつげ》を瞬《しばたた》かせると、

「志保さんご自身でしたか——、恐縮です」

病身の志保に門を開けて貰《もら》ったことを気遣うように云った。

「婆《ばあ》やが、ちょっと所用で出かけておりますものですから——」

と云い、応接間へ案内した。天井の高い古風な応接室には、昔ながらのシャンデリアがそのままであり、古めかしい調度品が置かれている。鉄平はその一つの椅子に腰を下ろすと、ふっと大きな吐息をついた。会社更生法の申立てをした昨日《きのう》から、組合との折衝、下請けの連鎖倒産防止と、一刻も休む暇《いとま》のない多忙さで、朝起きる時、腰ががくりとふらつくほど疲れきっていたが、何をおいても大同銀行の三雲頭取には詫びなければならなかった。早朝の飛行機で東京へ着き、真っ先に大同銀行を訪ねると、三雲頭取はずっと外出ということで、会うことが出来ず、通産省へ行って、次官、重工業局長にお詫びかたがた今後の事態収拾の方策を説明し、さらに東京の取引関係へも事情説明に廻り、三雲が帰邸する時間を見はからって、訪ねて来たのだった。

和服姿の三雲が入って来た。僅《わず》か会わぬうちに、鬢《びん》には白いものが混じり、頬にもげっそりとした窪《くぼ》みが出来ている。鉄平は胸を衝かれる思いで、無言のまま三雲を迎えた。志保がお茶と果物を運んで来たが、父と鉄平との間の気配を察し、

「どうぞ、ごゆっくり――」

伏目がちに、部屋を去った。

二人きりになると、鉄平は席からたち上り、

「今さら、お詫びの言葉もございません……」

深々と頭を垂れた。三雲は暫《しばら》く黙って、鉄平の疲れ果てた顔を見詰め、やがて、

「鉄平君、私は大同銀行の頭取という公人としては、君に詫びられたからといって許すわけにはいかないんだよ、君とこうして自宅で会うことすらおかしい」

静かな声であったが、峻烈《しゅんれつ》な厳しさに貫かれている。

「解っております、しかし、経営者としての私の未熟さから、三雲頭取にまでご迷惑をおかけし、その上、メインである阪神銀行より大同銀行の方が深傷《ふかで》であるということが申しわけなく、どうしてもお目にかかって、お詫びを申し上げずにはおられず、参りました」

「未熟なのは鉄平君だけではなく、市中銀行の頭取として、私も未熟だったかもしれない――」

と云いながら、三雲は、単に百億の融資がこげついただけでなく、乗るかそるかという最後の段階で、阪神銀行の万俵頭取にしてやられたことの恥辱が、こたえていた。

「阪神銀行の頭取としての父に、いろいろと許し難いことが——」

と鉄平が云いかけると、

「いや、もうそのことは——」

三雲は苦渋に満ちた表情で、首を振った。

「鉄平君、私の支援は不幸にして失敗に終ったが、阪神特殊鋼の高炉建設に融資したこと自体は決して誤りではなかったと思う、帝国製鉄のような大鉄鋼メーカーは、特殊鋼メーカーが高炉を持つことは間違いだという意見だが、私は逆に、特殊鋼メーカーがいつまでも大鉄鋼メーカーの下請け的立場にいることに反対だ、特殊鋼メーカーが独自に高炉を持ち、一貫生産することは、大鉄鋼メーカーでは考えられない新たな用途、製品を開発し、日本の特殊鋼業界への貢献度をいっそう高めるというのが、私の持論だ」

今も信念を失わぬように云うと、鉄平は、

「私も同じです、しかも高炉を持っている大鉄鋼メーカーの都合で、銑鉄《せんてつ》の需給が勝手に変えられるという横暴さが我慢なりません、私が特殊鋼業界最初の高炉建設に踏みきったのも、もとはといえば、帝国製鉄尼崎製鉄所が、向うの都合で銑鉄を送ったり、止めたりしたからです、それだけに、ことを遂げずに終ったことは、無念です……」

歯噛《はが》みするように云った。三雲も無念の面ざしで、

「今は不幸な結果に終ったが、十年後、二十年後の灘浜には、ここで投資した二百五十億の金が何倍にも生き、必ず日本の特殊鋼業界の大きな資産になるだろう、私の融資はむざむざと溝《どぶ》に捨て去ったわけではなく、将来、必ずやりっぱに生きる、ただ時に利あらず、非運だった……」

こみ上げて来る思いをぐっと耐《こら》えるように云った。

「いや、非運だったのではありません、阪神銀行の融資が予定通り続いていたら状況は変っていたでしょう、一方で三雲頭取の支援を受けながら、一方で足を引っ張られていたのです、それが父の意図だったとは……」

鉄平は、呻《うめ》くように云った。三雲は痛ましげに鉄平を見詰めた。父の助けを借りることも出来ず、自分のすべてを賭けた企業を倒産させてしまった鉄平の心中に交錯する複雑な苦痛が、三雲にも感じ取られた。

「今度のことが、三雲頭取の進退にかかわるような心配は、ないのでしょうか」

「私の進退より、行内の動揺や当行の今後を懸念《けねん》している――」

三雲は、大蔵省銀行局が大同銀行の貸込みに厳し過ぎるほど厳しい態度で臨んでいることと、心に頼む日銀がもう一つ積極的に動かないことに思いをやりながら云い、

「私の進退は、いずれ私自身が気持を整理して決めることになるでしょう、それより鉄平君、君は当面の更生計画に全力を注いでほしい」

その淡々とした清冽《せいれつ》な言葉が、鉄平の心にこたえた。

「三雲さん、僕は……」

と云いかけると、

「では、鉄平君、失敬する――」

三雲はそう云い、たち上って、くるりと踵《きびす》を返した。その背はもはや大同銀行頭取という公人の後ろ姿だった。

そっと扉《ドア》が開き、志保が白い顔を覗《のぞ》かせた。

「失礼致しました、父がお見送りも致しませず――、私がお送りさせて戴《いただ》きますわ」

「いえ、志保さんはお体に障《さわ》られますよ、夜気は冷たいですから」

「でも、ご門のところまでですから――」

志保は玄関に出ると、鉄平のために靴を揃《そろ》えた。玄関のポーチから門にかけての植

込みを庭園燈が照らしていたが、植込みに夜露が光り、肌寒かった。志保は着物の衿《えり》もとを合わせた。鉄平が敷石を踏みながら、

「僕は、あなたのお父さまのご厚志に、大へんなご迷惑をおかけしてしまい、これからは、もうお伺い出来なくなるかもしれません」

と云うと、志保は庭園燈のほのかな灯《あか》りの中で、鉄平を見上げた。

「いいえ、父は公人として厳しい態度を取っているかもしれませんが、私情では今後のあなたの身の振り方までお案じ致しておりますわ」

「僕の身の振り方を……」

鉄平は、口ごもった。

「ええ、ですから、何かと大へんでしょうけど、お体をお大切に遊ばして――」

涙にくぐもるような声で云った。

「有難う、あなたこそ――、お父さまをくれぐれも大切にしてさし上げて下さい」

鉄平は門を出ると、待たせてあった車で、羽田空港に向った。

飛行機が大阪伊丹空港に着陸すると、鉄平は、父がいかに拒もうと、今晩こそ父に会おうと心を決めた。体は鉛を呑《の》んだように重く疲れきっていたが、このまま、おめ

おめと父のなすがままにはならぬという思いが、突き上げて来た。

迎えの車で岡本の邸《やしき》に着くと、鉄平は父の住まいである本館の前へ車を着けた。ホールに入ると、居間にはまだあかあかと灯りが点《つ》いていたが、母や妹たちの姿はなく、妙にがらんとしている。

「あなた、お帰りになりましたの」

階段の方から相子の声がしたが、鉄平と視線が合うと、相子は、

「あら、鉄平さんでしたの」

はっと足を止めたが、すぐ軽やかな足どりで降りて来た。

「今度のこと、大へんでしたわね、それにしても、よくご決意なさいましたこと――」

阪神特殊鋼が会社更生法を申請してから初めて鉄平と顔を合わせた相子は、同情を寄せるようなしんみりした語調で云ったが、眼の奥には、声をたてて笑っているような色さえ漂っている。

「それにしても、こんな時間にどうかなさいましたの」

「父に用があるのだ、まだ帰っておられない様子だから、居間で待っている」

鉄平はそう云い、女中を呼んでブランディを持って来るように云いつけたが、相子

は横合いから、

「困りますわ、お父さまは、今夜、阪神特殊鋼の後始末の会合で遅くなられ、明朝はまたお早いのですから、お引取り下さいましな」

取り仕切るように云った。

「君は黙ってろ、それよりお母さまはどうなさっている?」

鉄平と相子の間で、うろたえるようにたっている女中に聞いた。

「はい、奥さまは、専務さまの会社のことでご心痛のあまり、臥《ふ》せっておいでてございます、今、温かいスープをお持ちしようと存じておりましたところで——」

「そうか、じゃあ、ブランディはテーブルの上に運んでおいてくれ、お母さまのお部屋へちょっと伺って来る」

二階へ上ろうとすると、車の音がし、ファウン・グレートデンの吠《ほ》え方で、父の帰宅が解った。相子と女中は、急いで玄関へ出迎え、鉄平は居間で待ち受けた。

相子が、鉄平の来訪を耳うちしたらしく、大介は不機嫌な表情で入って来た。

「お父さん、緊急のお話がありますので、夜分ですが、お待ちしておりました」

「もう取り急ぐ用はないはずじゃないか、どうしてもというのなら、明後日《あさって》にして貰おう、明日は上京して、大蔵省、日銀、通産省へお詫《わ》びと事情説明に廻らねばならない」

「それならなおのこと、今晩中に話さないと、僕自身おさまりがつかないのです」

鉄平は父を見据え、たちはだかるように云った。まるで手負いの猪《いのしし》が突進して来るような凄《すさま》じい気魄《きはく》と形相をしている。

「それほどさし迫った話なら、疲れているが、一応、聞こう」

これ以上拒めば、面倒なことが起るような気がし、大介は居間の奥にある書斎へ入った。

椅子《いす》に坐《すわ》るなり、鉄平は、

「今日、東京で三雲頭取にお目にかかって参りました、お詫びのしようもない立場に三雲頭取を追いやってしまい、自責の念で一杯です——」

と声を落した。大介は無表情にパイプたてから、ストレート・グレーンのパイプを抜き取りながら、

「もういいじゃないか、会社更生法の適用申請は、協調融資銀行が話し合い、これしかないという合意のもとに踏み切ったんだからねぇ、三雲頭取一人に〝悲劇の人〟ぶられたんじゃあ、メイン・バンクの頭取である私の浮かぶ瀬がない」

冷然と突き放すように云うと、鉄平の太い眉《まゆ》がぐいと、吊《つ》り上った。

「お父さん、僕は騙《だま》されませんよ」

「藪《やぶ》から棒に驚くじゃないか、何が騙されないんだ――」

大介は、火を点けたパイプを口にくわえ、落ち着き払って、聞き返した。

「お父さんが阪神特殊鋼を更生会社に持ち込んだのは、重荷になった子会社を、巧《うま》く帝国製鉄へ身売りするつもりだからでしょう、そのために金融引締め期をいい口実に、融資をストップし、高炉建設で膨大な資金がいる阪神特殊鋼の資金繰りを悪化させて、意図的に潰《つぶ》したんじゃないのですか」

充血した眼に、憤《いきどお》りを燃えたたせると、大介はかすかに表情を動かしたが、

「お前は、自らの経営者としての無能を棚に上げて、そんな云《い》い方をするのか、阪神特殊鋼は万俵コンツェルンの中で、銀行に次ぐ大きな企業だ、それを私が、帝国製鉄に身売りすることを意図して潰したなどと、どうしてそんな血迷ったことが考えられるのだね」

「僕は、お父さんの、そのいつ如何《いか》なる時にも尻尾《しっぽ》を出さない、まことしやかな銀行家の欺瞞《ぎまん》を引き剝《は》がしたい！　かなり以前から帝国製鉄の兵藤副社長と会い、阪神特殊鋼の身売りについて談合していたことを通産省のさる筋から聞きましたよ、しかもこの話には、美馬中まで入っているということじゃないですか」

詰め寄るように云ったが、大介は身じろぎも見せない。

「ほう、はじめて聞くことばかりだが、通産省のどの辺《あた》りの話なんだい？」

「それは、申し上げられません」

「云えないような筋からの情報かね、それならどうせ、阪神特殊鋼の倒産をめぐって、総会屋か業界紙あたりが、面白可笑《おか》しく創作した筋書だろう、大蔵省主計局次長である美馬まで登場するなどとは、話が出来すぎているよ」

「いえ、二子からも、それを裏付ける話を、僕は聞いております」

二子が、美馬夫婦に誘われて、帝国製鉄の秘書課勤務の細川一也と東京会館で食事をした時、美馬と細川の間で帝国製鉄と阪神特殊鋼が近い間柄になればという話をしていたこと、その後も大介が、兵藤副社長と会っていることを鉄平に報《しら》せていたのだった。

「まだ世間のことなど何も解《わか》らぬ二十幾つの娘の云うことなど、信じる方がどうかしてる、お前は会社更生法のショックで、いささかノイローゼ気味になっているんじゃないかね」

パイプをくゆらせ、軽侮するように云った。

「お父さん、あなたはメイン・バンクの頭取として、私に会社更生法の適用を勧告された時、男らしく受けろとおっしゃいましたが、今、お父さんも男らしく認めるべきことは、認めて下さい、阪神特殊鋼を意図的に経営不振に陥れたその意図の中に、僕の出生が、かかわっているのではないでしょうか」

そう云った途端、端正な大介の顔が一瞬、醜く歪《ゆが》んだ。

「お父さん、僕はあなたの子供ではなく、祖父と母との――」

「黙れ！　鉄平――」

激昂《げっこう》した声が飛び、口にくわえていたパイプが投げつけられた。鉄平の肩先にパイプが当ったが、鉄平は妙に静かな気持で、床に落ちた煙草《たばこ》の火をスリッパで消し、

「今の僕の問いに、答えて下さい」

と云った。大介は固く口を引き結んでいた。いたたまれぬほどの不気味な沈黙が部屋を押し包み、椅子に坐っている大介が、鉄平の人生を左右する大きな黒い影のように見えた。やがて大介の口が、ゆっくりと開いた。

「鉄平、お前は、万俵大介の長男だ――、それ以外の何ものでもない」

いささかの感情もまじえず、動じない声で応《こた》えた。そこにはたとえ、亡父と妻との間に不倫があったとしても、絶対、口にはしない男の姿があった。しかし、そう云わせたのは妻への愛情でも、子供への愛情でもなかった。その不倫の事実を認めれば、

男としての自分の不様《ぶざま》さを認めることになるからだった。

鉄平には、もはや父の応えは要《い》らなかった。そして万俵大介を骨肉の父として考えることが、はるか真実に遠いことのように思われた。そう思うと、鉄平は他人に対するような気持で、

「先程の帝国製鉄の件ですが、僕は、あなたの思い通りに阪神特殊鋼をさせませんよ」

きっぱりと云いきった。

「何をいう、お前には静養を命じただろう、今後一切、阪神特殊鋼に対する口出しは許さない」

と突っ撥《ぱ》ねると、鉄平はたち上った。

「あなたが何と云われようが、更生会社の管財人が決まり、更生開始まで、私はまだ阪神特殊鋼の代表取締役専務です、三雲頭取をあのような窮地に陥れた上、阪神特殊鋼三千人の従業員の将来がどうなるか解らぬような帝国製鉄への身売りなど、僕は断じて許さない！」

叩《たた》きつけるように云った。しかし大介は取り合わぬように、

「ともかくお前は、心身ともに疲れ過ぎているから静養が必要だ、これからのことは

生活の問題もあるだろうから、再就職先を考えてやっているよ、万俵倉庫の副社長だ」

餌《えさ》を投げ与えるように云った。鉄平の顔が朱奔《しゅばし》った。

「お父さん、どこまで僕を――」

一瞬、絶句し、

「私は、あなたを告訴します」

鉄平が云った途端、大介の顔色が変った。

「子が父を告訴するなど、正気の沙汰《さた》か、何をもって告訴しようというのだ」

「あなたは、阪神銀行の頭取であると同時に、阪神特殊鋼の非常勤取締役であることを、まさかお忘れになっておられないでしょう、その取締役が、自社への不利益行為を行なった背信を告訴します」

鉄平は、父の咽喉《のど》もとに刃《やいば》を突きつけるように云った。

＊

会社更生法申立てから三日目、阪神特殊鋼の煙が遂《つい》に跡絶《とだ》えた。五十余年間、一日たりともたゆまず、燃え続けて来た製鋼の火が消え、スモッグに掩《おお》われた灘浜の空に、巨大な煙突が空虚に突ったっているだけであった。

電気炉工場から伝わって来る震動音も、圧延工場から響いて来る高い金属音もぴたりと止《や》んだ二十五万坪の工場構内は、死の街のように静まりかえり、職場を離れた従業員が、そこここの工場の棟に集まって、会社の先行《さきゆき》とわが身の生活に不安を募らせている。

そんな中で製鋼部の一之瀬四々彦は、いつものように作業衣をきちんとつけた姿で電気炉工場へ向っていたが、痛烈な哀《かな》しみと憤りを必死にこらえていた。四々彦にとって、会社更生法申立ては、他の従業員と同様に、寝耳に水の出来事であった。それだけに俄《にわ》かには信じられず、グラウンドに全従業員が招集され、万俵専務の口からその旨《むね》が語られた時、はじめて阪神特殊鋼の倒産を実感として受け取り、茫然《ぼうぜん》自失したのだった。

万俵専務は壇上から三千人の従業員の顔を一人一人見詰めるように、更生法申請のやむなきに至った経緯を述べたが、高炉稼動を目前にして、なぜもう一踏ん張り頑張れなかったのか、四々彦には納得出来なかった。高炉稼動を信じ、そのために、ここ一年半は、重油一滴、鋼材一片たりともおろそかにせず、全従業員が団結して耐乏生活を忍んで来たことを、万俵専務や工場長であり常務である父をはじめとする役員陣は、なぜもっと考えてくれなかったのか――、それを思うと裏切られたような気持になったが、最後に万俵専務が「会社がこのような事態になって申しわけないが、危急存亡のこの時、諸君は耐え難きを耐えて、頑張って貰《もら》いたい、この先、たとえどんな事態が起ろうとも、阪神特殊鋼の優れた技術と設備、従業員の固い結束がある限り、阪神特殊鋼は不滅である」と、声涙ともに下る要請をして壇上を降りた時、四々彦は、万俵専務の無念の胸中を悟り、とどめようのないほど涙が噴き出して来たのだった。

オレンジ色の鉄の炎と熱気が失《う》せた電気炉工場は、うそ寒く灰色にくすんでいた。四々彦は工場内を見廻して、製鋼部長の金田の姿を探したが見当らず、作業員たちが不安な面持でひそひそと話し込んでいる。

「一体、会社はこの先、どないなるのやろ、三日前、専務は会社更生法を打って再建に当るから、心配はいらんと云うたが、倒産したことにかわりないのやから、人員整理でわしらの馘《くび》かていつ切られるかしれんでぇ」

空《から》の鍋《なべ》のようにぶら下った電気炉の下でも、職長以下七、八人が輪になって話していた。

「それやったら、こんなとこで仕事もなしにぶらぶらしとらんと、早いとこ次の就職口を探さんとあかんな」

「ほんまや、営業部長なんか、倒産前から会社が危ないのを知ってて、社内預金を全部おろして、さっさと辞めよったそうやでぇ」

若い作業員が口々に浮足だつように云うと、老職長が睨《にら》みつけた。

「お前ら、ど根性あれへんな、こんな時こそ事務屋の生っちょろい腰抜け連中と違うて、わしら現場の者《もん》が頑張らんとあかんのや、それが生産会社の現場の根性や」

「そうかて、倒産した途端、方々から契約は取り消されるわ、原料は借金のカタに持って行かれるわで、現に操業はストップしてるやないか、この調子やと賃金カットだけで無《の》うて、今住んでる社宅かて借金のカタに差し押えられ、追い出されるかしれんでぇ、女房かて今朝《けさ》、心配しとった」

三日前まで一心同体で働いていた従業員たちのそうした囁《ささや》きを耳にするにつけ、四々彦は倒産会社の惨《みじ》めさを思い知った。

今朝から操業停止になったのは、昨夜十一時過ぎ、原料納入業者がトラック部隊を仕立てて乗り込み、債権のカタだと云って、自社納入の合金材料をごっそり持ち去る事件が発生したからだった。役員陣は対外折衝に奔走しているし、従業員の唯一《ゆいいつ》の心の支えである操業が停まって、会社は今、要《かなめ》のはずれた扇のようにばらばらになりかけている。

入口の方で騒ぎがし、振り返ると、万俵専務が姿を現わした。安全用のヘルメットを目深《まぶか》に冠《かぶ》り、作業衣を着て、大股《おおまた》に電気炉の方に歩いて来る。四々彦は、眼を見張った。そこここで話し込んでいる従業員たちも一斉にたち上った。鉄平は窶《やつ》れを見て取られぬよう眼に力を入れ、自分を取り巻いた従業員を見廻して、

「皆、元気か、会社がこんなことになり、心配かけてすまない」

と声をかけると、

「すまないですむか！　何しに来た」

険しい声が後方から飛んだが、それ以上は誰も何も云わなかった。鉄平は心に鋭い痛みを覚えたが、気持を持ち直すように、

「どうして煙を絶やしたのだ、電気炉の火が消えたために、他の工場の作業員たちがどんなに動揺しているか、君たちは解らないのか」

叱《しか》るように云った。倒産前と同じ強く張りのある声であった。職長の一人が、

「原料納入業者が昨夜、モリブデンやニッケルなど、特殊鋼の大事な副原料を持ち去ってしまったものですから――」

訴えるように云うと、

「そのことは先程、金田製鋼部長と資材部長から報告を受けたので、すぐ一之瀬工場

長が業者へ説得に走っているが、そんなことでへこたれる製鋼部だったのか」

ことさらに叱咤《しった》するように云った。

「ですが専務、スクラップも、あと十日ぐらいしか残っていませんし、帝国製鉄から入る銑鉄《せんてつ》も、もう大分前から入れてくれんので、あと四、五日分しかありません」

別の職長が云った。鉄平は太い眉《まゆ》を上げ、

「なに、帝国製鉄が銑鉄を入れていない？　いつからなんだ」

「更生法申立てのずっと前ですから、かれこれ十二、三日以前からです」

「そうか、それなら契約違反だから、私から帝国製鉄に厳重抗議する、その他の原料も業者及び銀行団と話し合い、早急《さっきゅう》に善処するが、ともかく電気炉の火を消し、煙をたやしてはならない、たとえ一日一チャージでも二チャージでも、毎日、出銑《しゅっせん》するのだ」

励ますように云った時、

「専務、話がつきましたよ、押えられた資材はほどなく返って来ます」

一之瀬工場長の声がし、そのうしろに金田製鋼部長も安堵《あんど》した顔でたっていた。作業員たちの眼に生気が甦《よみがえ》った。

「よし、直ちに製鋼にかかるのだ」

鉄平が操業開始を命じ、作業員は、敏速に持場に散った。

「原料投入、用意!」

金田製鋼部長の第一声が、工場内に響き渡ると、三十トンのスクラップ・バケットがクレーンで持ち上げられ、高さ四メートル、直径七メートルの電気炉の蓋《ふた》が横へ旋回して、大きく口を開いた。

「位置良好、投入開始——」

金田の第二声とともに、あたりを揺るがすような轟音《ごうおん》がし、スクラップが電気炉に投下される。中二階の操作室に駈《か》け上っていた一之瀬四々彦が、金田製鋼部長の合図で電気炉に通電するスイッチを押した。

スクラップが千度以上の高熱で熱せられ、どろどろの溶鋼になるまでの一時間はまたたく間にすぎた。次に精錬《せいれん》のための高圧酸素が送られ、脱酸、合金混合を経て、出銑までは一時間余りである。

熱風が吹き上げて来る操作室で、鉄平が、四々彦と測定機の目盛りに目を配っていると、一之瀬工場長が上って来た。

「専務、煙が出ておりますよ、ほかの工場の作業員や事務本部の者も、みんな通路に出て、煙を見上げていますよ」

淡々とした口調だが、温和な眼が潤《うる》んでいる。
「そうか、四々彦君、出てみよう」
電気炉工場の外に出ると、百メートルほど先の広い通路一杯に作業員が集まってお
り、操業停止になってから七時間目に、再び煙を出しはじめた巨大な煙突を見上げて
いた。鉄平と四々彦も煙突を振り仰いだ。阪神特殊鋼のシンボルである電気炉工場の
煙突からは、鉄を精錬する赤黒い煙が噴き出して、灘浜の方へ太い曲線を描いている。
「専務、やりますよ、われわれはどんなことがあっても、頑張るぞ！」
駈けつけて来た組合委員長が、手をさし出した。鉄平は現場から叩き上げた委員長
の、火傷《やけど》のあるがっしりした手を握り返した。
「阪神特殊鋼の煙は決して絶やさない、君たちの将来に不安のないよう全力を尽すか
ら、君たちも再建のために固い結束をしてくれ」
「解《わか》りました、われわれ組合も現場の責任者と話し合い、毎日の生産計画に協力しま
す、但《ただ》し、帝国製鉄の軍門に下るのは絶対反対ですよ」
と云《い》った。他の作業員たちも、
「そうだ！　そうだ！　鉄は国家なりなどと、大きな面《つら》ばかりしとる奴《やつ》の風下にはた
たんぞ」

「阪神特殊鋼にも、あと一息で高炉ができるのや！　会社の再建は自力でやるのや！」

口々に叫ぶ声が、鉄平の耳を搏《う》った。

「大丈夫だ、阪神特殊鋼は、帝国製鉄の手には渡さない」

きっぱりした口調で頷《うなず》いた。これほどまでに、阪神特殊鋼の自力再建を願う作業員たちのためにも、帝国製鉄への身売り話を秘《ひそ》かに進め、そのために意図的に潰《つぶ》した父、万俵大介を弾劾《だんがい》せずにはいられないと心に決めた。

万俵鉄平は、大阪梅ヶ枝町の倉石裕《ひろし》法律事務所を訪ねた。倉石裕とは、灘《なだ》高、東大の同窓生で、狩猟仲間でもあった。

ビルの五階の事務所の扉《ドア》を押すと、六時過ぎであったが、ファイル・ボックスのぎっしり並んだ室内に、三人の事務員が書類を整理したり、電話を取っていた。入口に近い机にいる事務員に、名前を告げると、

「どうぞ、こちらでお待ち致しております」

次の部屋の扉を開けた。

「やあ、久しぶりだな、このところ猟でも会わないな」

倉石は、瘦《や》せぎすの鋭い顔の中で、眼だけを人なつこく頰笑ませた。七、八坪の部屋の窓際《まどぎわ》に大きな机を置き、壁面には判例集をはじめ論文集、法律関係の書籍がぎっしりと並んでいる。

「遅くなってすまん、出がけにちょっと面倒な用事があって――」

時間に遅れたことを詫《わ》びた。

「今度は大へんだったな、まさか君のところがと、驚いたよ、今日は久しぶりで食事しながら、さっきの電話の用件を聞こうじゃないか」

倉石は、鉄平の気持を引きたてるように云ったが、

「いや、そうもしておれないし、今、飲みに出かける気がしないんだ、ここで話したい」

友人同士の遠慮の無さで云い、ソファに坐《すわ》ると、

「解った、で、折り入っての用件というのは？」

「実は、告訴したいことがあって、その相談なんだ」

「ほう、告訴の相手は一体、誰なんだ」

鉄平は一瞬、躊躇《ためら》い、

「親父《おやじ》だ、万俵大介だ――」

「えっ、君、親父さんを……」

倉石は、信じられぬように鉄平を見た。

「どうしたんだ、銀行の頭取である親父さんを告訴するなどとは――」

高校時代、万俵家へよく遊びに行き、父親としての威厳に満ちた万俵大介を知っている倉石は、訝《いぶか》った。

「君だって、そして世間の誰もが訝しく思うだろう、しかし、止《や》むに止まれぬ思いからだ――、親子関係で告訴するのではなく、企業家同士という対人関係で、告訴せざるを得ないのだ」

と云い、鉄平は、阪神特殊鋼が倒産に至った経緯を詳細に話し、その間、阪神銀行の頭取であると同時に阪神特殊鋼の非常勤取締役である万俵大介が、重荷になった阪神特殊鋼を帝国製鉄に身売りするために、意図的に倒産を早め、会社更生法適用の申請を余儀なくさせたことを話した。

倉石は、弁護士らしい冷静さで鉄平の話を聞き、時々、問題点をメモしながら聞き終ると、暫《しばら》く内容を整理するように考え、

「要は、万俵大介氏が阪神銀行の頭取であると同時に、阪神特殊鋼の非常勤取締役で

あるにもかかわらず、あえて阪神特殊鋼に不利益になる行為を行ない、経営不振に陥れたから、同社に対する特別背任として告訴するというわけか——」

「そうだ、当社を帝国製鉄へ身売りすることを、われわれに内密で画策していたのだ、そのため、資金繰りに困っていたのを助けるどころか、見せかけ融資を行ない、それが因《もと》で、一時不渡りが起るなど、逆に首を絞めたのだ」

鉄平は憤《いきどお》りに燃えるように精悍《せいかん》な眼をぎらりと光らせたが、倉石弁護士は、

「法律的にいえば、万俵大介氏が、帝国製鉄へ身売り話を持ち込んだこと、即背任にはならんよ、会社が危なくなって来たら、寄らば大樹の陰で、大きなところへくっ付けようとするのは普通のことだから、それをもって背任ときめつけるのは、いささか早計だ」

と云い、煙草《たばこ》に火を点《つ》けた。

「問題は、帝国製鉄への身売り話を、告訴にどう結びつけるかだ、身売り話そのものは、必ずしも悪いこととはいえないが、万俵大介氏が阪神特殊鋼の取締役の地位にありながら、じわじわと阪神特殊鋼の首を絞め、経営不振に陥らしめたとしたら、その行為は、特別背任罪になる」

法律上の争点を明確にし、

「今、君が云った見せかけ融資以外にも、まだ何かあるのかい」

「インパクト・ローンがある、高炉建設に二十億ほど足りなくなった時、インパクト・ローンの手続きをして外資導入することをすすめながら、その手続きを故意に遅らせた様子なんだ、そのうちに爆発事故が起り、インパクト・ローンの導入は宙に浮いたままなんだが、こちらが申し込んだ段階で速《すみ》やかに手続きをしていたら、資金繰りはこれほど窮迫しなかったはずだ」

「その他《ほか》に、阪神特殊鋼に損害を蒙《こうむ》らせたことは？」

激して来る鉄平に対し、倉石は、冷静に碁盤《ごばん》の目に一つ一つ布石していくように質問した。

「高歩《たかぶ》借りがある、見せかけ融資のため、当社が見せかけの穴埋めの金に窮し、阪神銀行へ融資を頼んで断わられ、止むなく、街の金融機関に高歩借りすることをあえてさせ、当社に損害を蒙らせた」

「ほう、高歩借りまで……」

倉石は愕《おどろ》くように、言葉を跡切《とぎ》らせたが、

「万俵大介氏といえば、世間では冷厳な銀行家と云われているが、いつだったか、君の誕生祝のパーティへ行った時、思いがけず家庭的で、息子思いの優しいお父さんという印象を受けたのを覚えている、今度のこと、君の何かの誤解ということはなかろうか」

懸念《けねん》するように云った。

「いや、あれは君たちに対するポーズであり、欺瞞《ぎまん》だ、僕が高炉建設を計画した時、反対したが、最終的には賛成しておきながら、一旦《いったん》、定《き》めた阪神銀行の融資額を途中から削減し、そのためにサブの大同銀行の三雲頭取に大へんな迷惑をかけてしまった、しかも一方では帝国製鉄への身売り話を進めている、そんな父を、私は阪神特殊鋼の専務として許すことは出来ない！」

鉄平は、動かぬ語調で云った。

「そうすると、告訴人は万俵鉄平個人ではなく、阪神特殊鋼代表取締役専務・万俵鉄平で、被告訴人は、阪神特殊鋼取締役・万俵大介、特別背任罪で告訴という形になるが、問題は証拠だ、その点がやや弱いと思う」

「どうして弱いのだ？」

鉄平は、聞き返した。

「なぜかといえば、見せかけ融資、インパクト・ローン、高歩借りなどの事実を立証するには帳簿と書類が必要なんだ、これらは会社更生法の申請をした時に提出した資料のコピーを持って来て貰《もら》い、その中から僕が必要なのを選《よ》り出せば証拠付けられるだろう、だが、肝腎《かんじん》なのは、万俵大介氏が、それらを謀議、或《ある》いは教唆《きょうさ》、指示したことを立証できるか、どうかということだ」

「それは、当社の経理担当常務の銭高によって立証することが出来る」

「しかし、銭高常務では無理だろう、前身が阪神銀行の元融資部長で、いわばお目付《めつけ》役の形で阪神特殊鋼の役員におさまっているのだから、常識的にいって信用できるかどうかが問題だし、もっと確かなしっかりした証人がほしい――」

倉石はそう云い、暫く考えをめぐらせるように腕を組んでいたが、

「万俵君、僕は君の話を聞いていて、父といえども企業家として許し難い思いで告訴に踏みきる君の気持は解るが、息子が、父親を告訴したことに対する世間の眼、風当りについては充分、考えての上のことか」

念を押すように聞いた。

「もちろんだ、だが、私が父を告訴するのは決して私怨《しえん》ではない、私自身、経営者としての非力、未熟さを深く反省し、今日《こんにち》に至った責任を痛感しているが、父の意図的な操作によって、当社を倒産の羽目に追い込み、すべて高炉が出来るまでと耐乏生活を忍んでくれた三千人の従業員を突如、生活の不安に陥れ、むざむざと帝国製鉄に吸

収されてしまうことは、黙過できない、阪神特殊鋼の専務として、ことの大義名分を通し、帝国製鉄への吸収を阻《はば》むことが、会社と従業員に対する私のせめてもの詫びであり、最後の務めだと思う、そのために父、万俵大介を告訴することによって受ける世間の非難は覚悟の上のことだ――」

鉄平は、どこまでも私怨ではなく、公憤であることを強く訴えた。

「そうか、君のように男らしい、そして真摯《しんし》な情熱を持った男が、そこまで覚悟を決めた上のことなら、僕としても全力を尽してやるが、さっきも云ったように証拠の点で弱い面があるから、君もそこのところをもっと固めて貰いたい、僕も今日の話を整理し、組みたててみる――」

最初は慎重を期していた倉石も、鉄平の熱意と正義感に動かされるように引き受けた。

倉石法律事務所を出ると、外はすっかり暗くなり、ビルの上にはネオン・サインが輝き、道路には車のヘッド・ライトが光の帯のように流れていたが、鉄平はタクシーを拾わず、梅田新道の方へ向って歩いた。歩きながら鉄平は、遂《つい》に父を告訴することに踏みきった苛烈《かれつ》な現実感がひしひしと胸に来、こうした形で相対峙《たいじ》しなければならぬ自分たち父子の相剋《そうこく》を無惨《むざん》なものに思った。

万俵大介は、いつものように九時から十五分刻みで来客と面談し、十二時に一くぎりつけた。

ほっと一息つき、頭取室の専用トイレットの扉《ドア》を押した。扉が閉まると、把手《ノブ》の横にオレンジ色の小さなランプが点《つ》き、同色のランプが秘書課の標示板に繋《つな》がるようになっている。用便中に電話がかかって来た時の応対と、用便中に万一のことが起った場合の用意だった。

眼の前のランプがついた。用をすませ、机の上の受話器を取り上げると、

「頭取、ご入院中の阪神特殊鋼の石川社長から緊急のお電話がかかっております」

石川正治は、会社更生法申請で高血圧症が悪化し、芦屋病院に入院中であった。急いで受話器を取ると、

「大へんなことが――止《と》めて下さい！　鉄平君をすぐ止めんことには！」

狼狽《ろうばい》しきった石川の声が、飛び込んで来た。

「どうしたのです、止めるって、鉄平の何を――」

「告訴、鉄平君があなたを神戸地検へ告訴すると……」

「なに、私を告訴──、鉄平は今、どこにいるのです！」

「地検へ行ったと思います、だから早く」

「いつ頃、そちらを出たのです」

「四十分、いや五十分前かも──告訴状をちゃんと用意し、社長である私の諒解《りようかい》をむりやり取りに来て、わが社の顧問弁護士でもない若い弁護士と一緒に地検へ──」

「なぜその時、鉄平を引き止めて、すぐ私に報《しら》せなかったんですか！」

「ですが、思い止《とど》まるように云うのが精一杯で、あとは血圧が上り、眩暈《めまい》がして、とても……」

舌をもつれさせ、弁解しかけると、万俵は乱暴に受話器をきった。手が震え、唇が震えた。さすがの万俵大介にとっても、驚天動地の出来事であった。一週間前の夜、「お父さん、僕はあなたを告訴します」と挑んで来た鉄平ではあったが、まさか本気で実行に移すとは──。万俵はすぐ机の上の外線直通電話を取り、自行の顧問弁護士である曾我《そが》法律事務所の番号を廻した。

曾我は神戸弁護士会の会長であり、日本弁護士連合会の理事でもあった。

「あ、これは頭取、何か急なご用でも──」

「ええ、緊急で、しかも極秘の用件です」

と云《い》い、万俵は押し殺すような低い声で、今、石川正治から報せて来たことを曾我弁護士に話した。

「取り急ぎ、地検へ行って、鉄平の告訴が外へ洩《も》れないようにしてもらいたいことと、一体、何をもって私を告訴したのか、至急に調べて戴《いただ》きたいのです」

と云うと、たいていのことに動じない老練な曾我弁護士も、驚くような気配を見せ、

「解りました、早速、地検へ行って、外部へ洩れないような術《て》を打ち、告訴状の内容を聞いて来ましょう」

「出来れば、告訴状の写しを取って来て戴きたいのですが」

鉄平が何を理由に、どんな罪状で自分を告訴したのか、気が気ではない。

「告訴状は写しを取ることも、見せて貰うことも出来ないのですよ、だが何とか告訴内容を聞き出して来ますよ」

検事出身の曾我弁護士は自信ありげに云い、電話をきった。万俵はまたすぐ受話器を取り、東京事務所の芥川を呼び出し、鉄平の告訴事件が起きたことを伝え、今からすぐ飛行機で来るよう命じた。そしてさらにインターフォンを押した。速水の静かな澄んだ声が応《こた》えた。

「頭取、お呼びでございますか」

「大亀専務を呼んでくれ給《たま》え」

「大亀専務は、先程、大阪の取引先へ出かけられました」

「じゃあ、出先へ連絡をつけて、用件がすみ次第、急ぎ帰って来るように云ってくれ給え」

早口で云い、インターフォンを切ると、掌《てのひら》が汗でべっとりと濡《ぬ》れ、顔にも脂汗《あぶらあせ》が滲《にじ》み出ていた。

曾我弁護士が頭取室へ現われたのは、それから二時間後であった。大亀専務も、相前後して帰って来、事の内容を知ると、顔を蒼《あお》ざめさせた。曾我弁護士も、五十七歳とは思えぬ桜色の艶《つや》のいい顔を引き締め、

「告訴状は提出されたばかりでしたが、私が検事だった頃からの気心の知れた事務官に頼んで、告訴内容を聞いて来ましたよ」

と手帖《てちょう》を前に置いた。

「要は、万俵大介氏は、阪神特殊鋼の非常勤取締役の地位にありながら、資金繰りに窮していた同社を帝国製鉄へ身売りするために、故意に同社に不利益になる行為を行ない、経営不振に陥《おとしい》らせた、その具体的事実として、一、見せかけ融資を行ない、阪

神特殊鋼に損害を与えた、二、インパクト・ローンの手続きを遅らせ、融資を詰らせた、三、先の一、二により資金繰りに詰った同社に高歩借《たかぶ》りをさせて急速に経営不振に陥れた、以上、三点について特別背任として告訴するという主旨で、告訴人は万俵鉄平個人でなく、阪神特殊鋼代表取締役専務・万俵鉄平という会社の立場で告訴しています」

と説明すると、

「云いがかりもいいところだ、私がたまたま阪神特殊鋼の非常勤取締役であることをひっかけて、同社に対する背任を問おうなどとは、怪《け》しからん、なんという卑劣な奴《やつ》だ！」

日頃の万俵には珍しく、人前も憚《はばか》らず激怒した。曾我弁護士は、

「問題は、告訴状にある三点について、頭取が計画、もしくは指示したかどうかということが一つ、もう一つは、仮に頭取がそうした計画を指図したとして、見せかけ融資などの三点を、阪神特殊鋼が損害を蒙《こうむ》ることを知りながら行なったかどうかということ、それらが争点になります」

と云った。万俵はさらに激昂《げっこう》し、

「一切、与《あずか》り知らぬことばかりだ、私はそんなことを指示した覚えも、参画した覚え

もない！」

　頭から突っ撥《ぱ》ねると、大亀は、

「頭取、今はそんなことをおっしゃっておられますより、告訴された以上、ほっておくわけには参りません、一刻も早く世間に知られぬような術《て》を打つことだと思います」

　阪神銀行の頭取として訴えられているのではなく、阪神特殊鋼の非常勤取締役としてであっても、阪神銀行の体面と信用を何よりも慮《おもんぱか》った。曾我弁護士も、

「頭取が身に覚えがないと云われるなら、誣告《ぶこく》罪で打ち返す術もあるが、それではかえって世間に目だちますから、ここは相手方に告訴を取り下げさせるのが、一番得策です、それには鉄平氏と情理を尽して話し合われることと、実際面として、阪神特殊鋼の利益、たとえば更生計画に現実的にプラスする条件を出して話し合われることが、スムーズな解決法だと思いますよ」

　とすすめると、万俵は暫《しばら》く押し黙り、

「大亀君、すまないが、君が鉄平に話しに行ってくれ、今の私は、あれの顔を見るのさえ我慢ならんのだ」

「しかし、頭取、ここはやはり親子で腹を打ち割って話されるべきだと思います、さ

し出がましい申し上げようですが、このような事態が起りましたのも、日頃、頭取と鉄平専務が、企業家同士という間柄だけで、普通の家庭の父子《おやこ》のようなお話し合いがなかったからだと存じます、この際は頭取ご自身が、父親の情を持ってお話になれば――」

万俵は応えなかった。大亀は膝《ひざ》をすすめ、さらに言葉を継ぎかけると、慌《あわただ》しく芥川が入って来た。

「頭取、鉄平さんが告訴などほんとうに――」

まだ信じられぬように云ったが、曾我弁護士からことの概略を聞き終えると、忍者部隊長の芥川もさすがに声を呑《の》んだ。

「芥川君、君に事態収拾の名案はないかね」

万俵が顔を向けると、

「私も告訴の取下げ以外、ないと存じます、世間の耳目は今、戦後最大級の大型倒産である阪神特殊鋼に集まっており、なかんずく親銀行が背後についていながら、なぜ倒産したのか、東京の政財界、マスコミでも話題になっております、それだけに万一、このことが外部に洩れれば、どんな手段を用いても、マスコミを防ぐことはまず不可能で、阪神銀行ならびに万俵頭取の大へんなスキャンダルになりますよ」

動揺しながらも、万俵が最も不安に思っている点を衝《つ》いた。さらに芥川は曾我弁護士の方を向き、

「この告訴が、神戸地検からすぐ東京の検察庁あたりへ流れるという心配はありませんか」

「その点は私も懸念し、取下げの可能性が強いからという口実を設けて、暫く伏せておいて貰うように根廻しするつもりです」

「それで一安心です、東京の検察庁あたりへ流れてしまうと、官界、政界との繫《つな》がりが複雑微妙なだけに、非常に危険ですからね、今度の場合、もし大蔵省銀行局あたりへ洩れると――」

と云い、芥川は口を噤《つぐ》んだ。その途端、万俵の眼がきらりと光った。万俵の意図するところは、阪神特殊鋼を帝国製鉄へ身売りさせるような単純なことではなかった。大同銀行をして阪神特殊鋼へ貸し込ませた上で、阪神特殊鋼を意図的に倒し、深傷《ふかで》を負った大同銀行を一挙に呑むことであった。

「よし、早速、鉄平と話してみる」

万俵が応えると、曾我弁護士は、

「お二人であらましの話し合いがつけば、あとは弁護士同士で示談をし、告訴を直ち

に取り下げさせますから、ではまた後ほど」

と席をたち、大亀、芥川も部屋を出た。

万俵は息を整え、阪神特殊鋼の専務室直通のダイヤルを廻した。

「もしもし、鉄平か、私だ——、今、石川社長から話は聞いた、誤解もいろいろあるようだし、石川社長も病床で心配しているから、すぐ来て貰いたい」

万俵はつとめて平静な声で云ったが、鉄平は、

「今となっては、お目にかかる必要はないと思います、あなたと私との間はもう終っているのです、あとは法廷で争うだけです」

と云い、電話を切った。万俵の耳に法廷という言葉が強い響きをもって残った。

万俵はぐるぐると、部屋の中を歩きながら、一週間前の夜、鉄平が自身の出生に疑惑を持ち、それが今回のことにかかわりがあるだろうと迫った時のことを思いうかべた。万俵は言下に否定したが、あのような疑惑を持ち、言葉を口にした鉄平と、法廷で対決するような事態だけは、避けなければならない。万一、そのようなことになれば、阪神銀行の信用と同時に、万俵家の家名を汚《けが》し、来春にひかえている二子の結婚にまでひびき、ここまで完璧《かんぺき》に積み上げて来た自分の野心が一挙に打ち砕かれてしまう。そう思うと、万俵の胸に陰惨な怒りが火に油をそそぐように、さらに燃え上って

来たが、今は何よりも鉄平に告訴を取り下げさせることであった。万俵は自ら阪神特殊鋼へ出かけ、鉄平に会う決心をした。

万俵大介を乗せた車は、灘浜にある阪神特殊鋼の正門を入った。去年の六月、高炉の礎石を置く鍬入式《くわいれしき》以来、一年半ぶりであった。

工場構内は、更生手続き開始の中立てで活気を失っていたが、十棟の工場は整然と並び、電気炉工場の巨大な煙突から、鉄を精錬する赤黒い煙が吹き出している。万俵は更生手続き中立て後の混乱しきった状態の中で、一日たりとも絶やさない煙を見、鉄平のひたむきな情熱と勇気に、脅威を覚えた。

事務本部の玄関に車が着くと、万俵は人目につかぬよう、秘書課も通さず、直接、専務室を訪れた。

「どなた？」

誰何《すいか》する鉄平の声が聞えたが、万俵は応えず、扉《ドア》を押した。鉄平は息を呑むように父親の顔を見た。

「もうお話し合いすることはないと、申し上げたはずですが――」

拒むように云ったが、大介はソファに坐《すわ》り、

「まさかと思ったよ、告訴など――、親子じゃないか」

と云いながら、鉄平の机の上に山積された会社更生法関係の書物や書類、壁に貼《は》られた高炉建設の工程進行表へ眼を遣《や》った。工程進行表は火入式を間近にひかえて、ぴたりと赤いグラフが止まっている。

「どうかね、一服――」

大介はポケットから葉巻を出して先を切り、鉄平にもすすめた。鉄平は素っ気なく断わり、

「ご用は、何ですか」

「告訴のことだ、どうして告訴状を出す前に一度、云ってくれなかったのだ、私はこれでも、お前のことを随分、考えて来たつもりだ」

「お考え下さった上のことが、今度のような結果なんですか、重荷になった阪神特殊鋼を帝国製鉄へ身売りすることを画策し、そのためにじわじわと首を絞めるように経営不振へ陥れたではありませんか」

「それはお前の誤解だ、だからこうして私は足を運んで来たのだよ、第一、私が阪神特殊鋼を帝国製鉄へ身売りすることを意図したなど、どんな証拠があるというのだね」

「あなたが、既にご承知になっている告訴状に挙げた――」
と鉄平が云いかけると、
「その、あなたというのは止《よ》しなさい、この間のことに、お前はまだこだわっているのか」
不快げに窘《たしな》めると、鉄平はそれには応えず、
「告訴状に挙げた見せかけ融資など三点によって、意図的に阪神特殊鋼の経営を悪くしたことが立証できます」
「なるほど、その告訴状の内容については、さっき当行の顧問弁護士から聞いたが、その三点を立証したところで何になる、万俵大介自身が、それに参画し、教唆《きようさ》したことが立証されなければどうにもならんだろう、裁判はすべて証拠主義だからねぇ、それとも確たる証人でもあるというのかね」
鉄平は、言葉に詰りかけたが、
「阪神特殊鋼三千人の従業員は、会社更生法適用後も、帝国製鉄の傘下《さんか》に入らず、自主独立路線で再建したいと念《ねが》っている、それを確実に実現させるためには、帝国製鉄への吸収合併を画策しているあなたを告訴し、法の力をかりて阻止するよりほかにない」

斬《き》りつけるような鋭さで云うと、大介はかすかな身じろぎを見せたが、

「そこまで従業員が可愛《かわい》く、また下請けのことも思うなら、私に考えがある——、お前が即刻、告訴を取り下げるのを前提に、下請けと、阪神特殊鋼の従業員に対して、次のような好条件を用意する」

鉄平が一番、心に呵責《かしやく》している点を衝いた。

「まず第一は、当行が担保として押えている有価証券は、額面の六、七割がけぐらいで取っているから、その余裕分の担保を下請けに譲り渡す、ざっと八、九億出るだろう」

鉄平は、応えなかった。

「下請けに対しては、他企業への融資を削ってでも優先的に、しかも低利で融資する」

なおも鉄平は応えなかった。大介はさらに、

「下請けで納入先を失ったところには、当行の取引関係で納入先を斡旋《あつせん》する」

「…………」

「阪神特殊鋼の従業員で転職する者は、当行の得意先へ世話をする」

次々に条件を並べた。

「当然でしょう、主力銀行としては——、私が要求することは、阪神特殊鋼が更生会社になった後も、あくまで自主独立で行くことであり、告訴取下げの唯一《ゆいいつ》の条件は、帝国製鉄への吸収合併をご破算にすること以外にありません」

鉄平は、断固として撥《は》ねつけた。大介の脳裡《り》には、会社更生法の適用で阪神特殊鋼の債務を棚上げし、帝国製鉄に吸収合併させることによって阪神銀行が得るメリットと、帝国製鉄の兵藤副社長と既に数度にわたる会談を行ない、ほぼ一致した合併条件に達していることが去来したが、今それを鉄平に悟られることは、大介年来の宿願である〝小が大を食う〟銀行合併を危うくしてしまうことであった。大介は窮地に追い込まれながらも、頰にかすかな笑いをつくり、

「そこまで私が帝国製鉄への身売り話を画策したと信じているのなら、これ以上、言葉を尽しても無駄だ、しかし、何らの証拠もなく、そう思い込み、真相を確かめず、先走って父親たる私を告訴するなど、いたずらに世間の耳目を欹《そばだ》たせ、十四代続いた万俵家の家名に傷をつけるだけだ、来春に挙式を控えている二子や、これから良縁を得なければならぬ三子たちの立場を思いやってほしい、第一、お母さまがこのことを知れば、どんなショックを受けるか、病いに伏してしまうかもしれぬことも、充分に考えての上のことだね」

今度は情に訴えるように云うと、鉄平は呻《うめ》くように口ごもったが、

「今は、万俵一族のことより、私にとっては、阪神特殊鋼とその従業員のことを考えております、そして私は、こうした挙に出た限り、出来るだけ早く、万俵家を去る所存でおります」

「なに、家を出る——、早苗と子供たちはどうするのだ？」

大介の眼に激しい狼狽《ろうばい》の色がうかんだ。鉄平が家を去ることは、万俵大介が家父長として君臨している一族主義の万俵家から、一人の反逆者を出すことであった。

「なにも、家を出ることはないだろう、もしお前が私財を抛《なげう》って、いささかでも債権者に弁償する意味なら、万俵不動産で買い取らせて弁償し、その後、借家という形で住んでいるがいい」

「いえ、それでは私の信条が許しません、早苗にはことの事情を話して、子供とともに実家《さと》の大川家へ預けます」

鉄平は、きっぱりと云《い》った。大介はもはや鉄平の動かし難い決意を知ったが、今、自分に呼応して大同銀行内で、阪神銀行との合併工作を秘《ひそ》かに進めている綿貫専務一派の画策が成功するまでは、何としても時間を稼《かせ》がねばならなかった。大介は焦《あせ》り、激して来る思いを抑え、静かな声で、

「そうか、お前はそこまで心を決めているのか、しかし、あえて、もう一度だけ云う、阪神特殊鋼の更生手続き開始の決定が出て、管財人が入って来る時点で、私が帝国製鉄に阪神特殊鋼の身売り話をしていたかどうかが明白になるだろうから、それまで一時、告訴を取り下げ、その時になって、帝国製鉄への身売り話が事実であったら、私を告訴しても遅くはないではないか――」

なおも老獪《ろうかい》に説得したが、鉄平は首を振った。

・

久しぶりに夕食時に帰宅した万俵鉄平を、子供たちがはしゃぐように迎えた。

「パパ、今日は早かったのね、毎日こうだと、京子うれしいな」

小学二年の京子が瞳《ひとみ》を輝かせると、三年生の太郎も、

「毎日でなくても、週に一回か二回でもいいや、今日の夕食は焼肉だよ」

父の会社のことなど知らない子供たちは、ここ一カ月余り、会社に泊り込んだり、深夜に帰宅したりする父と夕食を共にしたことがなかった。

「焼肉ならパパの大好物だ、すぐ着替えて来るから、先に食堂へ行っておいで――」

子供たちはぱたぱたとスリッパの音をたてて、食堂へ行った。

「あら、お早いのね、何かあちらでご用事でもあるの？」

迎えに出て来た早苗は、舅《しゅうと》たちの住まいを眼で指した。

「いや、今夜は久しぶりに子供たちと食事をしようと思ったんだ」

「まあ、それなら私も大いに腕を振るいますわ、お召替えは、ねえやに手伝わせましょう」

浮きたつ声で、キッチンへ引き返した。

着替えをすませて食堂へ出ると、食卓には卓上グリルが置かれ、大皿にロース肉、海老《えび》、貝、野菜類がきれいに盛りつけられて、子供たちはもうナプキンを胸につけている。

「パパ、早く坐ってよ、パパが来ないと、お肉が焼けないもの」

「よし、今日はパパが焼いてやろう、京子はなんだ？」

「私は、おえびとピーマン、おねぎは嫌い」

「僕は、肉と貝柱だ」

「よしよし、沢山食べて、パパやママより大きくなるのだよ」

鉄平は、旺盛《おうせい》な食欲に満ちあふれる子供たちの顔を眺めた。色白の京子は長い髪をリボンで結び、おしゃまな感じが可愛かったが、太郎は小学校三年生にしては体格がよく、もの怯《お》じしない性格だった。

早苗が自慢のヴルーテ・ソースを子供たちにとり分けてやると、

「パパ、今年はまだ猪撃《しし》ちに行かないのだね、冬休みに僕も連れて行ってほしいな」

肉を頬張りながら、せがむように云った。

「お前はまだ駄目だよ、パパだってお祖父《じい》さんに初めて連れて行って戴《いただ》いたのは、もっと大きくなってからだよ」

と云い、子供たちが喜び、妻が倖《しあわ》せそうに頬笑んでいる姿を見ながら、万俵邸の一角にあるこの家で、こうした団欒《だんらん》の日を過せるのも、あと幾日かと思うと、胸に迫るものがあり、ふと箸《はし》を置いた。

「あなた、どうかなすって？　何か召し上っていらしたの」

「いや、食べていないよ、ママ、どんどん焼いてくれ」

強いて明るい声で云うと、早苗は大皿の肉や野菜を卓上グリルに並べた。じゅっ、じゅっと焼ける音に、子供たちははしゃいだ。

食事がすみ、子供たちも寝《やす》ませてしまうと、鉄平は、改まった話があるからと、妻を書斎へ呼んだ。

「あなた、改まって一体、何ですの？」

早苗は、訝《いぶか》しげに聞いた。鉄平は妻の顔を見詰め、

「すまないが、暫《しばら》く子供たちを連れて、実家へ帰っていてくれ」

「え？　何ですって？　子供たちを連れて、実家へ――」

「そうだ、実は今日、親父《おやじ》に対して背任を問う告訴をしたのだ」

早苗は自分の耳を疑うように、

「どうして……どうして、お舅《とう》さまを告訴などなさったのです……」

声が震えた。

「今度の会社の倒産に関して、止《や》むに止まれぬ事情から出たことだが、そのわけは女の君には云えない」

「でも、告訴などなさる前に、お舅さまと話し合って解決する方法がなかったのですか」

「それが出来るものなら……」

言葉を跡切《とぎ》らせると、

「あなたとお舅さまとの間は、どうしてそんなに冷たいのです？　何か私の知らない事情でもおありなのですか――」

鉄平は黙って、首を振った。

「でも、どうして血の繋《つな》がった父と子の間で、告訴など——、そこまで許し難いことが父子《おやこ》の間にあろうなどとは、私に理解出来ませんわ」

あらゆる術数を弄《ろう》して自己の企業的野心を遂げようとする父に、許し難い不正があるからこそ告訴するのだと叫びたい衝動を辛うじて抑えた。

「それで、お舅さまはどうなの、あの方は黙っていらっしゃらないでしょう」

「そうだ、すぐ会社へ来て、告訴取下げの条件をいろいろ云われたが、私は断わることにしている、なぜ断わるかは、これも女に話すべきことではない」

「じゃあ、せめて銀平さんには、ご相談になっての上のことでしょうね」

鉄平は再び、首を振った。

「どうしてなんです、銀平さんならお舅さまと同じお仕事だから、あなたの会社の事情はよくお解《わか》りだし、何よりもたった二人きりの男兄弟じゃありませんか」

「銀平だって、こと仕事に関しては父と同じように、企業間の話は親子兄弟の情実ぬきという主義だし、それにあいつは、何事につけ、傍観者という立場を崩さない性格だ、それはそれで一つの生き方だと思う——」

低い声でそう云い、

「僕は、自分の半生を賭《か》けた阪神特殊鋼と三千人の従業員のために、どんなことがあってでも告訴の取下げはしない、そうと決めたからには、結婚の時、父から譲られたこの家を出て行くべきだと思う、父はそこまでしなくとももと云ったが、それでは筋が通らない、いつも仕事本位で、君に苦労をかけてすまないが、子供たちを連れて、大川家へ行ってくれ」

鉄平は夫として、はじめて妻に頭を下げた。早苗は暫く俯《うつむ》いていたが、顔を上げると、

「――あなた、解りました、亡《な》くなった父からも常々、妻たる者の心得として、夫の大事の時、足手まといにならぬことが一番だと、教えられて参りましたから、あなたのご指示通り、この家を出ることは承知致します」

曾《かつ》ての自由党の領袖《りょうしゅう》、故大川一郎の娘らしい気丈さで応《こた》えた。

「ですが、あなたご自身はどうなさるのです？」

「僕は役員寮に入って、会社の更生計画に打ち込む、そして再建に見通しがついたら、迎えに行って、新しい住まいを見つけることにする」

そう云うと、早苗はきっとした眼《まな》ざしで、

「それはいやです、この家を出ることは明日からでも致しますが、あなたと私たちが別れて生活するのはいやです、どんな住まいでもいいから、ご一緒したいと思いま

す」

はっきりとした口調で云った。

庭燈籠《どうろう》に灯《あか》りが入った神楽坂《かぐらざか》の料亭『わかもと』の離れで、綿貫千太郎はひとり手酌しながら、昼間、阪神銀行東京事務所の芥川常務が突然、昼食の約束を取り消して来たことにこだわっていた。

いつもの有楽町のしゃぶしゃぶ屋の座敷で、阪神特殊鋼倒産の銀行責任について、大蔵省、日銀がどのような見解を持っているか、芥川側が手に入れた情報を昼食しながら聞くことになっていたのに、正午前になって、芥川は今から大阪へ飛ばねばならぬ急用が出来ましたのでと、日の変更を云って来たのだった。どれほど大事な用件か知らないが、他行の専務である自分との約束を間際《まぎわ》になって取り消すなどとは失敬な奴《やつ》と立腹しながら、一方では芥川の尋常でない取急ぎ方に、神戸の阪神銀行本店で何か事件が発生したのでは——と、動物的な嗅覚《きゆうかく》を働かせていた。

阪神特殊鋼が会社更生法の適用を申し立てた直後であったし、ことに阪神銀行はメイン・バンクでありながら途中で見放し、冷酷に会社更生法に持ち込ませたという風評がたっている時だけに、充分に考えられることであったが、いよいよ阪神銀行との合併工作を開始しようとしている綿貫にとって、いま妙な突発事が起ることは迷惑千万であった。

背後で脂粉の香りがしたかと思うと、裾《すそ》をひいたお座敷着姿の豆千代が、そっと襖《ふすま》を開けて顔を覗《のぞ》かせていた。

「なんだ、豆千代か、どうした？」

「ああら、どうしたとは、ご挨拶《あいさつ》だこと、このところ一向、呼んで下さらないし、そろそろ秋風なのかしら――」

体をくねらせ、艶《つや》っぽい流し眼を送った。日頃の綿貫なら、忽《たちま》ち相好を崩してしまうところであったが、豆千代の腰のあたりに好色な目つきを向けただけで、

「まあ、そうきんきん云うな、このところ滅法忙しくて、お前としっぽりしているわけにいかんのだよ、今晩もうちの小島常務と二人だけの用談があるから、おあずけだ」

「何か知らないけど、急にえらくお仕事に熱心だこと――」

中庭を隔てた廊下で、お座敷を抜け出た豆千代を捜す仲居頭《がしら》の声がして、豆千代はすねたように座敷へ行った。

綿貫は今夜の大事を腹に据えかねるように再び銚子《ちょうし》を取り、独酌しかけると、廊下に足音がして、小島常務が勝手知った気やすさで入って来た。

「どうも遅くなりました、千葉の得意先まで行っておりましたもので――」

一礼して、坐《すわ》った。色黒で背が高く、馬面《うまづら》のように顔が長かったから、陰ではウイスキーの銘柄をもじって〝ブラック・ホース〟と呼ばれていたが、自らは伊達《だて》男を気取って、縞《しま》のカラーシャツに幅広のネクタイを締め、そのちぐはぐさが、かえって預金集めの陣頭指揮者として若い行員たちに親しまれ、人気を集めていた。

座敷に酒肴《しゅこう》が運ばれて来ると、綿貫は人払いし、

「千葉までとは大へんだったな、まあひとつ――」

犒《ねぎら》うように云い、盃《さかずき》に注《つ》ぐと、小島は一気に飲み干し、

「専務、今夜は私だけお呼出しに与《あずか》り、何か格別なご用命でも――」

綿貫親衛隊のメンバーをはずしたさしの席であることに、ただごとならぬ気配を感じ取っていた。

「うむ――、どうかね、阪神特殊鋼の倒産、会社更生法適用に関して、当行の得意先の様子は？」

「みな、驚きの一言ですね、神戸に本社と生産工場がある企業で、しかも阪神銀行と

いうれっきとした親銀行がついている阪神特殊鋼に、大同銀行がどうしてそこまでのめり込んだのか不思議だと、異口同音に云われますよ、今度という今度は、三雲頭取のために大同銀行の信用に傷がつき、融資担当の綿貫専務にまで迷惑がかかりかねませんよ」

小島常務は、支店廻りの東奔西走と、接待ゴルフで陽灼《ひや》けした長い顔で憤慨した。

「わしも三雲の馬鹿《ばか》殿のために、顔に泥を塗られたようで我慢ならんが、大蔵省には、阪神特殊鋼に対するわしの融資行為が最初から消極的であったことをいち早く強調しておいたし、日銀にも充分、説明しておいた、だが、小島君、油断はできんぞ」

「と云われますと、もしや専務が……」

小島は色をなし、思わず、綿貫の頸《くび》に視線を当てた。

「馬鹿もの！　誰が三雲如《ごと》き者の身替りになどなるものか」

激しい剣幕で一蹴《いっしゅう》し、

「時に小島君、わしに君の体をあずけてくれんか」

いきなり、有無を云《い》わさぬ語調で云った。綿貫にとって、万俵大介との密約が成るか成らぬかは、綿貫親衛隊の元締であると同時に、営業第一線を掌握する小島の動き如何《いかん》で、その半ばが決せられると云ってもよかった。小島は、綿貫より三つ齢下《としした》の五十六歳で東北大学出身だが、若い頃から馬車馬の如《ごと》く預金獲得に汗水滴《た》らし、十数年前、当時、新宿の呉服屋から衣料専門のスーパーに進出した得意先の店主が交通事故にあったと聞くなり、病院へ駈《か》けつけ、その場ですぐ輸血を申し出て、店主とその家族をいたく感激させたこともある。爾来《じらい》、そのスーパーの小島への信任は絶大で、今や業界第六位の大手スーパーに急成長し、ボウリングなどのレジャー産業へも乗り出したその会社の預金の六割までが、大同銀行扱いになっている。そうした体を張った働きぶりは綿貫と肌が合い、融資と預金の面で二人は車の両輪のように絶妙なコンビを組み、実質的に二人で大同銀行の屋台骨を支えて来たのだった。

綿貫は、じっと小島の顔を見守り、

「驚かんで、冷静に聞いて貰《もら》いたいことがある、実は一カ月ほど前から阪神銀行の万俵頭取と、わしの間に合併話が起っており、この一カ月間、慎重に考えに考えた上、わしは合併に踏み切る決意をした、随《つ》いて来てくれるな」

一方的に信頼を託すように云った。事実は二カ月前に万俵大介と密約を交わし、大同銀行の㊙資料を手渡していたが、そこまでは云えない。

小島はあまりのことの重大さに、茫然《ぼうぜん》とし、

「そんな大事を、突然におっしゃられても……、しかし阪神銀行は、本気で当行との

合併を望んでいるのですか」
「こんな企業の命運を左右するような重大事に対して、本気も嘘気《うそき》もありはせん、阪神銀行の万俵頭取が識見、力量ともに金融界では万人の認める人物であることは、君も承知しているだろう、その万俵頭取が云うには、阪神銀行にしろ、大同銀行にしろ、中下位行は、いつかは金融再編成の波に呑《の》まれる日が来る、しかしその日を待たずして、今回の阪神特殊鋼のような大型倒産が起って傷ついては、両行とも乗じられる隙《すき》が大きくなるから、いっそこの際、合併しようではないかと、云うのだよ」
「今、一カ月前からとおっしゃいましたね、すると、阪神特殊鋼の倒産はその頃から既に解っていたのですか」
「万俵頭取は爆発事故が起った時から阪神特殊鋼は危ないと見ていたらしい、それにもかかわらず、うちの三雲頭取は、別枠《べつわく》融資や、増資の環境工作のためにと株の買増しまでしているのだから、いかに大甘ちゃんりんか、解るというものだよ」
綿貫が嘲笑《ちようしよう》すると、小島は深刻な顔で、
「しかし専務、だからと云って、当行が阪神銀行と合併するという論理は、私にはぴんと来ません、われわれの悲願は、戦後二十数年間、いまだに続いている日銀天下りの支配から脱して、自主独立することではありませんか、そのための三雲追出しであり、日銀進駐軍の排斥運動ではなかったのですか」

声を昂《たかぶ》らせて云うと、綿貫は、声が高いと窘《たしな》め、

「小島君、君の気持は解っておるよ、この大同銀行は誰が何と云おうと、融資担当のわしと預金の君が車の両輪になり、そのうしろから一万人の行員が汗水たらして力一杯に押してくれたればこそ、激甚《げきじん》な競争に打ち克《か》ち、都市銀行第八位の座を保っておられるのだ、日銀から次々と天下って来る頭取が、全銀協や経団連の会合で、ソファに足を組んで、呑気《のんき》に国際金融論や景気の変動論などをぶっておられるのも、われわれの働きがあってこそだ、口惜《くや》しい気持はわしも、君も同じだ——」

「それならばなぜ、突然、他行と合併など……」

小島は、承服できぬように云った。

「日銀進駐軍を追い出すには、われわれの力だけでは不可能だからだ、正直なところ、外部の力を利用しなければ到底、出来ん」

綿貫の細い眼は次第にすわって来、大きな鼻翼が膨《ふく》らんだ。

「小島君、ここは一つ、冷静に考えてみるんだ、外部の力というと、大蔵省からの移入人事か、もしくは他行との合併の二者択一しかない、当行がそのいずれを選ぶかといえば、云うまでもなく後者であり、阪神銀行はその点、当行の恰好《かっこう》の合併相手と、

わしは確信する」

綿貫の決意と自信に満ちた表情に、小島は気圧《けお》されるように黙り込んだ。綿貫はさらに、言葉を続けた。

「それで君への頼みというのは、ここ半月以内で、役員会の過半数を制する役員工作をやって貰いたいのだ、三雲の殿さんといえども、現職は強い、したがって、三雲頭取や白河専務、融資部長の島津取締役などの日銀天下り派に気付かれぬように〝短期決戦〟でまとめてしまうことだ」

と云うと、小島はぴくっと頬を動かし、

「専務、そうすると、これはクーデターですね」

声を殺すように云った。綿貫はうむと頷《うなず》き、志を同じくする男同士の視線がかちりと合った。

「小島君、頼みにするよ」

「はい、一身を賭《と》して専務のご趣旨に――」

「では早速、明日から行動開始だが、人事担当の山之内常務にはわしが話す、君は総務企画担当の角野常務に話してくれ、夏目専務らの中間派の抱込みと、平取締役八人への工作は、明後日、わしと君と山之内、角野を加えて四人で策を練ろう」

早くも票を数えるように云うと、小島は、

「専務、くどいようですが、阪神銀行の方は間違いございませんね、オーナーで辣腕《らつわん》家《か》の万俵頭取が、どうして上位行である当行とあえて――、その点がどうも……」

ひっかかるように念を押すと、綿貫は上衣《うわぎ》の内ポケットに手をやり、一枚の分厚な名刺を小島の前に置いた。万俵頭取の名刺である。綿貫はその裏を返した。

御高配多謝
御約束厳守

毛筆でしたためられ、印鑑が捺《お》されている。綿貫が、大同銀行の㊙資料と引替えに、万俵から取り付けた〝万俵念書〟であった。よほど肌身離さず、しまい込んでいたのか、名刺の四隅が折れ、汗臭い体臭が匂《にお》うようだった。

小島は、綿貫の顔と万俵念書を見比べた。

「どうだ、納得したかね」

「しかし、このご高配というのは？」

「なに、別に意味はない、要は合併話を真剣に検討してくれて忝《かたじけな》い、御行《おんこう》の決意が固まるまでは絶対に他言しないことを約束するという意味だよ」

と説明したが、事実は合併話が成功すれば、綿貫を新銀行の副頭取にするという意味であった。小島は暫《しばら》く考え込むようだったが、

「では頭取のポストは、どうなるのです」

「当面は向うだが、それは止《や》むを得ん、いくら当行の方が上位といっても、まさか三雲を頭取の座から追い落したわしが、相手行の万俵頭取をさしおいて、頭取にはなれん、しかし、それは当面のことで、対等合併といっても当行の方が上位行だから、合併してしまえばリーダー・シップはこっちのものだ、いずれわしが頭取になった時は、君が副頭取だ」

と云うと、小島の顔が昂奮《こうふん》で紅《あか》らんだ。

＊

十二月十八日、神戸に珍しく雪が降った。昨夜半から激しく吹き荒れていた季節風がおさまったかと思うと、鉛を塗ったように重く垂れこめた空から、突如として不気味なほど大きなぼたん雪が降りはじめ、人々を驚かせた。

この日、神戸地方裁判所は、かねてより会社更生法の申請をしていた阪神特殊鋼に

更生法の適用を認め、午前十時、更生開始の決定を下した。時を同じくして、裁判所によって選任された管財人一名と管財人代理三名の一行が、灘浜の阪神特殊鋼へ向った。

管財人一行の車が阪神特殊鋼の正面玄関に到着した頃、ぼたん雪はさらに激しく降りしきっていた。一メートル先も定かでない異様な降り方は、高炉を完成して世界一の特殊鋼メーカーを目ざした会社が、一転して、更生会社という屈辱を舐《な》めるに至った悲運を深く押し包んでいるようであった。

管財人の一行は、玄関に出迎えていた総務部長の先導で、三階講堂へ上って行った。そこには石川社長はじめ十三名の役員と、部課長以上百五十名が、たったまま整列していた。

静まり返った廊下に、管財人一行の靴音が高く響き、講堂入口の前で、止まった。一瞬、講堂内に身じろぎするような緊迫感が漂い、正面壇上の役員席にいた万俵鉄平が、病いをおして出席している石川社長に代って、管財人一行を迎えるために、講堂入口にたって行ったが、一行の顔ぶれを見るなり、たち竦《すく》んだ。管財人は、帝国製鉄尼崎製鉄所の和島所長であった。

「本日、神戸地裁より私が管財人に選任されました、他の三名は私が同地裁に申請した管財人代理です」

和島管財人は切口上に云い、神戸地裁の二通の書面を鉄平に示した。一通は更生手続き開始決定書であり、もう一通は管財人決定書であった。鉄平は、管財人決定書に眼を走らせた。

更生会社　阪神特殊鋼株式会社　の管財人、同代理を左記の通り決定する

管財人　　帝国製鉄常務　　和島龍三

管財人代理　阪神銀行調査役　花村　勉

　　　　　　大同銀行監査役　崎田安義

　　　　　　五菱商事大阪支店次長　渡辺正夫

鉄平は顔を上げると、こみ上げて来る感情を呑み下すように唇をひきしぼり、無言のまま、和島管財人を壇上左側の椅子《いす》に先導した。和島管財人の顔を見知っている役員席に動揺が起り、壇の下に居列《いなら》んでいる百五十名の部課長たちも動揺の気配を見せた。そして管財人一行が椅子に着席したのに対し、自社の役員陣十三名は、病身の石川社長を除いて、全員、起立したままという光景を眼《ま》のあたりにし、部課長たちは更

生会社の苛酷《かこく》な現実に凝然と顔を硬《こわ》ばらせた。

和島管財人は、壇上の中央に進み出、奉書紙にしたためた書状を拡《ひろ》げ、読み上げた。

「神戸地方裁判所の決定により、本日、午前十時、阪神特殊鋼は更生会社となり、私をはじめとする管財人及び管財人代理が、今後、当社の管財運営に当ることになりました。

当社の倒産により、数万にのぼる債権者及び株主に多大の迷惑をかけ、その汗と脂《あぶら》の結晶である財産を一時、棚上げされ、このため関連事業に従事している幾多の人たちは失業し、或《ある》いは賃金の不払い、切下げなどによって非常な苦しみを舐めておられるのであります、このような時、当社の従業員が、人々の苦しみをよそに今まで通りの在り方であることは道義的にも、社会的にも許されるものではありません、したがって、従業員諸君は徹底的な経費の節約と合理化によって、一日も早く会社の再建を計り、債務の返済に努力する責任があります。

前途は多事多難でありますが、再建への熱意を結集して邁進《まいしん》すれば、必ずや前途に光明を見出《みいだ》すことが出来ると確信します、そのためにこれまで以上の耐乏生活を皆さんに訴える次第であります」

更生会社の従業員の厳しい心構えを要請した。

「次に、当社の更生計画の具体案について述べますが、その前に、まず役員陣の建直しが急務であり、これから氏名を呼び上げる役員は、即刻解任しますから、直ちにこの場より退出して下さい」

重々しく命じた。

「代表取締役社長、石川正治君――」

名目的な社長にすぎなかった石川社長の解任を申し渡す第一声が、響き渡ると、石川正治はよろめくように椅子からたち上り、総務部長の手に支えられて、壇上を去った。

「同専務、万俵鉄平君――」

実質上の経営者であり、倒産の直接責任者となった当事者として指弾するように一際《ひときわ》高く、万俵鉄平の名前が読み上げられた。鉄平は太い眉《まゆ》をぐいと吊《つ》り上げ、和島管財人の方を見、それから自分の横にたっている一之瀬常務を顧みた。工場長である一之瀬は、常務陣の中で残されることが、予想されており、自分の後事を託せるのは一之瀬だけであった。

暫《しば》し深い眼《まな》ざしを交わし、鉄平は階段を踏みしめた。両の拳《こぶし》を握りしめ、断腸の思いで一歩、一歩、壇を降りる万俵鉄平の姿は、阪神特殊鋼、落城の容《すがた》そのものであった。一之瀬工場長の眼尻《めじり》から一筋の涙が頬を伝い、居列ぶ百五十名の部課長たちも寂《せき》として声なく、壇を降りて自分たちの前を通り過ぎて行く万俵鉄平を万感の思いをもって見送った。不意に慟哭《どうこく》するような嗚咽《おえつ》が起った。鉄平は思わず足を止め、その方へ振り返りかけたが、辛うじて耐え、歩み去った。

万俵鉄平に続いて、経理担当の銭高常務、営業担当の川畑常務も解任され、常務の中で残されたのは設備、生産を担当する工場長の一之瀬ただ一人であった。もはや万俵鉄工から五十余年の歴史をもつ阪神特殊鋼の企業生命が終焉《しゅうえん》したことは、誰の眼にも歴然としていた。

講堂を出た万俵鉄平は、自分の部屋へ戻って机の中を整理し、今日が最後の工場を見廻り、現場の従業員たちに別れを告げるために、安全用のヘルメットを冠《かぶ》りかけた時、扉《ドア》がノックされた。応答すると、和島管財人が入って来た。講堂ではまだ管財人の更生開始に基づく具体的な計画案が述べられている最中《さなか》のはずであった。鉄平は訝《いぶか》しげに和島管財人を見た。

「何か、私に格別なご用でも――」

「そうです、重要な用件ですから、銀行サイドの説明を花村管財人代理が行なっている間に席をたち、直接、私からあなたに伝えに来たのです」

と云《い》い、和島管財人は鉄平の前にたった。

「あなたが当社非常勤取締役である万俵大介氏を、特別背任罪で告訴した告訴状は、本日、当社管財人である私が取り下げました」

「なに、告訴を取下げ？　そんな馬鹿《ばか》なことが！」

鉄平は、自分の耳を疑った。そんなことがありようはずがなかった。

「いや、あなたは、万俵鉄平個人ではなく、阪神特殊鋼代表取締役専務として告訴しておられる、しかし、あなたはもはや当社役員でなくなりましたので、新たに当社の管理経営にあたる管財人の私の判断で、こちらへ赴く前に神戸地検で、告訴を取り下げました、これがその告訴取下書です」

と云い、書類をさし出した。鉄平は、あっと声を呑《の》んだ。明らかに神戸地検担当検事の印鑑が捺《お》された告訴取下証明願書であった。

「ご納得戴《いただ》いたようなら、私はまた講堂へ引き返さねばなりませんから――」

和島管財人はそう云い、部屋を出て行った。

一人になると、鉄平はいきなり告訴取下書を引き裂いた。何という卑劣極まる仕打ちなのだ！　万俵大介からどのような好条件を示されても、告訴を取り下げる条件は唯《ただ》一つ、帝国製鉄への身売りをせず、阪神特殊鋼を自主独立で再建させてくれることだと主張し続け、万俵大介もその意向を入れる方向で考えると確約すると同時に、阪神銀行の顧問弁護士である曾我も、告訴取下げの示談に来る度に、それを約束した。それ故《ゆえ》に告訴は取り下げなかったが、今日まで告訴の事実を公《おおやけ》にしなかったのだった。にもかかわらず、更生開始決定の今日、管財人として乗り込んで来たのは、帝国製鉄常務尼崎製鉄所所長であり、その管財人の手によって告訴を取り下げさせるとは――。

鉄平はあまりの衝撃にたっていることが出来なかった。辛うじて窓際に体を支え、荒い息をした。もし眼前に万俵大介がおれば、何をしでかすかしれない狂暴な怒りに駈《か》られた。

「専務、専務！」

窓の下の方で、自分を呼ぶ人声がした。外を見ると、数十人の従業員たちが、下から自分を見上げている。鉄平ははっと我に返り、ヘルメットを冠り直した。従業員たちには、自分の取り乱した姿を見せてはならなかった。外へ出ると、先程まで降りしきっていたぼたん雪はやみ、凍りつくような外気が頬を刺した。

「専務、専務がおやめになるのは、ほんとなんですか！」

まだ講堂では、管財人の更生計画案が延々と語られていたが、鉄平の即刻解任を聞きつけた三、四十人の従業員が、鉄平を取り囲み、殺気だつように聞いた。

「会社がこうなった以上、役員が責任を取るのは、当然のことだ」

鉄平が云うと、組合委員長が、

「しかし、管財人は帝国製鉄尼崎製鉄所の和島所長じゃないですか、われわれ労組は、帝国製鉄の傘下に入ることとは、断固反対だと、あれほど強く専務に要求しておったではありませんか」

激しい口調で迫り、他《ほか》の従業員たちも気色ばんだ。

「その点、私も心外だ、だが管財人の選任は裁判所が行なうのが建前になっているから、今となって騒いでは再建を遅らせることになる、幸い一之瀬工場長が残っている、去る私も辛《つら》いが、それ以上に残った一之瀬工場長のこれからは、針の筵《むしろ》に坐る毎日だから、団結して一之瀬工場長をもりたて、電気炉の煙を絶やさないで貰《もら》いたい、阪神特殊鋼を去っても、私の生甲斐《いきがい》は、諸君の燃やす製鋼の火と煙を、見守り続けることなのだ」

惻々《そくそく》として語る鉄平の言葉に、従業員たちは、しんとし、声が跡絶《とだ》えた。

「最後に工場を見廻りたい、一人で行く」

鉄平はそう云い、玄関横に止めてあったジープに乗り込んだ。アクセルを踏みかけると、従業員たちの中から、一之瀬四々彦が走り寄って来た。

「専務、僕は専務がおられない会社には、止《とど》まりません」

断固として云った。

「いや、君は残って、お父さんを助けてほしい」

「専務が去り、帝国製鉄の軍門にくだった会社で、鉄に賭《か》ける情熱は湧《わ》きません」

四々彦は強く首を振った。四々彦の気性を知っている鉄平は、それ以上は云わず、ぐいとアクセルを踏み、高炉建設現場へ向った。

工事がストップしたままの建設現場は人影がなく、灘浜から吹いて来る季節風が吹き荒れていたが、完成した高さ六十メートルの高炉と修理半ばの熱風炉、転炉、鋳《ちゅう》床《しょう》の建屋《たてや》、原料を運ぶベルト・コンベアなど、巨大な最新設備が、聳《そび》えるように建ち並んでいる。鉄平はジープからおりると、高炉建設現場が一望のもとに見渡せる岸壁に上り、鉄鋼マンとしての生命を賭《と》した設備を食い入るように見入った。自分の知力、体力、精神力のすべてを投入したものは、あと一息というところで、自分の手からも ぎ取られてしまったのだった。

鉄平はもはや、これ以上、正視出来ぬように体を海の方に向けた。白い波濤《はとう》が沖から風に煽《あお》られるように押し寄せて来、岸壁に当っては、白い飛沫《しぶき》になって砕け散った。

それはあたかも、自分自身の姿のように見え、海に向って足を踏んばった鉄平の顔に、はじめて滂沱《ぼうだ》として涙が落ちた。

万俵家の東側の高みの一角にある鉄平の家の前には、コンテナー輸送車が横付けになり、次々と荷物を運び出している。

十日前、万俵鉄平名義の土地八百坪と建坪九十六坪のル・コルビジュ風家屋とを総計一億四千万円で、万俵不動産へ売却して阪神特殊鋼の債務の一部に充《あ》てたが、その翌日から、直ちに引っ越しの荷造りにかかったのだった。大きな家財道具類は既に運び出されていたが、身廻り品や日常用品などがまだ少し残っている。早苗は、若いお手伝いや運送会社の従業員たちをてきぱきと指図しながら、家具類がなくなり、急にがらんとした家の中を見廻した。夫から、父を告訴した限りはこの家を出、自分は役員寮に入るから、お前は子供を連れて暫《しばら》く実家へ帰ってくれと云われた時は、この家を出ることは承知したものの、別れて生活することはいやだと反対したのだったが、翌日から役員寮に泊り込んでしまった夫を訪ね、髭《ひげ》もろくに剃《そ》らず、再建計画に打ち込んでいる姿を見たとき、もはや夫の動かぬ気持を知ったのだった。

子供たちの賑《にぎ》やかな声がした。

「さあ、京子、ギャングごっこだよ、その荷物の上から僕を撃つんだ」と云い、荷物の上を飛びはねている。小学校一年の京子は、子供らしい好奇心で引っ越しを喜んだが、三年生の太郎は「僕たちどうして東京へ行くの」と訝《いぶか》しげに聞いた。その太郎も今は元気で、ギャングごっこをしている。そんな子供たちの姿を見ながら、ふとこれから先のことを考えた。実家《さと》の大川家は父が亡《な》くなった後も、兄たちは別居したままで、母が独り住まいしている広い邸内とはいえ、太郎と京子の立場を考えると、早苗はいとおしい思いに駈られた。

「早苗さん――」

自分を呼ぶ声がした。テラスに姑《しゅうとめ》の寧子が、唇を青白ませてたっている。

「まあ、お姑《かあ》さま、どうなすったのです？　早くお入りになって――」

驚いてガラス戸を開けると、寧子はがらんとした家の中を眺め、

「やっぱり出て行くの、行かないで！」

身もだえするように叫んだ。早苗は子供たちに気付かれぬように急いで応接室の扉《ドア》を閉めたが、なおも、

「お願いだから出て行かないで――、万樹子さんが出て行き、あなた方も行ってしま

ったら、私はどうしていいか……」

体を震わせ、絨毯《じゅうたん》を剝《は》がした剝出《むきだ》しの床に体を崩れ伏した。早苗は姑の体を抱き起して、椅子に坐《すわ》らせ、

「お姑さま、今度はしっかり遊ばして、お姑さまがしっかり遊ばさないと、うちの人がどんなに苦しみますか――」

「そんな優しい鉄平が、どうして明日、この家を去ったりするのです――」

取り縋《すが》るように云ったが、早苗は応《こた》えなかった。今もって父を告訴したことを知らぬ姑に、阪神特殊鋼が倒産し、更生会社になるに至った経緯と、その間にあった舅《しゅうと》と夫との葛藤《かっとう》を話してみたところでどうなるものでもなかった。そしてこの母がもっとしっかりして、高須相子などの介在を許さず、妻妾《さいしょう》同居の生活に甘んじなければ、万俵家には正常な親子関係が育《はぐく》まれ、今回のような父子相剋《そうこく》はあり得なかったろうにと思うと、早苗は今さらのように夫の胸中にある無惨《むざん》な思いを知った。

高須相子は、居間の暖炉の火を確かめ、灯《あか》りをフロア・スタンドに切り替えると、

「ではお先に――」

今夜の万俵の心中を推し測るように、先に二階へ上った。

万俵大介は、窓に近いソファに坐り、樹の間《こま》越しに見える鉄平の家をじっと見詰めていた。今日は、仕事の場である阪神特殊鋼を明け渡し、明日は家族とともに家を去って行く鉄平のことを思うと、万俵はここ十七日間の、人には知られない苦しい闘いを思い返した。

鉄平が自分を告訴した日から十七日間、毎日のように顧問弁護士の曾我に、告訴取下げのための示談をさせ、立件に至るまでの時を稼いでいたが、その最中《さなか》に、阪神特殊鋼倒産に関する金融調査団として大蔵委員の議員一行が来神した。一行に告訴の件が洩《も》れないかと、三日間の調査期間中は、まさに薄氷を踏む思いで過したのだった。

その一方で裁判所に阪神特殊鋼再建のために、一日も早い更生開始と管財人の選任を働きかけた。管財人には主力銀行の顧問弁護士がなる場合が多かったが、この際、会社再建の陣頭指揮をし、下請け及び関連企業に安心感を与える管財人が必要であるとして、帝国製鉄尼崎製鉄所の役員が最も適切であると推挙したのだった。そうすることによって管財人がそのまま更生会社の社長になり、自然な形で阪神特殊鋼が帝国製鉄の傘下に吸収されることを意図するとともに、鉄平が阪神特殊鋼代表取締役専務として告訴している告訴状が、鉄平の専務解任と同時に、管財人の手によって取り下げられることを計算に入れていたのだった。

人の気配に振り返ると、銀平がポケットに片手を突っ込んでたっていた。

「いつ、帰って来たんだ、お前の家の灯りは消えているじゃないか」

「今、帰って来たばかりで、ちょっとお寄りしたのですよ」

酒臭い匂《にお》いがした。

「大分、飲んでいるのか」

「ええ、でも酔ってはいませんよ」

と云《い》ったが、飲むほどに青白む顔が、いつも以上に青い。

「お父さんも、今度ばかりは、やり過ぎですよ」

「なにがだ——」

「鉄平兄さんのことですよ、会社を潰《つぶ》しておいて、その上、管財人が帝国製鉄の常務ではひどすぎますよ、この頃のお父さんを見ていると、怖《おそ》ろしいような気がする——、戦国時代の大名が自分の野望、戦略のためには子供を人質に出し、時には平然と殺させる、それに似たものを感じますよ」

「それは鉄平の方が悪い、父である私を告訴したではないか」

家族の中では女たちには一切極秘にし、銀平にだけ、告訴のことを話していた。銀平の顔に白い笑いがうかんだ。

「お父さんは、ご自分の勝手な時だけ、父である私を、という云い方をなさるけれど、兄さんに対するお父さんの態度は少なくとも、そんなものじゃありませんね、しかし、どのような大きな意図のもとでも、息子の会社を平然と潰すお父さんと、だからと云ってそれを告訴する兄さんも、どちらもおかしいですよ、僕には解《わか》りませんねぇ」

他人《ひと》ごとのように云い、

「それで今後どうするつもりなんですか、兄さんは——」

「私は万俵倉庫の副社長の椅子《いす》を用意したんだが一蹴《いっしゅう》し、その後、顧問弁護士の曾我さんを通じて、他の二、三のポストを世話したが、どれも断わった」

「じゃあ、自分の土地と家も売り払い、次の仕事のあてもなく、この先どうやって行くのでしょうかねぇ」

「それを話し合おうにも、このところ家にいないから話しようがない、一体、あれは何を考えているのだろうか——」

と云い、自分からの一切の申し出を断わった鉄平の心中を測りかねた。

静かな冬の朝だった。芝生におりた霜を踏む鉄平の足音に、池の鯉《こい》が波紋を描いた。

揺れ動く水面に映った鉄平の顔は、曾《かつ》ての鉄平とは別人のようであった。ぎらぎらと精悍《せいかん》に輝いていた眼は空《うつ》ろに力なく、逞《たくま》しく引き締まっていた頬はこけ落ちて、生気を失っている。自分のすべてを賭けた企業をあと一歩というところで、無念の思いをもって失った者の虚脱した顔であった。

池の藻《も》がゆらぎ、三十数尾の錦鯉《にしきごい》が群れ寄ったため、水面に映った鉄平の顔がかき消えた。鉄平は池の横の高みに上った。

そこから阪神特殊鋼の煙がたちのぼっているのが小さく見える。電気炉の煙突であろう、赤黒い煙が抛物線《ほうぶつせん》を描いて、海に向って流れているが、時間的にみて心なしか少ない。操業のスケジュールが変更になったのか、或《あ》るいは電気炉に故障でも起ったのかと案じて、鉄平は、はっと現実に返った。自分はもはや、阪神特殊鋼の経営者ではないのだ。いつものように出かけて行くことも、現場を見廻って督励することも出来ないのだと思うと、鉄平は今さらのように自分の失ったものの大きさとかけがえのなさを知った。

鉄平は視線を邸内に向けた。日曜日の七時を過ぎたばかりの邸内は静まり返り、本館の窓も、銀平の家の鎧戸《よろいど》も閉ざされて、まだ眠りから覚めていない。しかし本館の東南にある母の居間の鎧戸は開かれ、レースのカーテンも引かれている。母がそこで独り寝《やす》んでいる時は、朝が早いのだった。

鉄平は母の部屋を訪れた。二間続きの日本間で、母の寧子は身繕いを整え、純白の菊を活《い》けた床の間を背にして、香をたきしめていた。

鉄平の姿を見るなり、眼頭《めがしら》をおさえた。

「随分、お窶《やつ》れやこと……、事情は洩れ聞きました」

「お母さまには、何かとご心配をおかけしましたが、今日、ここを去るご挨拶《あいさつ》に参りました」

「じゃあ、やはりもう……」

「我儘《わがまま》を申し上げますが、この度《たび》のことは、私として動かせぬことなのです」

鉄平は、はっきりとそう云い、

「お母さまに、この家を去るにあたって一言、お伺いしたいことがあります、僕はほんとうに父、万俵大介の長男なのでしょうか」

ひたと射るような眼を向けた。

「あなたは一体……どうしてそんな……」

息を呑《の》むように云いかけると、

「僕はもう随分前から、そのことで僕なりに苦しみ、悩んで来たのです、ですからこの期《ご》に及んでは、ほんとうのことを教えて下さい、子の出生について真実を語れるのは、母親だけで、母たるものの義務だと思います」

寧子の眼が、異様にきらきらと輝いた。

「鉄平、あなたは私の子です、私の産んだ子供です――」

「お伺いしているのは、僕の父たる人のことです、答えて下さい」

「許して、許しておくれ！」

たおやかな母の体が、鉄平の膝《ひざ》もとに頽《くずお》れた。何を許せと云うのだろうか、祖父との不倫を許せというのか、それとも祖父と父の、いずれの子とも解らぬことを許せというのだろうか――。もし、その後者を意味するならば、鉄平は体が灼《や》け爛《ただ》れるような恥辱と怒りを覚え、思わず、母を打ちたい衝動に駈《か》られた。

その衝動を抑えるように、鉄平はすっくとたち上った。

「鉄平、待っておくれ――」

「お母さま、ご機嫌よう――」

もはや何一つ、もとに戻せるものはなかった。背後で嗚咽《おえつ》する母の声が聞えたが、鉄平は足を止めなかった。

階下へ降りると、居間の扉《とびら》のところに大介が姿を見せた。つかつかとその方へ歩み

寄ると、気のせいか、身構えるような気配を見せたが、鉄平は大介の前にたち、

「私の完敗です、最後の最後まで騙《だま》し討ちになさったのですね」

不気味なほど静かな語調で云った。

「騙し討ちなど、穏やかでない言葉だな、だが、私としては一行の頭取として、万俵コンツェルンの総帥《そうすい》として、こうするより他《ほか》には仕方がなかったのだ、いつかは解ってくれるだろうと思う」

「僕は、この邸《やしき》を出て行くご挨拶を申し上げに来たまでです、十時三十分の新幹線で子供たちを東京へ送って行きますので、間もなく早苗と子供たちもご挨拶に参ります」

「それで子供たちを東京へ送った後、どうするのだ」

「まだ考えておりません、暫く独りになって、考えてから決めようと思います」

「それもよかろう、暫く静養してから、こちらにも二、三、考えている仕事があるから、その時、相談に来るといい」

しみじみとした口調で頷《うなず》いた時、

「お兄さま、出ていかないで！　お父さまと仲直りなさって！」

突然、三子の泣声がした。横で二子も眼を潤《うる》ませている。

「泣いたりする奴《やつ》があるか、また会える時もある――」

「会えるって、いつ？　いつになったら」

「それは……いつかまた――」

顔をそむけるように云うと、二子が指先で涙を拭《ぬぐ》い、

「お兄さま、どんなことがあっても鉄を捨ててはいや、阪神特殊鋼をもう一度、お兄さまの手に取り返して！」

凜《りん》とした声で云った。

やがて、早苗が二人の子供を連れて挨拶に来、出発の時間が迫った。

「銀平はどうした、二子、呼んで来なさい」

大介が云いつけると、テラスの方から銀平が入って来、

「兄さん、新大阪駅まで僕の車で送って行きますよ」

車の鍵《キー》を手にして云った。

「いいよ、ハイヤーを呼んであるから――、それより銀平、お母さまのことを頼むよ、ずっと傍《そば》にいるのはもうお前だけだからな」

声をくぐもらせるように云い、迎えに来たハイヤーに向った。それまで鉄平と言葉を交わさずにいた相子は、

「鉄平さん、お体をお大切に、あなたのお家はちゃんと管理していますから、いつでも戻っていらっしゃることね」

最後にそう声をかけると、鉄平はくるりと振り向き、

「僕は二度と帰って来ない、高須君、あんたもこの家から出るべきだ」

と云い、早苗と子供たちを促した。むずかる京子をあやして、二子が車に乗せた。

「お兄さま、私、ご一緒の車でお送りしたいわ」

「いや、万俵家を去る私を、お前たちはこの邸内から見送ってくれ、それから四々彦君は会社を辞め、また、アメリカへ行く」

それだけ云うと、鉄平は車に乗り、扉をしめた。

鉄平たちを乗せた車は、下の門に向って動き出した。玄関のポーチには、父と弟妹たちが見送り、ふと二階を見上げると、母の白い顔が窓ガラス越しに見えた。ゆるゆると万俵家の邸内の道を降り、石橋のところまで来ると、鉄平は車を停めた。そこからは灘浜の阪神特殊鋼が真下に見下ろされた。鉄平の胸には、万俵家を去る別離より、阪神特殊鋼と訣別《けつべつ》する思いの方が、耐え難かった。

# 四章

大同銀行秘書課の壁時計が、午後六時を過ぎると、役員の在否を知らせる標示板のランプが一つ、一つ消えて行く。週初めの月曜日の退社時間は総じて遅いが、頭取以下、常務まで、役員ゾーンに部屋を持つ八名の役員の中で、渡米中の白河専務を除いて最初にランプが消えたのは、六時十一分、業務担当の小島常務であった。〃ブラック・ホース〃と渾名《あだな》されている浅黒い長身を前へつき出し、取引先の夜の接待に駈《か》けつけるような慌《あわただ》しさで、秘書課の前を通り過ぎて行った。

次に総務企画担当の角野常務のランプが消え、今まで面談していたらしい経済誌の記者と如才ない笑顔で話しながら出て来た。それから五分程後に、〃坊ちゃん専務〃の異名がある経理担当の夏目専務が、篤実《とくじつ》温厚な表情で、ゆっくりエレベーターの方へ歩いて行った。

一見、平素と変らぬ役員の退社風景であったが、綿貫の腹心の秘書課長だけは、何食わぬ顔付きを装っている役員たちが、取締役も含めて、一時間乃至《ないし》二時間後には、各人各様の方法で、大田区千鳥四丁目の綿貫千太郎の私宅に集合することを知っていた。

六時三十分、頭取室のランプが消えた。秘書課長は、すぐ廊下へ出た。絨毯《じゅうたん》を敷き詰めた廊下の向うから、三雲頭取が、背筋をまっすぐ伸ばし、静かに歩いて来る。日銀理事から都市銀行の頭取に天下って一期もたたないというのに、阪神特殊鋼の倒産を境に俄《にわ》かに鬢《びん》に白いものが目だち、大型倒産をした企業にメイン・バンクを上廻る貸込みをしていた責任を問われている苦悩が滲《にじ》み出ている。そうした三雲の姿は〝悲運の頭取〟として日ごとに愁色《しゅうしょく》を深めていた。

秘書課長は恭《うやうや》しく三雲頭取を、エレベーターの前まで送り出すと、三雲はいつもの澄んだ眼《まな》ざしで、

「ごくろうです――」

と犒《ねぎら》った。その表情は今から数時間後に、綿貫派の役員のみならず、夏目専務らの中間派役員たちも、綿貫の私宅に結集し、クーデターを謀議しようとしている気配など、全く気付いていない様子であった。

三雲の姿がエレベーターに吸い込まれるのを見届けると、秘書課長は足早に綿貫の専務室へ赴いた。

「どうだ、三雲頭取は帰ったのか」

綿貫は、落ち着かぬ口振りで聞いた。

「はい、只今《ただいま》——、今晩は予定通り外部会合もなく、まっすぐ自宅へ帰られます」

「そうか、三雲頭取さえ帰ってしまえば、白河専務は今、ニューヨークだし、あと、島津融資部長の眼をくらますだけだが、そっちの方も予定通りだろうな」

念を押すと、秘書課長は頷《うなず》いた。日銀天下り派である外国担当の白河専務は、ニューヨークへ初の大同銀行海外店舗をつくるための視察で出張していたし、取締役兼務の島津融資部長は、更生会社になった阪神特殊鋼の管財人に提出する債権書類を作成するための調査に忙殺されていた。この二人の不在と多忙が、三雲頭取に、綿貫たちの動きが全く察知出来なかった大きな原因であった。

「では、わしは帰る、まだ残っている役員には、君が巧《うま》くやっておいてくれ」

綿貫はそう命じると、秘書課の標示ランプに繫《つな》がっている「在室」のスイッチを、ぱちっと切った。

東急池上線千鳥町の駅から北へ二丁ほど行った住宅街の中ほどに、綿貫千太郎の住まいがあった。二百坪の敷地に昔ながらの総檜造《ひのきづく》りの二階建ての家屋と、白い大きな土蔵が建ち、周囲は高い塀《へい》がめぐらされている。常務になった八年前、融資部で担保物件として押えていたのを、安く買い取った家で、蔵付きであることが、何よりも綿貫の気に入っていた。

夜目にも白い蔵を目印に、取締役以上の役員たちが、一人、また一人と、目だたぬように集合し、全員、顔を揃《そろ》えたときは、八時半を過ぎていた。

奥の座敷には、座敷机が二つ並べられ、床を背にして、綿貫と、中間派の長である夏目専務が並んで坐《すわ》っていた。以下、綿貫派は業務担当の小島、人事担当の山之内、総務企画担当の角野の三常務と、取締役である長谷川総務部長、湊《みなと》本店営業部長に加えて、大阪から急遽《きゆうきよ》、馳《は》せ参じた山田大阪支店長の計六名が連なっている。夏目派は事務能率担当の中原常務と、取締役である三島企画部長、東外国部長の三名が連なり、全役員十六名の中《うち》、日銀天下り派を除けば、この座に出席していない役員は、名古屋支店長だけだった。

極秘の会合であったから、綿貫の妻は、すし屋から取り寄せたにぎりの桶《おけ》や、日本酒、ビール、洋酒などを運んで来たが、すぐ座敷を退《さが》って行った。

「さて諸君、まずは固めの盃《さかずき》と行こう」

綿貫が声に力を籠《こ》めて、互いに酒を注《つ》ぎ交わして、一気に干した。綿貫は一同を見廻した。

「先日来、夏目専務と小島常務を通じて、極秘裡《ごくひり》に諸君の気持を打診していた阪神銀行との合併問題、慎重に考えてくれたと思うが、最初に私の意見を云おう、阪神特殊鋼が更生会社となり、当行のメイン・バンクを上廻る巨額の債権が凍結されてしまった今日、当行が健全に生き残って行くためには、同じく傷ついた阪神銀行との合併が、最善唯一《ゆいいつ》の道だと思う、合併条件は一対一の対等合併だ、阪神銀行より上位の当行職員にとって、有利でこそあれ、屈辱的な合併ではさらさらないと信じている」

阪神銀行との合併のメリットを力説すると、綿貫の股肱《ここう》の臣である小島常務が、

「私も専務のお考えに異存ありません、阪神特殊鋼倒産によって蒙《こうむ》った当行の損失、信用の著しい低下は、今後の銀行経営を非常に深刻なものにしており、これ以上、当行の経営を三雲頭取をはじめ日銀天下り派の手に委《ゆだ》ねて置くことは、危険極まりない、阪神銀行との合併はまさに好機至るという感がします！」

一気にまくしたてた。綿貫派の役員たちは相槌《あいづち》をうった。

「しかし、だからといって他行との合併によって、当行の将来が今以上に確固として保証されるか、どうか――」

下戸《げこ》の夏目が、湯呑茶碗《ゆのみぢゃわん》を手にぽつりと云《い》った。横に坐っていた綿貫は慌《あわ》てて盃を置き、

「その懸念《けねん》はもっともですが、相手は二ランクも下位の阪神銀行だから、当行がリーダー・シップを取る合併が出来るわけじゃないですか」

夏目の逡巡《しゅんじゅん》を抑えにかかると、

「しかし、いかに当行が日銀支配の下に置かれているとはいえ、貯蓄銀行から都市銀行に転換して二十一年の間に、大同銀行独自の体質と人の和が出来上りつつある、その時に、いかに対等合併とはいえ、銀行の成立《なりたち》から体質、ものの考え方まで異なる関西系銀行と合併し、また一から再出発するというのは、当行並びに職員にとって果してほんとうに倖《しあわ》せなことなのか――」

一同に問いかけるように云った。役員たちは瞬時、虚を衝《つ》かれたように押し黙った。それは何十年も慣れ親しんだ縦割りの職制の中で、自分なりに一歩、一歩、築き固めて来た地歩、価値が、合併によって一挙に崩れ、明日からの自分の人生がどうなるか解《わか》らなくなることに対する、サラリーマンの本能的な不安であった。

綿貫を除くすべての役員たちは、もう一度、阪神銀行との合併を頭の中で冷静に考え直しはじめた。そして議論が再燃し、阪神銀行との合併に拒絶反応が現われ出した。

「二つの対等の企業が合併して、実質的に一本に融合するには、過去の例からみて、最低、三十年はかかります、阪神銀行と合併して新銀行が誕生しても、人事のごたごたが当分続き、新銀行の生抜きの行員が、役員になるのに三十年かかる、そんな気の遠くなるような合併を今、是が非でも強行しなくても、いいのではないでしょうか」

「それに三雲頭取の意向もこの際、打診してみてはどうでしょう、三雲頭取を支持する気持はありませんが、一片の相談もなく、われわれだけで阪神銀行と意を通じ、抜打ち的に合併してしまうのは、後々まで寝ざめの悪い思いを残します」

数人の役員が急に臆病《おくびょう》になるのを綿貫は腋《わき》の下にべっとりと脂汗《あぶらあせ》が滴《したた》る思いで聞いていた。もしここで合併拒否の方向へ進んでしまえば、綿貫の苦節四十年のサラリーマン生活を賭《か》けた策謀は、水泡《すいほう》に帰し、行内叛乱《はんらん》者として、敗北を喫することになる。

時計はいつの間にか、午前零時を過ぎていた。綿貫は上体を座敷机に乗り出し、

「諸君の意見はあらかた解った、しかし、当行が直面している現状はそんなに生やさしいものではない、現状のままでいると、今度は日銀に代って、大蔵省から人が送り込まれて来る懸念がある――」

と云った途端、部屋の中に凍りつくような気配が漂った。

「大蔵省から――、やはりほんとうにそんな懸念があるのですか」

小島常務と夏目専務が、異口同音に聞いた。

「阪神特殊鋼が倒産して、融資担当専務として私が、春田銀行局長に呼びつけられた時、それとなく、それらしいことをちらつかされたのだ、われわれが今、たち上らねば、次は日銀に代って、大蔵省の支配を受けることになるのを諸君は考えに入れて、当行の主体性が守り通せる阪神銀行との合併を決意すべきだと思う、たとえ二十年先、三十年先にしか、新銀行における阪神銀行の血を淘汰《とうた》出来ないにしても、それでいいではないか、阪神銀行との合併で一躍、上位四行に迫る第五位の都市銀行に飛躍してから、すべては始まるのだ」

強い語調で決意を促すように云い、

「正直なところ、諸君が懸念しているもう一つの重大事は、合併に際して自分たちの身分がどうなるかということだと思う、それは当然のことで、もし今、阪神銀行との合併に賛同を得れば、ここに列席している諸君には、専務は専務、常務は常務、取締役は取締役のポストを必ず保証する」

声を高めて云うと、一同は顔を見合せた。都市銀行第八位から一躍、第五位の大銀行になり、役職の保証がされるのならば、反対する理由はない。

「専務、ほんとうに常務は常務なんですか」

人事担当の山之内常務が念を押した。

「そうだ、常務は常務だ」

と応《こた》えると、夏目専務も、

「私に、新銀行の大世帯の専務が勤まりますかねぇ」

「もちろんですよ、専務は専務です」

綿貫が繰り返して、請け合うと、

「それでは大同銀行百年の計のために、阪神銀行との合併はやり遂げましょう」

夏目が口を切り、他の役員たちも頷いた。綿貫はすかさずたち上って、床の間に用意しておいた硯《すずり》と印肉、奉書紙を机の上に置き、俄かに改まった表情で一同を見廻した。

「いろいろみなさんから問題点を指摘して戴《いただ》き、議論を尽しましたが、結論において阪神銀行との合併をやり遂げることを決定して戴いたと諒解《りようかい》していいですか、なお異議のある方はありませんか」

確認するように云うと、夏目専務以下十名の役員は、緊張した表情で無言のうちに頷いた。

「そうか、みんな有難う、しかし三雲頭取をさしおき、われわれだけで阪神銀行との合併をきめたことが万一、洩《も》れるようなことがあれば、われわれは叛乱軍として咎《とが》を受けるやもしれない、そこで密約を守り、いかなる事態になろうとも、われわれの考えは変らないという証《あかし》を今、ここでたてたいと思うが、いかがなものだろう」

さらに綿貫が詰めて行くと、一同は同意した。

「では、古いしきたりのようですが、連判状をしたため、われわれ十一名の盟約書とする、僭越《せんえつ》ながら私がまず最初に署名、捺印《なついん》し、みなさん一人一人にお廻しするので、ご署名願いたい」

一同、固唾《かたず》をのむ中で、連判状の筆頭に、綿貫千太郎と筆太にしたため、ぐっと大きな拇印《ぼいん》を捺《お》した。

「さあ、夏目専務――」

連判状を廻すと、夏目専務はさすがに昂《たかぶ》り、震える手で、自分の氏名をしたため、拇印を捺した。

「次に小島常務――」

順番に連判状が廻され、しんと張り詰めた部屋の中に、奉書紙の上をすべる筆の音だけがした。

十一名の氏名が書き列《つら》ねられ、連判状が綿貫の手に戻って来ると、綿貫は一同の署名、捺印を改め、傍《かたわ》らの夏目専務にも見せた。

「たしかに出席役員全員の署名を戴いた、大同銀行の経営を預かる役員として今夜は記念すべき重大な日になりました——」

綿貫派のクーデターの狼煙《のろし》が上げられたのだった。


玉川上水の堤沿いの道を、一台の車が上流に向って、疾走していた。春田銀行局長が乗っている車であった。

武蔵野《むさしの》の面影が僅《わず》かに残っているこの辺《あた》りは、人家も疎《まば》らで、落葉した欅《けやき》の大木や、堤の両側の桜の樹《き》が影絵のようにヘッド・ライトの向うにうかび、まだ夕刻の六時を過ぎたばかりであるのに、夜更《よふ》けのような気配が漂っている。

車は、堤に沿った道を、右折した。大型車がやっと一台、通る程度の地道で、百メートルほど行くと行き止まりになり、車は停まった。木立が生い茂り、建物らしいものは外から窺《うかが》えないが、檜皮葺《ひわだぶ》きの門があり、外燈の灯《あか》りの下に『貝塚』とだけ書いた表札が掲げられている。一見、個人の邸宅のように見えるが、旅館であった。

春田が車から降りたつと同時に、ぎっと軋《きし》む音がして、内《うち》から門が開かれ、ずっとそこで春田の到着を待ち受けていたような間合いのよさで、男衆《おとこし》が迎え出た。

「ご案内申し上げます――」

男衆はそう云い、手燭《てしょく》で春田の足もとを照らし、玉砂利《じゃり》の小径《こみち》を奥へ案内し、数寄《すき》屋《や》造りの本館の裏手へぐるりと廻った。そこに離れがあった。邸内は千坪ほどの敷地で、庭の手入れが行き届き、個人の邸宅のようにしんと静まり返っているのは、もと旧財閥系の大物財界人の妾宅《しょうたく》で、十年程前、その人が物故してからは、故人と関係のある会社の会合や宿泊などに限っていたからであった。都心から車で三、四十分で来れ、しかも故人が上水道の桜並木を好んで、わざわざこうした辺鄙《へんぴ》な場所に建てた邸《やしき》だけに、政、官、財界では知る者ぞ知る会合場所で、春田もはじめてではなかった。

今夜の会合の場所をここに指定したのは、阪神銀行であった。

男衆が離れの格子戸《こうしど》を開けると、ひんやりと薄暗い玄関に、大亀専務と芥川常務が飛んで出るように出迎えた。男衆は春田のぬいだ靴を揃え、丁寧なお辞儀をして退《さが》って行った。

座敷に入ると、芥川は畏《かしこ》まるように姿勢を改め、

「局長、どうも――」

と云うと、大亀も肥満した体を屈《かが》め、

「いつもご高配を賜わり、有難うございます、もっとご便宜な場所をと存じましたが、何よりも極秘の席と考えまして、このようなところまでお運び戴き、恐縮でございます」

と挨拶《あいさつ》した。大亀、芥川が二人揃って春田銀行局長を迎えたのは、十月下旬に万俵大介が永田大臣を芦ノ湖畔の山荘に訪ねて内諾を得た阪神、大同両行合併を、監督官庁の長である春田に、正式に願い出るためであった。

春田が座椅子《ざいす》に背をもたせかけると、

「局長、本日のお願いの筋と申しますのは、酒肴《しゅこう》をまじえながらという事柄ではありませんので、先に単刀直入に申し上げます、当行と大同銀行との合併、ご認可戴くわけには参りませんでしょうか」

大亀が一気にそう云うと、春田は苦味ばしった顔を大亀と芥川に等分に向け、

「その件については、大臣から事務方《かた》で一度、検討してみるようにと云われていますが、私としてはあなた方の話も聞いてみないことには判断のしようがないので、井床《いどこ》銀行課長や久米《くめ》総務課長には、実のところまだ話していないのですよ」

と云い、煙草《たばこ》の灰を灰皿に落し、

「ま、大臣が云われるには、実質的には下位の阪神が上位の大同を合併することにな

るだけに、均衡の問題をしきりに気にしておられる――、しかし、大小の規模の問題は、御行《おんこう》の方で増資するなり、預金を大幅にのばすなりすれば解決出来ることで、つりあいの問題は私としてはさして気にならない、それより両行が合併することによって、どういうメリットが出て来るのか、それがまず問題ですね」

官僚らしい話の運びで云った。大亀はここぞとばかりに体を乗り出し、

「ご指摘の点はごもっともでございます、メリットの第一はやはり何と申しましても店舗の補完性で、合併により全国的な店舗網を持つことが出来、重複店舗は二十一カ店に過ぎません、これとても先般の銀行法改正によりまして、全店配転が可能になりますので、ご当局のご指導を得てさらに理想的な店舗配置を致したいと念じております、メリットの第二は、融資先の補完性で、大同銀行さんがどちらかと申せば住宅、商社、スーパー、レジャー産業などにウェイトがかかっているのに対し、当行は地場《じば》の鉄鋼、石油化学、重工業部門に資金を食われておりました、それが両行合併により、バランスのとれた企業群団を形成することが出来る一方、今まで融資順位が三、四位で、一行の資金量ではなかなか食い込めなかった優良企業に対し、両行融資額を合わせると、一挙にメイン・バンクとなり得るところも出て参ります」

と説明した。

「なるほど、メリットの点からいえばほぼ満足し得る合併ですね、しかし肝腎《かんじん》なのは、いくらあなた方がその気になっても、大同銀行が果して受け入れるか、どうかですよ、その点はほんとに大丈夫ですかねぇ」

春田にしてみれば、永田大臣から如何《いか》に阪神、大同銀行の合併を推進するよう指示されても、頭取の三雲が日銀出身で、背後に日銀がついている銀行を、下位の阪神銀行がそうやすやすと呑めるはずがないと考えているのだった。しかも、去年の十一月に第三、平和銀行の合併が失敗しているだけに、同じ轍《てつ》を踏むような事態になれば、銀行局長としての行政手腕を問われかねない。

芥川は、そんな春田の心中を読み取るように、

「局長のご懸念のほどはごもっともでございます、当行としても、やみくもに何が何でも大同銀行さんと合併したいというのではありません、実はこの合併のそもそもの起りは、阪神特殊鋼の融資に絡《から》んで、両行から自然に出て来た話なのです、と申しますのは、大同銀行内には、阪神特殊鋼の融資に疑問をもっていた役員がかなりおり、特に爆発事故以後、三雲頭取の融資方針を危ぶんで、阪神特殊鋼の実態を当行に再三、問い合せて来られました、その都度、当行としてはメインの立場から率直に意見を申し上げておりましたが、阪神特殊鋼が会社更生法の事態にたち至ってからは、大同銀

行自体の身の振り方まで相談を受けるようになっていたのです、そうしたふれ合いの中から、合併話がいつともなく自然に滲《にじ》み出て来たというのが、正直なところでございます」

阪神銀行が決して爪《つめ》を研いで大同銀行をひっかけたのではないことを強調しつつ、合併に至るまでの経緯を話した。

「すると、この合併はどちらかというと大同銀行の反三雲派から呼びかけられたというわけかねぇ」

春田は、芥川の説明が、多分に事実とは異《ちが》っていることを承知しながら、わざと芥川の説明に乗せられるように聞き返したのは、両行合併をまとめ上げたいという基本的な考えがあるからだった。

芥川は、大亀専務の方を顧みながら、

「どちらが先かと云《い》われれば、向うさんからということになりますでしょうねぇ」

まことしやかに応えると、大亀もことさら大きく頷《うなず》いた。

「じゃあ、その役員たちの名前は？」

反三雲派のメンバーを聞きにかかると、

「実は、今日のお話は、両行揃《そろ》って申し上げた方がよいかと存じ、大同銀行さんには別室で待って戴いております、何でございましたら、こちらへお呼びしましょうか」

さすがの春田も、驚いた。と同時に、ここで一緒に会っていいものか、席を改めて会うべきか、判断に迷った。阪神、大同合併の動機には何か陰謀めいた影が感じられるだけに、その陰謀の片棒を銀行局長自らが担《かつ》ぐことは警戒しなければならない。しかしほんとうに両行の話し合いが出来ているのか、じかに確かめたい衝動もあった。春田は次官を一歩前にした時期だけに暫《しば》し、逡巡《しゅんじゅん》した後、意を決するように、

「いいだろう、ここへ来ているのは誰なんだい？」

と聞いた途端、襖《ふすま》がからりと開き、

「綿貫千太郎でございます――」

自ら名乗り、綿貫がうす暗い隣室からぬうっと出て来た。照れもせず、悪びれもせず、むしろ春田の方が眼の遣《や》り場に戸惑うと、綿貫はいざり寄るように春田の傍《そば》へすり寄り、

「先般来、阪神特殊鋼への融資につきましては、局長のご宸襟《しんきん》をお悩まし致し、申しわけなく存じております」

ひたと畳に平伏するように、頭を下げた。その大仰さに、傍らの芥川と大亀も思わず顔を見合せると、綿貫は大きな赭《あか》ら顔を、むっくと上げ、

「つきましては本日、大同銀行一万人の行員になりかわり、大同銀行の良心を聞いて戴きに参上致しました、まずはこれをご覧下さい」

と云うなり、背広の内ポケットから、和紙の封筒を取り出し、恭しく春田にさし出した。

「何だね、一体――」

春田は、封書の中の巻紙を開いて、一目みるなり、あっと声を呑んだ。

盟約書

われわれ大同銀行は、前身の関東貯蓄銀行時代から数えて、六十五年の歴史と伝統を誇る銀行である。日増しに厳しさを加える環境にあって、都市銀行としての今日《こんにち》の地歩を築き上げることが出来たのは、いつにかかって諸先輩、ならびに一万行員の弛《たゆ》まざる努力の賜《たまもの》である。

然《しか》るにこの度、更生会社のやむなきに至った阪神特殊鋼に対する三雲頭取以下、日銀天下り役員による独断専行は、当行を未曾有《みぞう》の経営危機に瀕《ひん》せしめた。われわれがこの危急存亡の機をしのぎ、速《すみ》やかに名誉と信用を回復し、かつ未来永劫《えいごう》にわたって大同銀行の血脈を残すためには、阪神銀行との合併がわれわれの取り得る唯《ゆい》一《いつ》最善の道と考え、それがため挺身《ていしん》することを誓うものである。
ここにわれわれの決意を披瀝《ひれき》し、その盟約を交わす次第である。
昭和四十四年十二月二十日
大同銀行専務取締役　綿貫千太郎（拇印《ぼいん》）
同　夏目　健吉
常務取締役　小島　彦雄
同　山之内孫次郎
同　角野　武
同　中原　文一
取締役　長谷川　進
……………………………（以下四名）

三日前の深夜、綿貫千太郎の自宅で、全十六名の役員中、十一名が署名捺印した連判状であった。

「これは——」

春田が唖然《あぜん》として、云いかけると、

「われわれは、もはやこれ以上、日銀支配を唯々《いい》諾々《だくだく》と受け入れることは出来ません、これは大同銀行良心派の鬱積《うっせき》した声なき声であります、何とぞ阪神銀行との合併をご認可下さいますよう、お願い申し上げます」

綿貫は、がむしゃらに押しまくるように云い、喋《しゃべ》るたびに熱っぽい息が春田の頬に吹きかけられた。春田は辟易《へきえき》してうしろへ顔を引き、胸中、何が良心派だ、叛乱《はんらん》軍ではないかと思いながらも、

「君たち役員陣の意向は解《わか》った、しかし、一般行員は自分たちの銀行の三雲頭取をはずして、下位の阪神銀行の万俵頭取を新頭取に迎えるというような異例の合併に、果して納得するだろうかねぇ」

と云うと、綿貫は口ごもった。組合対策は腹心の熊本委員長と飲んでぬかりなく手を打っていたが、クーデターを起してまでの合併に一般行員がついて来るかとなると、さすがに一抹《いちまつ》の不安はあった。

座敷に沈黙が漂い、いつから風が出はじめたのか、木々が騒《ざわ》めき、ガラス戸や戸襖《とぶすま》がカタッ、カタッと鳴る音が、人気《ひとけ》のない離れに妙に不気味に響いた。

「綿貫さん、どうやら一般行員の説得にまでは、自信がないようですね」

春田が慎重に最後の一押しをすると、綿貫は弾《はじ》かれたように、

「いいえ、一般行員こそ日銀支配に最も強く反撥《はんぱつ》しているのでございますよ、幸か不幸か、都市銀行としての歴史は阪神銀行さんより浅いですから、自行の血脈を残し、名門の血を導入するということで、反対はないと思います、それに第一、合併すれば仕事ぶり如何《いかん》によって、自分たちが未来の頭取、副頭取になり得る可能性があるんですからなあ」

目先の頭取のポストを取られることより、合併によって給与をはじめとする労働条件がよくなることの方が、近頃の若い行員たちには説得力があるにちがいないと思い直し、綿貫は自信満々に云った。

春田はなるほどと頷き、改めて自分の前に列《なら》んでいる大亀、芥川、綿貫の三人の顔を見直した。そして阪神、大同両行の合併話はすっかり細部まで出来ているなという確信を深め、これなら永田大臣も自分もこの合併話に乗って大丈夫と踏んだ。あとは間髪を入れず三雲退陣へことを運ぶ肚《はら》を固めた。

春田銀行局長は、省内の局長会議を終え、官房長と暫《しばら》く懇談したあと、四階の局長

室へ上った。

局長室の扉を押すと、席をはずしている間に廻って来た稟議書《りんぎしょ》と、電話のメモを局付の女子職員がさし出した。春田はそれらにざっと眼を通し、

「十一時に、大同銀行の三雲頭取が来られるが、用談中、新聞記者や他行の来訪者には、私が外出していることにしといてくれ給《たま》え」

と云いつけた。稟議書も、かかって来た電話も、すぐ処理するほどのものではなかったから、机の前の回転椅子《いす》に坐《すわ》り、昨夜の思いがけない会合を頭に思いうかべながら、阪神特殊鋼への融資問題にことよせて呼出しをかけた三雲頭取に対し、どのような態度でのぞめば最も効果的に頭取退陣へ追い込むことが出来るか考えをめぐらした。

インターフォンが鳴った。局付の女子職員が、三雲頭取の来訪を伝えた。

「これは、ご多忙のところをお呼びたて致しまして――」

春田は、慇懃《いんぎん》に三雲を迎え入れ、応接ソファに向い合うと、テーブルの上に厚い書類の綴《つづ》りを拡《ひろ》げた。阪神特殊鋼に対する大同銀行の融資関係資料で、阪神特殊鋼の倒産後、銀行局から提出を求めたものであった。

「先日来、提出戴《いただ》いていた資料をもとに、阪神特殊鋼に対する御行の融資の仕振《しぶり》を綜《そう》合《ごう》的に検討した結果、厳重にご注意しなければならない問題点が出て来ましたので、

頭取ご自身においで戴いたわけです」

昨夜のことは気振りにも出さず、監督官庁の長らしい姿勢で云い、

「まず阪神特殊鋼への最終的な融資残高についてですが、その後の調査でいくらになりましたか」

「百五十億九千万です」

「その貸金のうち、阪神特殊鋼が更生会社となった現在、更生担保権と、更生債権はどのぐらいで、債権の切捨ては、ほぼいくらぐらいという見通しをもっておられますか」

「更生担保権は、電気炉の工場財団に入っておりますので約百億、更生債権は五十一億と予測しております、債権の切捨てについては、管財人の協議の結果を待たねばなりませんが、曾《かつ》ての姫路特殊鋼倒産のケースから推して五、六割のカットは避けられないと考えており、当行の債権切捨ては二十五億乃至《ないし》、三十億と見込んでおります」

と応《こた》えると、

「日銀ご出身の三雲頭取ともあろう方が、随分、楽観的なお考えなんですね、昨日《きのう》の阪神銀行側の回答では、債権切捨て率は七割を超えるかもしれないと、もっと深刻に考えているし、当局としても、よくて七割、場合によってはそれ以上のカットを予測

していますが」

「七割以上のカット――」

三雲は、声を呑《の》んだ。

「少しお考えが甘いようですね、七割カットとしても、御行の債権切捨ては約三十五億七千万ですが、それ程の損害を今後、どのように償却されるおつもりですか」

春田は、ぐいと踏み込むように云った。三雲は云い逃れのきかぬ数字を握って締め上げようという最も官僚的なやり方であった。三雲は憂《うれ》いを帯びた眼《まな》ざしを春田に向け、

「債権償却については、今期の見込み収益三十億の他《ほか》に、当行が所有している不動産その他の資産を売却して埋めるか、或《あ》るいは配当を減配にするかきめかねております、しかし、減配は銀行にとって非常な信用問題ですから、役員会にはかってから、きめるつもりをしています」

「むろん信用の問題も大切でしょうが、要は預金者、株主に迷惑の及ばない債権償却を第一義に、役員会で慎重に討議され、その結果については、改めて当局へご報告下さい」

春田は大きく足を組んで云い、

「それにしても、今回のひっかかりはその額もさることながら、ひっかかりをつくっ

た経緯そのものが、都市銀行としてはお粗末の一言につきますね、企業に対する見方が甘く、不況で経営悪化の兆《きざ》しを見せはじめた時、なぜ融資を一時、見合せ、調査をしなかったのですか、阪神銀行では市況悪化と同時に、阪神特殊鋼の経営を憂慮し、毎日のように生産在庫、販売の状況をトレースしたというのに、御行ではそれさえやっていない」

「いえ、当行も神戸支店に調査を命じ、ある程度の実態は把握《はあく》しておりました」

「では業績が落ちていることが解っていて、さらに貸し込んだというわけですか、阪神銀行では調査の結果、当初、予定していた貸金をも暫時《ざんじ》、引き延ばしているではないですか」

資金表を指でさして、追及した。三雲はきっと顔を上げ、

「その件ですが、当行に対して阪神銀行からは、予定通り融資しているという報告がされており、それがまさか当行に貸し込ませるための見せかけ融資であったとは、考えられませんでした」

「しかし三雲さん、あなただって責められる立場ではないでしょう、メインの阪神銀行と絶えず情報交換していたら、こういうことは簡単に見抜けていたはずで、市中銀行では、要はひっかかった方が不名誉、不勉強なんですよ」

日銀育ちの甘さを、容赦なく衝《つ》いた。

「次に、貸金に対する担保のとり方が杜撰《ずさん》に過ぎる、貸金に見合う担保をとることは、銀行経営の基本であるのに、そんな初歩的な注意義務をなぜ怠ったのですか」

「高炉の設備資金の貸金担保は、高炉が完成された時点で、新たに工場財団を組成し、担保設定をすることになっており、決して怠ったわけではありません」

「そうはおっしゃっても、阪神特殊鋼は設備資金を赤字の穴うめに流用していたため、商社団が阪神特殊鋼へ高炉設備の引渡しを拒否しているではありませんか」

それには三雲も、言葉に詰った。すかさず、春田は、

「以上の点からすると、今回の問題は単なる貸金事故ではなく、御行の経営そのものの事故だというのは明白です、しかも御行には、阪神特殊鋼への融資をめぐって人事の乱れが表面化し、人が財産である銀行として、由々しい問題です、頭取の立場でこの責任をどうお考えなのですか」

一段と厳しく追及した。銀行局長が経営姿勢と人事の乱れを指摘し、その責任を追及することは、とりもなおさず、頭取の資格なしとして、辞任を迫ることであった。

「責任は痛感しており、問題の解決がついた時点で、私自身の進退は考えるつもりでおります」

もはや覚悟した静かな口調で応えた。

「あなた一人が頭取を辞任したところで、大同銀行の体質は変るものではないと思いますがねぇ」

「それは一体、どういう意味なのでしょうか」

聞き捨てならぬように云《い》うと、

「大同銀行の体質は即、日銀の体質そのものだと申し上げているのです」

春田は、きめつけるように云った。その言葉の中に三雲は、自分の躓《つまず》きを楯《たて》に、大蔵省から人を送り込むつもりらしい春田の胸中を読み取り、このことは直ちに松平日銀総裁に報《しら》せなければならないと思った。

「いかがなさいました、三雲頭取――」

総裁秘書役である綾部は、突然、何の前ぶれもなく訪れた三雲の姿を見、訝《いぶか》しげに椅子からたち上った。

「予《あらかじ》めお電話もせず失礼でしたが、火急に総裁にご相談申し上げねばならぬことが起って――」

日頃、礼儀の正しさと平静さを欠いたことのない三雲だけに、綾部秘書役は、ただごとならぬものを感じ取った。

「大蔵省へ足を運ばれたそうでございますね」

三雲は愕《おどろ》くように綾部を見たが、総裁の懐《ふところ》ろ刀と云われている綾部は、大蔵省をはじめ、各金融機関の情報がいち早く入って来る情報網を持っているのだった。

「それで三雲頭取の緊急事と云われますのは、今度の阪神特殊鋼の件に関して、大同銀行に何か？」

日銀の天下り先は、いわば日銀植民地であるから、大同銀行の動静は、日銀マン全体としての関心事であった。三雲は黙って頷《うなず》いた。

「大蔵省では、今回の問題を故意に大きく拡げようとしている様子ですね」

綾部はきらりとした眼ざしで云い、

「総裁は只今《ただいま》、長期開発銀行の副頭取と用談中で、すぐあと工業クラブへ出かけねばならぬ予定ですが、何とか都合がつくように致しましょう」

と云い、斜め向いの総裁応接室の扉《とびら》を押して、都合を聞きに入った。その僅《わず》か数分の間が、三雲には長い重苦しいものに思えた。

綾部秘書役は応接室から出て来ると、

「お目にかかるそうですが、用談がすみますまで、こちらで暫く――」

応接室と隣り合っている総裁執務室の方の扉を開けた。

ドーム型の天井の高い室内は、窓がステンド・グラスのために終日、殆《ほと》ど陽が届かず、外界の騒音も、城壁のように高い石塀《いしべい》と石畳の中庭によって完全に遮断《しゃだん》されている。その静けさは中世の城砦《じょうさい》の中にいるような厚く閉ざされた静けさであった。三雲は、自分が二十数年間、この中で育ち、日銀という権威の城を出てから、まだ二年に満たぬことを思うと、ふと足もとが、揺らぐような不安を覚えた。

扉が開き、痩身《そうしん》をダーク・スーツに包んだ松平総裁が入って来た。

「春田君と会って来たそうだね、それで話はどんな工合だった？」

松平は、永田大蔵大臣にぴたりと密着している春田の油断ならぬ存在を頭において聞いた。

「実は、春田銀行局長に呼ばれて、阪神特殊鋼への不良貸込みについて厳しく責任を追及され、大同銀行の頭取としてこの責任をどう考えているかと聞かれましたが、その時、非常に気になることを感じまして――」

「ほう、どんなことだね」

「私の後任に、大蔵省から人を送り込もうとしている様子が感じられたのです」

「なに、大蔵省から送り込む――」

松平総裁は顔色を動かし、

「三雲君、それは君の思い過しじゃないのかね」

確かめるように云った。

「いや、そうではありません、銀行局長のことのほか厳しい追及の仕方、特に阪神銀行より当行の方にそれが厳しく、今回の件は単なる貸金事故ではなく、経営姿勢の問題だとまで断じられました」

と云い、春田との話の内容を詳細に話すと、松平総裁は注意深く耳を傾け、三雲の進退に言及したところになると、眼に鋭さを増した。

「もう一度、そこのところの春田君の言葉を繰り返して貰《もら》いたい」

三雲は、屈辱的な思いがしたが、

「当行の更生債権の保全、その他の見通しがつき、一段落ついた時点で、私自身の進退を考えるつもりである旨《むね》を伝えますと、春田局長は、あなたが頭取をやめたからと云って、大同銀行の体質がかわるわけのものじゃないでしょうと、そんな言辞でした――」

「なるほど、腹に一物ありげな云い方だな、しかし、それをもって直ちに大蔵人事の送り込みと考えるのはいささか早計ではなかろうか、君は昔から少し一途《いちず》にものを考え過ぎるきらいがあるからねぇ」

「いえ、それだけではなく、大同銀行内には人事の乱れもあるそうではないかということまで云われ、何が何でも、私を下ろした後、大蔵省からという気配が濃厚です」

そこまで云うと、松平総裁も黙った。大同銀行は日銀天下り先の中でも上位のランクであるから、大同銀行を明け渡すことは、いわば本丸の前の出城を一つ奪われることであった。公卿《くげ》育ちのような日銀マンからみれば、大蔵官僚はいわば〝蕃族《ばんぞく》〟のようなものであった。その蕃族に城を取られるとなると、ことは大きい。曾て三雲から阪神特殊鋼への日銀特融を頼み込まれた時は、永田大蔵大臣の顔がちらついて後退《あとずさ》りし、もっともらしい名分をたてて日銀特融を断わったが、三雲の後任に、大蔵省から人を送り込んで来そうな話は、日銀総裁である自分自身に直接、関連があるから後退りするわけにはいかない。万一、ここで後退りすれば、日銀内部から天下り先の面倒一つ見きれぬ〝腰抜け総裁〟と譏《そし》られ、都市銀行の頭取たちに対しても、威信を失うことになる。

そう思うと、松平総裁は何よりも直接、春田に会って、話を聞いてみなければという思いが奔《はし》った。もはや松平は、大同銀行のことや三雲頭取の進退より、日銀総裁である自分とのかかわり合いが重要性を帯びて来、ものを考える時の癖である鷲《わし》のように尖《とが》った鼻を天井に向け、三雲の存在を忘れたように黙り込んだ。

三雲は、松平総裁が口をきかず、天井を見上げて考え込んでいるのは、大同銀行と自分の進退に頭を悩ましてくれているのだと思い、今さらのように自分の躓《つまず》きが、日銀にまで波及することが心苦しかった。

「総裁、私は、銀行局長からこうまで云われてなお、大同銀行の頭取の地位に恋々とする気はございません、総裁のご判断で、大同銀行の次期頭取の人選をよろしくお願い致します」

日銀からの送り込みを依頼すると、松平総裁はじろりと見返し、

「何もそう早まることはないだろう、大同銀行の頭取の進退は、三雲君個人の気持できめて貰っては困る、歴代、日銀から頭取を送り込んでいる銀行だから、ここで君が弱気を出して早々と辞任し、大蔵省に弱味を見せてはならんのだ、いいかねぇ」

念を押すように云うと、

「では、私の進退は、総裁にお預け致します」

一礼して席をたち、三雲は総裁室を出た。

三雲が去ってしまうと、松平総裁は執務机の上の電話器を取って、大蔵省の銀行局長室に繋《つな》ぐように云い、春田が出ると、

「もしもし、松平ですよ、実は大同銀行の三雲頭取の件、あれ、いずれ考えねばならないと思っているんだが、なかなか適当な候補者がなくてね、そのうち、めどがついたら、相談しますよ」

松平はさり気ない云い方で、大同銀行の次期頭取は日銀から出すという意思表示をし、それに対して春田がどのような反応を示すかを試みた。

「これはこれは、総裁おん自らのお電話で恐縮です、その件でございましたら、当方にわざわざお断わり戴くことはございません」

春田は、総裁に対する慇懃《いんぎん》さとも、官僚的なそつのなさともつかぬ応え方をした。

松平はさらに一歩、踏み込み、

「だが、やはりこの問題については、電話ではなんだし、一度、ゆっくり君と会って、相談したいものだねぇ」

誘い出すように云うと、

「それは大同銀行内の問題ですし、それに第一、三雲頭取は今回の件の出火責任者ですから、燃え拡《ひろ》がった火を消し、鎮火するまでは留《とど》まられるべきだと思います」

春田は巧みに時間を稼《かせ》ぎ、日銀からの新頭取送り込みを封じるように捌《さば》いた。

＊

万俵二子は、神戸に帰る新幹線の車内電話ボックスで、受話器を取り上げるなり、驚いた。

「まあ、一子お姉さま――、どなたかと思ったわ、突然、車内アナウンスで電話呼出しがあったのですもの、あ、もしもし、私がこの『ひかり』に乗っていることが、どうしてお解《わか》りになった？」

昼すぎ、都内のホテルから成城の姉の家へ電話した時、一子は留守をしていたのだった。

「あなたの電話に出た宏が、二子おばちゃまは、三時半頃の『ひかり』で帰るよって、云っていたのよ、連絡がついてよかったわ」

いつもおっとりとした一子の声が妙に昂《たかぶ》っているのが、受話器を通して感じ取られる。

「もしもし、お姉さま、どうなさったの」

「二子ちゃん、よくそんなに落ち着いていられるのね、もしもし、今、岡本のお家から連絡があったのだけど、あなた、誰に相談もなく上京し、細川一也さんに婚約解消を申し入れたのですって？」

列車の横ぶれでぐらりと体が揺れ、二子は電話台につかまり、

「今頃になって申しわけないのだけど、お断わりして来ました――」

改まった語調で云うと、一子はさらに昂った声で、

「どうして一言、私に相談してくれなかったの、こともあろうにご当人に直接、解消を申し入れるなんて、失礼極まりないことなのよ、もしもし、聞えて？」

「――ええ、聞えています、でも、今まで何度もお父さまに、お断わりしてほしいとお願いしても、聞き入れて下さらないから、こうするより仕方がなかったの……」

「だけど、岡本じゃ、お仲人《なこうど》の小泉夫人から、大へんな剣幕のお電話がかかって来たらしく、さすがの相子さんも動転して、あなたの行先《ゆきさき》をうちへ問い合せて来たのですよ、婚約解消を翻《ひるがえ》すのならともかく、その気がなければ、次の京都から東京へ引き返していらっしゃい、今、岡本に帰ったらお父さまはかんかんよ、東京なら鉄平兄さまもいらっしゃることだし、もしもし……」

一子は、姉らしい心遣いで云った。車内アナウンスが京都まであと十分と伝えているのが聞えた。二子は受話器を強く耳におしあて、

「鉄平兄さまは、茗荷谷《みょうがだに》の大川家にはもういらっしゃらないわ」

「え？　鉄平兄さまがどうかなさったの」

驚きの気配が伝わって来た。

「細川さんにお会いしたあと、大川家へ行くと、お兄さまはいらっしゃらず、東京に来て荷物の片付けが一段落した翌々日、一人になりたいからと、行先も告げずに出かけられたと、早苗さんは泣いていらしたわ、ええ、そう——、一子お姉さま、お心あたりなくて？　え？　え？」

「……お着きになった日、伺ったけれど……魂がぬけた人みたいで……どちらへ一体……」

列車の震動音で、殆《ほとん》ど一子の声は聞き取れなくなった。

「もしもし、お姉さま、もしもし、家へ帰ってから、またお電話しますわ」

二子は、受話器を置いた。

隣のグリーン車の座席に戻ると、二子は窓の外に眼を向けた。薄暮の中に、琵琶湖《びわこ》畔《はん》の灯りがにじむようにまたたき、底冷えのする京都の寒さが、伝わって来るようであった。二子は冷え冷えとした気持で、昼間、丸の内にある帝国製鉄本社へ、細川一也を訪れて行ったことを思い返した。

細川一也は、いつものようにボストン眼鏡に、サイド・ベンツのスーツを着た気取った服装で一階の受付へ降りて来、ちょうどランチ・タイムですからと、二子を近くのパレス・ホテルのグリルへ誘った。ホテルまで歩いて六、七分の間、細川はヨーロッパへの新婚旅行のスケジュールについて、相変らずの博学多識ぶりでよく喋《しゃべ》った。

ホテルのロビーに入り、二子が実は重大なお話があり、静かなラウンジでお話ししたいと云うと、細川は、訝《いぶか》しげな顔をしたが、ロビーの奥のラウンジで向い合った。二子が直截《ちょくせつ》に婚約を解消したい旨《むね》を切り出すと、ボストン眼鏡をかけた細川の顔が、自尊心を傷つけられたように歪《ゆが》み、理由は何ですかと聞き返した。二子は、「理由は申し上げられませんが、いろいろ考えた結果、私はあなたの生涯の伴侶《はんりょ》としてふさわしくないと思ったからです」と云うと、細川は暫《しばら》く沈思し、「あなたのご家庭内で、僕と結婚出来ない事情でも出来たのですか」と聞いた。首を振ると、「ではあなたの兄上が経営しておられた阪神特殊鋼が倒産し、当社の常務が管財人に入ったことと関連がありますか」と重ねて聞いた。三カ月程前、美馬、二子夫妻を交えて一緒に食事した時、美馬と細川が、経営悪化を取沙汰《とりざた》されはじめた阪神特殊鋼について、帝国製鉄の傘下《さんか》に入れば互いに好都合だと話しはじめた時、二子は、阪神特殊鋼は帝国製鉄の傘下などに入りませんわと、憤然と席をたってしまったことがあるからだった。

二子が応えずにいると、細川も次第に意地になるように頑《かたく》なに黙り、やがて、「あなたが阪神特殊鋼の件で、兄上と同じような被害者意識を持っているとしたら、見当はずれもいいところですよ、しかも結婚ということを、当人同士の心のふれ合いでなく、そんな面から考えているのなら、僕の方こそあなたという人を生涯の伴侶として相応《ふさわ》しいかどうか、考え直さねばならない、ただしお返事は、仲人の小泉夫人を通して、礼を失せぬように致しますよ」と云い、婚約解消を申し入れられた男の不名誉を認めまいと、必死なポーズを装ったのだった。

京都で一時《いちどき》に乗客が降りた後、車内は急にがらんとし、新大阪駅まで十数分であった。神戸の岡本の家へ帰る前に、西宮の一之瀬四々彦の家を訪ねるつもりの二子は、スエードのコートと揃《そろ》いのハンドバッグから、アドレス・ブックを取り出し、一之瀬の家の町名と番地を諳《そら》んじた。

新大阪駅からタクシーで阪神国道を走り、夙川《しゅくがわ》の一之瀬の家を探しあてた時は七時を過ぎていた。コートを手に門のベルを押すと、下駄の音がし、和服に寛《くつろ》いだ一之瀬工場長が門を開け、二子の姿に驚いた。

「夜分に突然、お伺いして失礼致します」

と挨拶《あいさつ》すると、

「こんなところでは風邪をひかれますよ、家内が親類の取込みごとで出かけていて、おもてなしが出来ませんが、ともかく内《うち》へ――」

玄関の中へ二子を請《しょう》じ入れ、奥の方に向って、

「四々彦、二子さんがおいでだから、応接間にストーブをつけなさい」

と云《い》うと、四々彦はセーター姿ですぐ出て来、

「どうかしたのですか、二子さん」

疲れた二子の表情を見て取り、心配そうに聞いた。

「それよりストーブが先だ、私はポットのお茶を持って来てあげよう」

一之瀬工場長が急がせると、

「いえ、私、東京からの帰りで、すぐ失礼しなければなりませんので、こちらで――、」

実は兄のことでお伺いしたいことがございますの」

内玄関にたったまま云い、二子は一之瀬工場長の方へ顔を向け、はっと胸を衝《つ》かれた。更生会社での心労が多いせいか、僅《わず》かの間に白髪が増え、老いが滲《にじ》み出ていた。

「万俵専務が、どうかなさったのですか」

一之瀬工場長は、四々彦が奥から運んで来た石油ストーブを二子の方へ寄せながら聞いた。

「兄は家族とともに東京へ移った翌々日、暫く一人になって考えごとをしたいからと、

行先も告げずに出かけたそうですが、私、なんだかとても心配で……もし、兄の行先にお心あたりがございましたら、お教え戴《いただ》きたいのです」

と云うと、一之瀬父子は顔を曇らせた。

「専務は、東京でご家族とご一緒だとばかり思っていましたよ――」

一之瀬工場長がぽつりと云うと、四々彦は、

「僕も、東京へお発《た》ちになる前夜、お電話でお話ししたけれど、そんなことは全然、おっしゃっていなかった――、ただ、新大阪駅へお見送りに行きたいので時間を伺うと、プライベートなことだからと断わられ、誰にも会いたくないお口振りでしたが――」

「そうですか、じゃあ私、今日のところはこれで失礼させて戴きます、かえってご心配をおかけしたようで、申しわけございません」

二子は肩を落し、辞しかけると、一之瀬工場長は、

「専務のことですから、心に期するところがあって、お一人になられたのでしょうが、深く傷ついておられる時だけに、全くお一人で行先もおっしゃらないというのは……、ともかく心当りをあたってみますから、あまりご心配なさらず――」

自身の不安を抑え、二子を力づけるように云い、四々彦に二子を家まで送るよう云

いつけた。

二子は夜分の訪問を詫《わ》び、四々彦の運転するブルーバードに乗った。夙川沿いに山手に上り、芦屋から御影《みかげ》にぬける道を、四々彦は黙って車を走らせた。二子は一日の疲れがどっと出て来るのを覚えながら、

「あなたのお父さまは、帝国製鉄の管財人が入った更生会社で、随分、ご苦労なさっているのでしょうね、白髪三千丈という中国の故事を思い出して、胸が塞《ふさ》がる思いがしました」

凍るような月の光を受けてきらきら光る川面《かわも》に眼を向けて云うと、

「父は何も云わないけど、従来の会社の社風、生産方式など無視したやり方を、すべて〝会社再建〟という大義名分で強いられ、管財人と現場の間に挟《はさ》まって、毎日が針の筵《むしろ》に坐《すわ》っている心境だと思いますよ、中でも一番辛《つら》いのは、専務のご意思に反し、高炉の稼動《かどう》が無期延期されたことです」

ハンドルをきりながら、四々彦は眼に怒りを燃えたたせた。

「無期延期ですって！　熱風炉さえ補修すればもう完成だということなのに、なぜなの？」

「高炉を稼動させるには、巨額の運転資金が要るので、会社再建が軌道に乗るまでは

動かさないというのが、管財人の方針なのです」

「でも、高炉を稼動させ、一貫生産した方が、得策ではありませんの」

「専務も父も、むろん僕だって、それが会社再建の早道だと主張したのだけど、要は帝国製鉄は不況でだぶついている自社の銑鉄《せんてつ》を使わせるつもりらしい」

「すると、兄の造った高炉は、幻の高炉というわけ……」

二子が思わず息を呑《の》むと、四々彦は黙った。歯を食いしばり、何かに耐えている横顔であった。

車が芦屋に入った時、

「僕、今月一杯で阪神特殊鋼を辞め、アメリカへ行きます」

静かな声で云った。

「兄から伺っていました、アメリカのどちらへいらっしゃるの？」

「マサチューセッツ工科大学時代の指導教授の推薦を得て、ピッツバーグにあるＵＳスチールの技術開発研究所へ就職する予定です」

「私も、四々彦さんにお知らせしたいことがありますわ、今日、帝国製鉄秘書課勤務の婚約者に、直接、お会いして、婚約解消を申し入れて来ましたの」

と云うと、四々彦はブレーキを踏んで車を止めた。強い衝動が体に響いた。

「ほんとですか、それ……」

四々彦の眼に、深い感動があった。

「そのために上京したのですわ、今頃、家では大へんな騒ぎでしょうけど、私――」

それ以上は言葉にならなかった。四々彦の腕が、強く二子の体を捉《とら》えた。

赤坂のマンション八階にある小泉元駐仏大使夫人の広い客間《サロン》は適度に暖房がきき、水槽《すいそう》の熱帯魚が、群れるように華やかに遊泳している傍《かたわ》らで、チンチラのストールを肩にかけた小泉夫人がたっている姿は、珍妙な取り合せであったが、今日の高須相子は、そんな品定めをしている気持の余裕などなかった。

「あら、私、出かけるところでございましたのよ、お時間はどれぐらいかかりまして？」

小泉夫人は、頭から切口上に云った。

「申しわけございません、お電話でご都合を伺った上でと存じましたが、ことがことだけに、何はさておいても一刻も早くお詫びにと存じまして――」

飛行機で羽田に着き、まっすぐ駈《か》けつけて来た高須相子は、言葉丁寧に云いながらも、外出着姿の小泉夫人の前に坐り込むように腰を下ろした。

昨夕、突然、小泉夫人から万俵家へ電話がかかって来、二子が細川一也に直接、婚約解消の申し入れをしたことを報《しら》されたのだった。あまりの唐突《とうとつ》な出来事に、とっさに相子が応《こた》えられずにいると、小泉夫人は激しい口調で、その非常識さと無礼を詰《なじ》り、事情の説明を迫ったが、二子がまだ帰宅していなかったから、ともかく当人が帰り次第、事情を聞いた上で、お返事をさし上げますと、電話をきったのだった。

「それで昨日の件は、一体、どういうことでございますの、細川家や私たちの、普通の常識では、とても考えられないことでございますわ」

小泉夫人は、昨日からの怒りがこみ上げて来るように云ったが、相子はどこまでも下手《したで》に、

「昨日、お電話を戴きました時点では、とても信じられなかったのでございますが、本人が帰宅致し、事実であることを知り、父親の万俵をはじめ、家族一同は愕《おどろ》き、何とお詫び申し上げていいのやら……」

口ごもると、小泉夫人は、狆《ちん》のように寸詰りで、鼻の低い顔をつんとそらせ、

「今さらお詫びなど云って戴いても、どうなるものでもございませんわ、当方が伺いたいのは、結納もおさまり、来春の挙式の日取りもきまっているという段階で、婚約

を解消することは両家にとって由々しい問題です、下手をすると、週刊誌のスキャンダルにもなりかねないことを、あえてなさる限りは、何かそちらのご家族、もしくはご親戚《しんせき》さまで、細川家との縁組にご不満な点でもおありなんざんすか」

「とんでもございません」

即座に否定すると、

「じゃあ、私のお見受けするところ、良家の子女としての常識をちゃんとわきまえておられる二子さんが、どうして、ご自分のご家族にも、仲人役の私にも、一言の断わりもなく、いきなり、細川一也に婚約解消を申し入れたりなさったのですか」

有無を云わさぬ云い方をし、女性用のシガレット・ケースから煙草《たばこ》を取り出して、火を点《つ》け、

「大へん申し上げにくいことですけれど、万俵さまのご家庭や私たちの知らないところで、二子さんご自身が、細川一也と結婚したくない、もしくは出来ないことでもおありなんざんすか」

煙草をふかしながら、ぐっと押え込むように云った。相子は一之瀬四々彦のことを思い、ぎくりとしたが、

「二子さんに限って、そんなことがあろうはずがございません、昨夜、当人の両親が

よく話し、私も同席致しましたが、どうやら、ことを取り違えているようでございますわ」

「ことの取り違えとおっしゃいますと？」

「実は、当人の兄の万俵鉄平が専務をしておりました阪神特殊鋼が倒産し、帝国製鉄から来られた管財人によって、兄が会社を追われたことが、人一倍兄思いの二子さんにとって、大へんな衝撃《ショック》だったらしく、帝国製鉄勤務の細川さんに嫁ぐことは、まるで敵のところへ嫁ぐような気持になって、つい衝動的に、常識では考えられないことを致してしまったようでございます」

「さようでございますか、さすがは関西の大実業家のお嬢さまでいらっしゃいますこと、ご自分の結婚と、お兄さまの会社の倒産とを同じ次元でお考えになるなど――、でも、それは理由になりませんことよ、それとも、高須さん、あなたが、そのようなご教育を遊ばしたのかしら？　どんな事情があるにせよ、ちゃんと仲人《なこうど》役の私がおりますのに、私を無視して、いきなり当人に婚約解消を申し入れられるなんて、それがアメリカ式なんざんすか、私はソルボンヌでございますから、フランスの厳しい家庭教育を尊重致しております」

フランスへ留学した者が共通して持つ、アメリカ蔑視《べっし》のいや味な云い方をした。相

子は内心、むっとしたが、ことさらに視線を落し、

「今回のことは、ひとえに家庭教師であった私の教育の至らなさでございます、当人にはよく話し、心を入れ替えさせて、近日中に細川家と一也さまにお詫びに参上させますから、今暫《しばら》くの間、ご猶予《ゆうよ》下さいまし」

と頼み込んだが、昨夜、大介と相子が、交互に二子を宥《なだ》めすかしても、二子の決心は変らず、「細川さんとの婚約解消が、万俵家として許されないのなら、私は万俵家を出ます」とまで云いきっているのだった。それでも相子は、大介から、二子は自分の力で必ず説得するから、細川家が何と激怒し、小泉夫人から何と云われようが、今暫く日を稼《かせ》ぐよう強く指示されているのだった。

「まあ、わざわざ、高須さまが上京していらしての口上が、暫く暫くということだけでございますか、こんなこと、一也さんの伯母の佐橋総理夫人の耳に入れば、黙ってはおりませんことよ」

自分の又従姉妹《またいとこ》のことをわざとらしく、総理夫人という云い方をし、

「この際、誤解のないように申し上げますが、何もお気の進まない結婚を無理にとお願い致しているわけではございません、細川一也の父は、文化功労章受章の日本を代表する建築家でございますし、母親の実家はご承知のように大手建設会社で、一也自

身は東大法学部出身、帝国製鉄秘書課勤務とあれば、憚《はばか》りながら、良縁にはこと欠かずでございますから、万一、婚約解消の羽目にたち至るような場合は、当方から破談を申し出たことにして戴きますわ、それがそちらさまが、細川一也に対するせめてもの陳謝じゃあございませんこと？」

小泉夫人の言葉が、鋭い棘《とげ》になって相子の胸に突き刺さった。

「破談――、そんなことになるはずがございませんわ、いいえ、そんなことがあっては、第一、私が……」

と云いかけ、言葉をきった。今、細川一也と二子との婚約が破談になることは、万俵家における閨閥《けいばつ》推進役である自分の立場を損《そこな》い、万俵家における自分の存在価値を低くし、やがては自分の立場の崩壊に繋《つな》がって行くような予感がした。そう思うと、どんな手段をもってしても、鉄平に続いて二子が、万俵家を去ることを阻《はば》み、細川一也との華燭《かしよく》の典を恙《つつが》なく終えさせることだと思った。

「あなたさまのご体面を穢《けが》すようなことには、絶対致しませんから、今暫くのご猶予を――」

相子はそう云い、小泉夫人の返事を待たず、席をたった。

十二月下旬の夜気は、肌を刺すように冷たかったが、相子は昼間、二子の縁談のことで話した小泉夫人の言葉を思い出すと、煮えくりかえるように体がほてってった。いかに万俵から命じられたこととはいえ、二子自身の無断な婚約解消申入れの陳謝のために、小泉夫人から、云いたい放題をけたたましい声で云われ、それに対して返す言葉もない立場であったことが口惜《くや》しかった。

いつの間にか、英国大使館の前まで来ていた。この裏側が阪神銀行の行邸であったが、タクシーを乗りつけなかったのは、夜気の冷たい道を少し歩いてみたかったからである。

相子は行邸の脇《わき》門から玄関へ入り、管理人夫婦に声をかけて、自分専用の一階東端の部屋へ入った。十畳程の洋室に机とベッドとドレッサーが置かれ、在京中の仕事を片付けたり、自由に寛《くつろ》ぐことのできる部屋であった。外から入って来ると、暖房がき過ぎ、汗ばむほど暑かった。相子はすぐコートを脱ぎ、スーツを脱いで着替えにかかった。ドレッサーの鏡の前にたって、スリップ一枚になると、月二回の全身美容で手入れの行き届いている豊満な体が剝出《むきだ》しになった。子供を産んでいない形のいい乳《ち》房《ぶさ》が盛り上り、蒸れるような女の匂《にお》いに包まれている。そんな自分の体を見詰めると、相子は、まだまだ万俵大介を惹《ひ》きつける魅力に満ちていることに自信を持ち、間もなく行邸へ帰って来る大介のために、洋服ダンスからチャコール・グレーのジャージーのワンピースを選び出して、着替えた。大介も今朝《けさ》、飛行機で上京し、今夜は美馬中と話すために、宴席を早くきりあげて帰邸することになっていた。

書生が、美馬の来訪を告げに来た。

「応接室でお待ち願っておりますが、お出になりますか」

「ええ、すぐご挨拶《あいさつ》に参りますわ」

相子は鏡の中に映る地味であるが、シックな装いを確かめてから、応接室へ出た。

「美馬さま、お待ち申し上げておりました、間もなく頭取も帰られる頃でございます」

相子は書生たちの手前、ことさら鄭重《ていちょう》なもの腰で挨拶した。書生がお茶を運んで退《さが》ると、美馬は、

「細川君との夕食はどうだった？　僕はどうにも時間の都合がつけられなくて失敬――」

相子は、小泉夫人を訪れたその足ですぐ帝国製鉄の秘書課へ電話をし、細川一也の都合を聞いて、銀座のマキシムへ食事に誘い、美馬にも同席を求めたのだったが、予算編成で忙殺されている美馬は、ぬけられなかったのだった。

「細川一也さんって、大へんなスタイリストね、こちらは頭から二子さんの非礼を詫びているのに、自尊心《メンツ》と面子にこだわり、頻《しき》りに強がりを云《い》ってらしたけれど、私の眼は騙《だま》されませんわ、まだ二子さんに未練たっぷりだから、充分、細川さんの顔をたてた上で、巧《うま》く話を繋いで参りましたわ」

「それなら僕も近日中に時間をやりくりして、一子を連れて細川家と狆夫人のところへ足を運んでおこう、それにしてもお舅《とう》さんは、若い娘の一人ぐらいの始末が出来ないのかね、一子の話では、鉄平君も大川家を出たまま、いまだに行先《ゆきさき》が解《わか》らないそうだね」

「ええ、無責任この上ない話ですわ、何もかも、もとはといえば鉄平さんから端を発しているのですよ、あの人のせいで阪神特殊鋼は倒産し、万俵家の一族主義はあの人が岡本の邸《やしき》を出たことで崩れかけ、二子さんにどれだけ悪い影響を与えたかしれやしません、この頃、思い通りに行かないことばかり重なって」

苛《いら》だたしげに云うと、

「君もそろそろ、身の振り方を考え直した方がいいんじゃないかな」

美馬が誘いかけるような表情で云った時、門の方でクラクションの音がし、書生たちが慌《あわただ》しく玄関に出迎える気配がした。

「やあ、中君、待たせてしまったね」

万俵は、応接間に入り、書生に飲物を云いつけた。

「いや、私はこの後、徹夜で農林省と米価の折衝に入らねばならないので、話が終り次第、役所へ戻りますから」

「そう――、そんな忙しい時、二子のことなどで世話をかけ、すまないね」

「今度の縁談は、お舅さんの方のご要望で、元総理秘書官の井床銀行課長に僕が橋渡しを頼んだところからそもそもはじまり、帝国製鉄の兵藤副社長も大いに喜んで下さっているのですから、万一、まずい結果になると、私としても困った立場にたつわけですよ、ご承知のように、大蔵省は閨閥結婚が多く、入りくんでいて、とんだところで人の恨みを買いかねませんからねぇ」

遠廻しにいや味な云い方をした。万俵は苦い顔をしたが、

「君には迷惑の及ばないよう考慮する、こうなれば一之瀬四々彦の父親の一之瀬工場長を呼んで、息子に意見するよう話すよりほか仕方がない」

さすがの万俵も頭を抱えるように云うと、美馬は、

「それからさっき高須君に聞いたのですが、鉄平君の行先が依然として知れないというのは、困りものですねぇ、心あたりはあたってみられたのですか」

「もちろんだ、鉄平のたち寄りそうなところは全部、電話をしたが、どこにも行っていない」

「そうですか――、あの人はしっかりした人物だから、めったなことはないと思う反面、今度は何事を起すのかと気が気じゃありませんよ」

鉄平が父である万俵大介を告訴した顛末《てんまつ》を聞き知っている美馬は、警戒するように云った。その気持は大介とても美馬以上に強く、不吉な思いが絶えずまつわりついて離れなかったが、敢《あ》えて黙殺するように口を噤《つぐ》んだ。

「時にお舅さん、今日、僕のところへ社民党の中根正義議員から電話がありましてねぇ」

美馬は改まるように云った。

「ほう、大蔵委員の中根議員がねぇ、何だね」

「今日の大蔵委員会の理事会で、阪神特殊鋼倒産に関連し、銀行側の責任を、委員会が追及することに決まったと報せて来たのですよ」

「なに、今日の理事会で決まった――」

万俵の顔色が動いた。

「奴《やっこ》さんは大蔵委員会の理事ですから、間違いない情報ですよ、代表質問者はラッキーなことに中根らしいですよ」

中根正義なら、地元の神戸出身の社民党代議士だが、選挙区の党籍の制約から社民党から出ているだけで、事情さえ許せば、いつでも自由党から立候補するというような体質の代議士であった。地元議員ということもあって、万俵大介は大蔵委員会の理事の中でも、盆暮の挨拶はもとより、日頃のつき合いを格別深くしていた代議士であったから、

「可笑《おか》しいね、中根正義なら、日頃のつき合いから云って、私か、少なくとも芥川君に、まず報せて来てもよさそうなものだが――」

「そこが、奴《やっ》らの術《て》なんですよ、お舅さんに報せれば、万俵大介一人にだけ恩を売ることになりますが、私に報せると、私とお舅さんの関係から二人分に恩を売ることになりますからね、小ずるいやり方ですよ」

吐き捨てるように云い、

「しかし表向きはどこまでも慇懃《いんぎん》に、お電話のほどを感謝し、舅《ちち》に早速、伝えますが、今日、明日の先生のご予定はと聞くと、案の定、その含みでかけて来ているらしく、明日なら六時以後、あいていると応《こた》えましたよ」

万俵の眼に、一見、紳士風の革新代議士で、毎年、年賀に阪神銀行本店へ現われる

中根代議士の顔が思い浮かんだ。

「中君、何よりもの情報だ、早速、芥川に云って、明晩、中根議員ととっぷり懇談させることにするよ」

と礼を云うと、美馬は、

「こういう事態が起って来ると、よけいに二子ちゃんと細川君の縁談が、関連事項になって来るというわけですよ、何としても縁談《はなし》をもとに戻して下さらないとねぇ」

念押しした。

相子はずっと黙って控えていたが、その大きな眼には女豹《めひょう》のような鋭い光が湛《たた》えられていた。飾棚の上のウェストミンスター時計が九時半を告げた時、

「じゃあ僕は、今晩はこれぐらいで——、いずれにしても政治家の方からわざわざ電話をかけて報せてくれたのですから、こちらとしては、万遺漏のない用意をしてかかられることですね」

美馬は、女のような赤い唇に、微妙な笑いを漂わせ、大蔵省へ引っ返した。

阪神銀行東京事務所長の芥川は、机の引出しから行名入りの紙封筒を取り出すと、

その中身を改めた。新札の一万円紙幣五、六ミリの束で、はらりと扇を開くような慣れた手つきで、新札をひろげると、かすかなインクの匂いと真新しい紙の匂いがする。芥川は二枚ずつ、指先で紙幣を数え、改め終ると、無地の封筒に入れ替えて、ホッチキスで封をし、無造作に上衣《うわぎ》のポケットに入れた。

外はもう昏《く》れはじめていたが、大手町の金融街のビルには、蛍光燈《けいこうとう》が明るさを競うように輝いている。芥川は、受話器を取り上げると、大蔵省担当の忍者である伊佐早五郎を呼んだ。

「銀行局の久米《くめ》総務課長に、会って来たかね」

伊佐早の顔を見るなり、聞いた。

「三時過ぎに会って参りました、大蔵委員の先生方は、昨日《きのう》の理事会で、阪神、大同両行頭取の喚問を強く主張されたようです」

かねがね、大蔵委員会で融資銀行の責任問題が取り上げられる場合のことを考え、伊佐早五郎は、大蔵委員会と密接な連絡のある銀行局総務課を特にマークして、朝夕、貼《は》りついているのだった。芥川は既に昨夜、万俵頭取からの電話で、大蔵委員の中根代議士が、阪神、大同両行頭取を喚問する模様であることを聞かされていたが、さらに自行の忍者によって、秘《ひそ》かに大蔵省サイドからの裏を取らせているのだった。

「総務課では、頭取喚問を融資担当の役員ですませようという気配はないのかね」

「両行の融資担当役員ですめば、政府参考人側は春田銀行局長の出席だけで、大蔵大臣の出席が免れますから、その線でおさめようと、大蔵委員の理事と折衝したらしいですが、押しきられたようです」

「代表質問の委員は、中根正義議員に間違いないね」

「はい、それは確かめました」

「では、五時半に中根代議士を第三議員会館へ迎えに行ってくれ給《たま》え、場所は渋谷円《まる》山《やま》町の『はつ音《ね》』だ」

芥川が指示すると、伊佐早はその場所柄から推して、単に人目を避けるためではなく、相当、きわどい根廻しをするに違いないと、忍者特有の勘を働かせた。

「畏《かしこ》まりました、では銀行の車でなく、ハイヤーでお迎えに上ります」

と応え、部屋を出て行った。

道玄坂を上りきった右が、円山の花街で、間口は狭いが小粋《こいき》な待合が軒を並べている。枕《まくら》を持って飛んで歩く芸者が多いと囁《ささや》かれているだけに、灯《ひ》ともし頃ともなれば、そうした芸者目あての客たちが、そそくさと黒塀《くろべい》の中に吸い込まれて行く。

芥川が待っている『はつ音』の二階の奥座敷へ中根正義が現われたのは、約束の時間から五十分も過ぎていた。顔だちは弁護士出身の代議士らしく知的な雰囲気《ふんいき》を持っていたが、五十そこそこにしては派手過ぎるプリントのネクタイを締めている。

「これは先生、ご多用の中を恐縮でございます、さあ、どうぞ、どうぞ」

芥川は下へもおかぬもてなしで上座《かみざ》をすすめると、中根は床の間を背に趺坐《あぐら》をかき、

「君の銀行も、いよいよ大へんになって来たねぇ」

開口一番、意味深長に云った。

「いや、全く頭取も今度ばかりは頭を痛め、中根先生のお力にお縋《すが》りするよりほかにないと申しておりまして――」

困惑しきった顔つきで、まず今日のお願いの筋を匂わせ、酒と料理を運んで来た仲居を退《さが》らせて、芥川自身が酌をした。

「君、その件なら主計局の美馬君にちょっと伝えておいたが、昨日の理事会はそりゃあ、ひどいものだったんだからねぇ」

ことさらに理事会の空気を誇張して云った。

「これはますますもって、弱りましたねぇ、ひどい、と申されますと、たとえば理事の先生方の中で、何党の何先生が、特に問題にしようとしておられるのでしょうか」

「自由党の川北君や公正党の柳君らは、大したことはないが、問題はうちの党のもう

一人が、メイン・バンクの万俵頭取を徹底的に吊《つる》し上げると、意気込んでいる」

大蔵委員会の理事は、自由党二、社民党二、民主党一、公正党一の計六名で構成されている。

「もう一人とおっしゃると、荒尾留七先生が――」

芥川は、ぎくりとした。荒尾代議士は、東北の農家の七男に生れ、村の郵便局員から、組合幹部にのし上って選挙に打って出た筋金入りの社民党代議士で、大蔵委員会の〝爆弾男〟であった。

「で、荒尾先生は何をもって万俵頭取を吊し上げると云っておられるのですか」

「いろいろ挙げていたが、要するに阪神特殊鋼倒産問題は、新聞だけ見ていると、どうももやもやして解らん点が多い、ことに銀行側の責任については大同銀行の三雲頭取一人が放漫融資をした如《ごと》く書きたてられているが、メインの阪神銀行はその時、何をしていたのか、サブ・バンクがあれだけ支援している企業に、メインがなぜ救済の手をさし伸べず、途中で逃げてしまったのか、その真相を万俵頭取に聞き糺《ただ》すべきだというのだよ」

「ほう、そういう誤解のされ方も世の中にはあるのでございますかねえ」

芥川は、空とぼけながら、まめまめしく酌をし、それならなおのこと、万俵頭取が大蔵委員会に出席することは危険だと思った。

「代表質問におたちになる中根先生とは長年のお付き合いで、万俵の人となりはよく知って戴《いただ》いており、大蔵委員会でありのままにお答えすれば、ことはすみましょうが、世間では万俵のことを血も涙もない冷酷な銀行家と云う人もおり、どうも荒尾先生もそのようなイメージで誤解しておられるご様子ですね、大蔵委員会で、万俵が自分のことをとかく弁解するのも可笑《おか》しなものですので、ひとつ当行の融資担当役員の代理出席ということで、ご容赦戴くわけには参りませんでしょうか」

「それは到底、無理な頼みだねぇ、理事会で不審を持たれている上に、当人が欠席すれば、荒尾君は、本気で君のところの銀行内を嗅《か》ぎ廻りはじめるよ、そうなってもかまわんのかねぇ」

大蔵委員という立場上、数々の銀行内部の隠れた悪を握っている中根は、高圧的に出た。その態度で、芥川は中根自身も、万俵頭取を出席させたがっている気配を読み取った。自分が代表質問にたつ大蔵委員会に、阪神、大同両行の頭取と永田大蔵大臣まで召喚し、弁舌をふるうことによって、大蔵委員としての箔《はく》をつける一方、選挙区に委員会の議事録や新聞記事をばらまいて中根正義の名を高からしめようと、早くも計算している。政治家の大向うを狙《ねら》う俗っぽさに、芥川は胸がむかつくような不快感

を催したが、

「なるほど、頭取が欠席すると、かえって痛くもない腹を探られるようでしたら、堂々と出席させて戴きましょう、その代りと云っては何ですが、大同銀行の三雲頭取も、病気欠席などということにならぬようお願い致しますよ」

「そりゃあ当然だよ、片手落ちでは政治家、中根正義の良心が許さんからねぇ」

中根は正義漢ぶって哄笑《こうしょう》した。笑うと、知的に見える顔の下に、品性の下劣さがのぞく。

「ところで先生、細かい話になって恐縮ですが、中根先生は今回の問題について、どのような点に特に質問のポイントを置いていらっしゃるのか、おさしつかえなければ二つ三つ、お教え戴ければ幸いですが——」

さり気なく聞き出しにかかると、

「その辺については、大蔵省の方から君の方へ連絡があるだろうから、それからでもいいじゃないか」

もったいぶって、芥川の質問をかわし、芸者の嬌声《きょうせい》が聞えて来る方へ催促がましい視線を向けたが、芥川は気付かぬ振りで、

「もちろん大蔵省とは、逐一、連絡を取って、その内容に注意致しますが、それにし

ても、先生ご自身が最も関心を持っておられる点は、どのようなことでございますか」

さらに執拗《しつよう》に食い下ると、

「それはこれからいろいろと資料を取り寄せ、じっくり勉強してからだが、年末ともなれば、われわれも多事多端で、腰を据えて勉強する時間がなかなかなくてねぇ」

「それでは私どもとして、おそらく先生がお聞きになりたいのはこういう点ではないかという項目を列挙し、それに対する当行の見解と申しますか、回答のようなものを簡単な書面にして、持参致しましょうか」

すかさず、畳み込んだ。書面といえば資料のようで聞えはいいが、要は不勉強な代議士たちのために、予想される問いと答えをメモにした、いわゆる〝想定問答集〟のことであった。程度の低い代議士になると、〝想定問答集〟の予習もせず、いきなり一字一句そのまま読み上げ、相手方の答えの方まで読んで失態をさらけ出す者もいる。しかし、さすがに中根は弁護士出身だけに、

「そうだな、そういうのがあると、参考にはなるがねぇ」

一応、ポーズを取り繕ったが、芥川は、

「ともかく、明日、お届け致しますから、ご参考までにご一読下さい、そして荒尾先

生にも、中根先生からお目通し戴けるよう計って戴けませんでしょうか」

「そりゃあ無理だね、荒尾君が厳しい関連質問をする時、君のところの見解を、僕がどう巧《うま》くその中へ割り込ませるかだけでも、大へんなことだよ、君ぃ」

恩着せがましく云《い》った。

「承知しております、しかし私どもの方は中根先生が頼りなのですから、取りあえず、これで、荒尾先生にもよろしくお取り計らい下さい」

芥川はそう云うなり、上衣の内ポケットから茶色の封筒を中根の前へ押しやった。

「そう、じゃ、まあ預かっておこう」

中根は照れもせず、まるで座敷机の上の爪楊子《つまようじ》を取るようなさり気なさで、封筒を取り上げ、するりと自分のポケットに滑り込ませた。

＊

七時を廻ったばかりであったが、三雲はもう朝食をすませ、着替えもすませた服装で、自宅の書斎の机に向っていた。銀行からの迎えの車が来るまで、まだ三、四十分ある。
十二、三畳ほどの書斎の天井は高く、古びていたが、亡父の代から何十年も拭《ふ》き磨かれている太い柱は黒光りしている。三雲は机に向って、病床に臥《ふ》している友人に宛《あ》て、墨筆で見舞の手紙をしたためていた。このところ多忙を極めている三雲は、一カ月前、胃癌《いがん》で入院した学生時代の親友を見舞に出かける時間もないのだった。一旦《いったん》、銀行へ出れば頭取としての日常業務、外部からの面会、各種の会議、会合が連続し、やっと時間があく頃には、病院の面会時間は過ぎている。病床の友人を見舞う時間さえない現在の索漠たる生活を、三雲はふとわびしいものに思い、職場から墓場までの時間をゆったりと取って、いつでも友の病床を見舞えるような生活を自分のものにしたいと思った。そんな心境で見舞の手紙をしたため終えると、老婢《ろうひ》がお茶を運んで来た。

「どうだい、志保の工合は？」

風邪をこじらせ、ここ三、四日来、ずっと微熱が続いている娘の様子を聞いた。

「それが今朝もまた三十七度三分ございまして、ご朝食はオレンジ・ジュースだけで、オート・ミールにはお口をつけられませんでした」

「それはいけない、じゃあ出かける前に部屋へ寄ってみよう」

そう云い、三雲は封書に宛名を記《しる》し、筆を置くと、老婢に投函《とうかん》を云いおき、志保の部屋へ入った。

庭に面した南向きの部屋の一方に、ベッドを置き、花台にクリーム色の薔薇《ばら》が活《い》けられている。志保は父の姿を見ると、華奢《きゃしゃ》な体を起し、ガウンを羽織りながら、

「お父さま、こんなお父さまの大切な日に、お玄関までお見送りもせず……」

と云い、眼を潤《うる》ませた。今朝、午前十時から阪神特殊鋼の倒産に関連する金融問題について、三雲は、衆議院大蔵委員会に、阪神銀行の万俵頭取とともに喚問されているのだった。

「何も志保が、心配することなどないんだよ」

「だって、新聞に両行頭取、大蔵委員会に喚問などと書いてあると、私、もう……、お父さま、万俵鉄平さんは、どうしていらっしゃるのかしら——、あれ以来、何のお便りもございませんの？」

阪神特殊鋼が会社更生法の申請をした翌日、謝罪のために訪れた鉄平に対し、三雲は「大同銀行頭取という公人としては、君に詫《わ》びられたからといって、許すわけにはいかない、君とこうして自宅で会うことすらおかしい」と厳しい態度で接したのだった。そしてその後、鉄平からはぷつんと音信が跡絶《とだ》えている。

「便りはないが、聞くところによれば、父上と一緒に住んでいた邸《やしき》は出てしまっているらしい」

「え？　ではどちらへ――」

志保は、鉄平の身を案じるように熱のある顔を曇らせた。

「それは解《わか》らないが、鉄平君の音信などこの際、関係のないことじゃないか、そんなことより食欲はなくても、出来るだけ食事を摂《と》って、体力をつけることだよ、ほら、また空咳《からぜき》をしているじゃないか」

と云い、この頃、さらに亡《な》き妻の面ざしに似てきた志保の体をいたわると、

「お父さま、ちょっと――」

志保の透けるように白い指先が、三雲の胸もとに伸び、胸ポケットにさしたローンのハンカチーフの歪《ゆが》みを直して、ベッドから父を見送った。

三雲は、いつもより早く、八時四十分に大同銀行本店の玄関に着いた。秘書が緊張した表情で出迎え、

「先程から綿貫専務がお待ちでございます」

と伝えた。エレベーターに乗り、足早に頭取室へ向う間にも、何となく慌《あわただ》しい気配が流れている。綿貫は待ちかまえていたように三雲を迎え、

「頭取、当行の大蔵省担当の忍者に、重ねて確かめさせましたところ、本日の大蔵委

員会の質問のポイントは、阪神特殊鋼への融資のいきさつと、サブの当行がメインの阪神銀行を上廻る貸込みをした時期及びその理由ということですから、たいしたことにならないと思います、何しろ、大蔵省銀行局としても、今日の大蔵委員会はうまくくぐり抜けないことには、当局としても、都市銀行の監督不行届ということで、代議士諸先生に吊し上げられますから、ことなく終ってほしいという点では、こちらと同じ心境ですよ」

三雲の気持を解きほぐすように云いながら、その実、綿貫は前夜、極秘裡《ごくひり》に阪神銀行の芥川と会って、万俵頭取側が、今日の大蔵委員会で代表質問にたつ中根代議士に周到な根廻しをし、〝想定問答集〟をも手渡して、厳しい追及を逃れる術《て》を打っていることを知っていた。にもかかわらず、大同銀行側として何らの術《て》も打たず、阪神銀行の動きさえ三雲に知らせないのは、阪神特殊鋼倒産の責任をすべて三雲におっかぶせようと企《たくら》んでいるからであった。

扉《ドア》をノックし、融資部長の島津が入って来た。顔面を蒼白《そうはく》にし、

「頭取、申しわけございません……、私がもっとしっかりしておれば、頭取が大蔵委へ喚問などという事態にならなかったものを……、せめて今日は私が、大蔵委へお伴《とも》致し、何かお役に……」

日銀天下り派である島津融資部長は、ぶるぶる両手を震わせると、三雲は、

「まあ、島津君、落ち着き給《たま》え、誰だって大蔵委員会などへ出なくてすませられるものならすませたいが、かくなる上は、堂々と出席するより仕方がない、阪神特殊鋼の件については、私自身も納得ゆかない点があるから、それをも合わせて、ありのままの事実を話し、見せかけ融資を見抜けなかったことが事態を悪くしてしまったことも、あからさまに話すつもりだ」

と云った。綿貫は飛び上らんばかりに驚き、

「しかし、頭取、見せかけ融資にひっかかったとなると、かえってこちらの恥になりますから、いくら何でもそれは――」

止めにかかると、三雲は静かな語調で、

「今となっては、恥よりも何よりも、真実を話し、この一連の事態を私自身の手で明白にすべきだと思う、今の私は既に覚悟ができている――」

「ですが、今日の頭取の答弁の一言一句は、当行一万人の行員の信用と将来にもかかわることでございますから、いくら真実とおっしゃいましても、あまりにも正直すぎるご答弁は――、何しろ相手は、大蔵委員といっても俄《にわ》か勉強の代議士ですから、その辺のところは適当にお答えになられた方が賢明だと存じますよ」

綿貫は、芥川と打ち合せた筋書が崩れるのを防ぐために必死に云うと、三雲は、それを行員を思うあまりの心情と受け取り、

「綿貫君、行員諸君には、心配をかけてすまないが、平静に業務に励んでくれるよう、君からよく云ってくれ給え」

しんと沁《し》み通るような声で云った。

「承知致しました、その点はどうかご懸念《けねん》なく——、ただ一万人の行員のことを慮《おもんぱか》り、くれぐれもご答弁は、程を得られますようお願い致します」

綿貫は巧みにつぼを押え込み、

「頭取、そろそろお時間です——」

と促すと、三雲は、たち上った。

廊下には、綿貫の腹心の長谷川総務部長が、大蔵委員会へ随行するために、厚い資料鞄《かばん》を抱えて待っていた。

三雲の車が、日本橋本石町から国会に向った一足先に、丸の内の阪神銀行東京支店からは、万俵大介が、芥川を従え、黒塗りのベンツで、国会へ向っていた。

衆議院大蔵委員会は、年末の国会というのに、ほぼ全員が顔を揃《そろ》え、自由党、社民党、民主党、公正党の大蔵委員三十五名がずらりと委員席に列《なら》び、近頃にない熱気を帯びている。

正面の壇上には、自由党の吉見委員長が着席し、壇下の左側、参考人席には、永田大蔵大臣をはじめ、春田銀行局長、大同銀行三雲頭取、阪神銀行万俵頭取の順に坐《すわ》り、右側には政府関係者随員が着席した。いつもはがらんとしている委員席後方にある記者席、傍聴席も、立錐《りっすい》の余地がないほど埋まり、今日の委員会になみなみならぬ関心が寄せられている。

午前十時から開かれた委員会は、代表質問に社民党の中根正義委員がたち、まず阪神特殊鋼への融資経過について、阪神銀行の万俵頭取と、大同銀行の三雲頭取からひとわたり聴取し、次に融資比率がメイン・バンクの阪神銀行より、サブの大同銀行の方が上廻った前後の経緯について、詳細に質疑したいと云い、問題はいよいよ核心に迫った。

「万俵頭取にお伺いします、あなたが阪神特殊鋼への融資を手控えようと考えた直接の原因は、何だったのですか」

中根委員は、委員席の二列目中央の自席にたち、厳しい表情で質問したが、机の上には、前夜、芥川から受け取った〝想定問答集〟が、ことさらに拡《ひろ》げた大部《たいぶ》の資料の間に、目だたぬようにさし挟《はさ》まれている。万俵は参考人席に起立し、

「直接の原因は、本年三月以降、特殊鋼業界の不況が長期化の様相を見せはじめましたので、高炉建設の一時中止を、阪神特殊鋼の経営陣に求めたのでありますが、聞き入れられなかったところにございます、阪神特殊鋼は、昨年十二月、大口輸出先であるアメリカン・ベアリング社からのキャンセルがあり、転売不能のストックを大量に抱えて、既に資金繰りが悪化しておりましたので、当行としては赤字覚悟のダンピングをしなければ製品が売れない不況下で、金利だけでも月二、三億にのぼる膨大な高炉建設はきわめて危険であり、高炉設備計画の変更を強く求めたのです、しかし阪神特殊鋼側は聞き入れず、経営方針がかくも相違致しましては、規定通りの融資は出来ないと判断したのでございます」

落ち着き払った口調で、答弁した。それは中根委員が資料の間に挟んでいる〝想定問答集〟の「答え」と一分《いちぶ》もたがわぬ答弁であった。

「なるほど、不況以前から資金繰りが悪化しているようじゃあ、資本金六十億の会社が、資本金の四倍を越える膨大な設備投資を強行するなど、無謀にも程がある、それにしても、万俵さん、阪神特殊鋼はあなたのところの系列企業でありまして、まして

や実質的な経営者はあなたのご子息じゃありませんか、にもかかわらず、メイン・バンクの位置を、なぜ他行に譲ったのか、常識では理解出来かねるので、その辺の事情を伺いたい」

中根が、いかにも革新議員ぶった容赦ない追及をし、新聞記者や傍聴席にまぎれ込んでいる阪神、大同銀行以外の銀行忍者たちも、それに対する万俵の答弁に耳を欹《そばだ》てた。

「中根先生のご指摘はまことにごもっともでございますが、当行は好んでメインをおりたのではない点を、何とぞご理解戴きたいと存じます、たとえ系列企業であっても、また経営者がわが子であっても、国民の皆さまの大切な預金を預かっております立場上、常に冷徹な判断に基づくモラルが、銀行家には課せられており、メインの当行が経営方針に疑問を持って融資を手控えれば、阪神特殊鋼も、自重してくれるものと秘《ひそ》かに期待しておりました、ところが阪神特殊鋼は、サブ・バンクの大同銀行さんの方へ走ってしまい、当行が事実上のメインでなくなったのに気付いたのは、大分、あとになってからというのが実情でございます」

万俵は、大蔵委員をはじめ、一同の好奇な視線を意識して、苦渋の表情を装いながら、自行の融資方針について、巧妙に正当性を主張した。隣席に坐っている三雲頭取の澄んだ眼に、万俵の欺瞞《ぎまん》を憤《いきどお》る色がうかんだが、永田大蔵大臣は、質疑応答を聞いているのか、いないのか、特徴のある三白眼を薄く閉じ、口をへの字につぼめたままであり、春田銀行局長も、委員会室の壁面に掛っている歴代の大蔵大臣の肖像画を無表情に見詰めている。

中根委員は、〝想定問答集〟の頁《ページ》をさり気なく繰り、

「では次に、大同銀行の三雲頭取にお伺いします、あなたは銀行家として、実の親さえ見放すような企業に貸し込んだのは、どういうわけですか、その判断の基準は、どこにあるのですか」

質問の鋒先《ほこさき》を三雲に向けた。

「大同銀行、三雲祥一君――」

壇上から、吉見委員長が三雲の発言を促した。三雲は、参考人席からたち上り、

「阪神特殊鋼への融資の基本理念は、先程も触れましたように、特殊鋼業界といえども高炉を持ち、一貫生産することが有用であり、業界の中でもずばぬけて優秀な技術を持つ阪神特殊鋼なら、それがなし得ると信じたからです、たとえ不測の輸出キャンセルがあり、不況になったとはいえ、確固とした将来の見通しの上にたった高炉設備計画をメイン・バンクがいたずらに危険視し、建設半ばで見捨てるなど、当行には想像も出来ないことでした」

穏やかではあるが、芯《しん》の強い語調で自己の信念を述べた。

「ほう、すると、あなたは阪神特殊鋼の高炉建設に全然、危惧《きぐ》の念を抱かれなかったというわけでしょうか」

「全く危惧を抱かなかったと申したら、嘘《うそ》になりますが、トップである万俵鉄平専務の不退転《ふたいてん》の決意が揺るがぬ限り、資金繰りさえ続けば、必ずや高炉建設は為《な》し遂げられると、信じておりました」

「しかし、一行の頭取として、それほどまでに信じていた結果が、倒産というのは、一体どうしたことですか、あなたは先程、阪神特殊鋼に対する最終的な融資残高は百五十一億と、いとも簡単に答えられたが、そのうち担保は、どれぐらい取っておられるのですか」

「九十八億八千万は電気炉の工場財団に入っておりますが、残りの五十二億二千万については高炉完成後、新たに工場財団を組成し、担保設定することになっておりました」

「ということは、要はその五十二億二千万については、無担保で貸していたわけで、あなたの融資態度は極めてルーズであると同時に、一般預金者をこれほど馬鹿《ばか》にした話はない、しかも私が調査したところによれば、本年六月三十日、大同銀行は、阪神特殊鋼が経営悪化の一途を辿《たど》っている最中《さなか》にもかかわらず、二百万株の株式を購入した事実がある、三雲頭取、これは一体どうしたことですか」

中根委員は、株式購入の証拠書類をこれ見よがしに右手で振りかざした。記者席はもちろん、傍聴席からも騒《ざわ》めきが起ったが、三雲は動じない視線を、ひたと中根委員に向け、

「それは阪神特殊鋼の方から安定株主として買い増して欲しいという依頼があり、従来の当行との取引関係からみて、その程度の持株なら差しつかえないと考え、購入したのです」

「たしかにそういう大義名分は成りたつかもしれないが、それにしては購入時期がいかにも不自然ではないですか、阪神特殊鋼は高炉設備資金調達の一環として、来春三月に増資計画があったことは私も調査ずみであり、当時、不況のあおりを受けて七十円台を低迷していた株価の下支《したざさ》えをして、増資環境をよくするために買い増したというのが真実じゃないのですか、そうだとすると、あなたは銀行家でありながら、証券取引法で禁止されている株価操作をおやりになったことになるのですよ、そんなこととは知らずに連れ買いした街の投資家は、阪神特殊鋼が倒産して一文の値打ちもなくなった株券を前に泣いているんです、それを、あなたはどう見ているのですか」

居丈高に、中根がきめつけた。三雲は突然、足もとを掬《すく》われたように口詰った。思いもかけぬ悪質な云《い》いがかりであった。

「株価操作など、私は考えもしなかったことですし、二百万株の買い増しが証券取引法に触れる株価操作になるなどとは考えられません」

と押し返すと、中根は三雲の言葉に耳をかさず、

「ではもう一度、万俵頭取に伺います、あなたの方には、株の買い増しの依頼があったのですか」

「阪神銀行、万俵大介君――」

吉見委員長が、万俵の氏名を呼んだ。万俵は起立し、

「当行には六月半ばに、株式買い増しの依頼がございました、しかし、当行としては高炉建設の一時中止を説得中でしたので、当然、依頼には応じませんでした」

「なるほど、以上でメイン・バンクの位置が逆転した前後の事情が解《わか》りました、メインの阪神銀行が高炉建設の中止を勧告した時点で、サブの大同銀行も、阪神特殊鋼の若い経営陣を抑えておれば、或《ある》いは今回の大型倒産は、避け得たのではないかと思われます」

中根がそう云いきると、

「委員長！」

三雲の広い額に青い筋がたち、委員長に向って発言を求めたが、中根はそれを遮《さえぎ》り、

「三雲頭取には、そのほかいろいろと聞きたいことがありますが、時間がないので、次の参考人に質問を進め、改めてご見解のほどは伺わせて戴きます」

一方的に三雲の発言を封じた。三雲が頭取として無能であり、阪神特殊鋼倒産の責任者であると印象づけるには、三雲の発言を封じてしまうことが最も効果的であった。しかも参考人側が、それに逆らってなおも発言を強行しようものなら、国会議員に対する不遜《ふそん》な態度として、どんな手段に出られるかしれない。三雲は、わなわなと唇を震わせた。

「委員長！　緊急に両行頭取について、関連質問があります」

大蔵委員席の最前列から声が上った。中根と同じ社民党の荒尾留七委員であった。

中根の表情が苦々しくなり、永田大蔵大臣と春田銀行局長も、大蔵委員会の〝爆弾男〟の異名を取る荒尾留七に胡散《うさん》臭げな視線を向けた。しかし、人いきれで蒸せかえりそうな委員会室の中で、もっとも動揺したのは、万俵大介であった。万俵のうしろに控えている芥川の顔色も、変った。〝想定問答集〟を中根代議士を通じて、荒尾代議士に手渡そうと工作したのが失敗していたからであった。

「最初に、万俵頭取にお伺いしたい」

荒尾委員は、東北の一介の郵便局員から組合幹部にのし上り、選挙に打って出た社民党代議士らしく、肩から胸にかけて筋肉が分厚く盛り上った頑丈な体軀《たいく》に闘志を漲《みなぎ》らせ、はじめから挑戦的な語調で万俵を名指した。万俵は、荒尾がこれから始める関連質問如何《いかん》では、先に、代表質問者の中根委員と交わした〝想定問答集〟が一気に吹っ飛び、真相が暴露されることによって、大同銀行の三雲頭取より、自分の方がとり返しのつかない場へ追いやられるのではないかと危惧した。

荒尾委員は、陽灼《ひや》けしたいかつい顔でぐいと、万俵を見据え、

「先程来、あなたの云っていることを聞いていると、阪神特殊鋼の万俵鉄平氏とは実の親子とはいえ、銀行家としての立場上、融資を手控えたと、まことに聞えのいいことを云っておられるが、銀行家というものは、本来、取引先の企業の経営がおかしくなった場合、あくまで企業を倒産させないよう、誠心誠意、努力するべきであるにもかかわらず、あなたのやり口をみていると、阪神特殊鋼の業績のいい時ばかり金を貸して金利を稼《かせ》ぎ、危うくなると、掌《てのひら》を返すように冷遇している、あなたはわが子といえども銀行の利鞘《りざや》が吸えなくなると、弊履《へいり》の如《ごと》く捨てようというのですか、それが万俵頭取のいう銀行家の社会的責任なんですか」

銀行家の偽善を引き剝《は》がすように詰め寄ると、委員席から、そうだ、そうだ！　と
いう野次が飛んだ。万俵は頰を硬《こわ》ばらせ、
「先生のお言葉ではございますが、私はいかなる場合も、預金者保護を第一義に考え
ており、息子もそれは承知しております」
　出来るだけ言葉短かに答弁した。
「じゃあ伺うが、阪神特殊鋼の経営問題について、あなたは同社の万俵専務との間で
どの程度、真剣な討議があったのですか」
「何分《なにぶん》、親子のことでございますから、お互いの性格論争までしながら、何とか阪神
特殊鋼の暴走を食い止めようと論議を尽しました、しかし何としても、息子は私の助
言を聞き入れませんでした」
「しかし、阪神特殊鋼には大株主がいるでしょう、真実、それほど危ういと解ってい
たら、なぜ大株主を集めて実情を訴え、阪神特殊鋼の経営陣に反省を求める努力をし
なかったのですか、あなたは性格論争とか何とか云っているが、腹の底ではいつ逃げ
よう、いつ逃げようと、そればかりを考えていたんでしょう！　どうなんです！」
「いえ、さようなことは全くございません」
「ない？　そんなことはないはずだ、胸に手をあててよく考えてみなさい、あなたは

いろいろ云いわけを云っているが、われわれの眼には、あなたの銀行は儲《もう》けるだけ儲けて、逃げてしまったとしか考えられない、つまりは食い逃げ、それも親が子から食い逃げしたようなものだ、そういう意味では問題児を後でおしつけられた三雲頭取の方に、むしろ同情の余地すらある」

語気を強めて、万俵を吊《つる》し上げた。傍聴席にもぐり込んでいる各行の忍者たちはさすがに遠慮して視線を落したが、新聞記者たちは小気味よさそうに、鉛筆を走らせている。

「さて、その三雲頭取だが、同情の余地があるとはいえ、親も見捨てる子会社の後を、あなたのところは何故《なぜ》、引き受けたのですか、大同銀行と阪神銀行の間には交換融資、たとえば、あなたの銀行で手に負えなくなった企業の面倒を阪神がみるかわり、大同の方で阪神特殊鋼の面倒をみるというようなバーター取引があったのではないのですか、もしそんなことで阪神特殊鋼の融資を引き受けたとなれば、あなた方は一般大衆の預金を何と心得ているのか、あなた方の銀行の預金は、国民大衆が手にまめをつくり、朝は朝星、夜は夜星をいただき、一生懸命働いて貯《たくわ》えた命から二番目に大事な金なんですよ、国民がそんな融資を承認すると思っているのですか！」

荒尾委員は、三雲に向って噛《か》みついた。

「大同銀行、三雲祥一君」

吉見委員長が、三雲の答弁を促した。三雲はアサヒ石鹸《せっけん》のことが脳裡《り》を掠《かす》め、もしや綿貫千太郎が歪曲《わいきょく》して部外者に喋《しゃべ》ったのではないかと思ったが、

「そのようなバーター取引は一切、ございません」

きっぱりした口調で否定した。

「それでは阪神特殊鋼への深入りは、頭取のあなたの責任においてしたことなのですか」

「たしかに私の判断で融資を続行しました、ですが、ここではっきり申し上げたいことがあります、それは阪神銀行が見せかけ融資というような形で、何故《なぜ》、当行に故意に貸し込ませたかということで、この点、万俵頭取に不信の念を払拭《ふっしょく》できません」

銀行家の良心を問うように云うと、

「なに、見せかけ融資――、これは聞き捨てならぬ大問題だ、万俵頭取、あなたはそんな詐欺《さぎ》行為のような悪質な操作をしてまで、なぜ大同銀行に貸し込ませたのですか、かくなる上は阪神特殊鋼の倒産は、メインが計画倒産を意図して、貸金を引き揚げた疑いがある、万俵さん、どうなんですか!」

荒尾委員は、嗄《しわが》れ声を一段と張り上げ、机を叩《たた》いた。委員会は騒然とした。万俵は

全身、血の気が引く思いで、答弁の方法を思いめぐらした。

「委員諸君、静粛に！　阪神銀行、万俵大介君」

吉見委員長はそう制しながら、自身も意外な事態の成行きに昂奮《こうふん》の気配を見せている。

「お答え申し上げます、見せかけ融資を当行が行なっていたとのお疑いでございますが、三雲頭取の何らかの思い違いとしか考えられません、思うにそれは阪神特殊鋼のことで、当行が融資を手控えた事実を、阪神特殊鋼は大同銀行さんに知られ、融資が削減されるのを恐れて、当行があたかも従来通りのペースで貸し出しているように粉飾した帳簿を渡していたそのことを、云っておられるのだと思います、ご不審と思われましたら、阪神特殊鋼の管財人にご照会下さいますよう」

少しでも弱味を見せればつけ込まれるから、万俵は机の下の足を踏ん張り、毅然《きぜん》たる態度で斬《き》り返した。荒尾委員は一瞬、ひるむような気配を見せたが、三雲はいささかもひるまず、発言を求めかけると、

「委員長！」

三雲より一手早く、中根委員が挙手した。

「中根正義君」

委員長は、中根委員の発言を許可した。

「時間もあと余りありませんので、私がまだし残している質問をさせて戴きたいと思いますが、その前に三雲頭取に補足して伺います、只今《ただいま》、あなたは見せかけ融資とかおっしゃいましたが、よく聞けば、要はあなたが阪神特殊鋼に騙《だま》されていたのではないですか、企業の将来性の見通しの誤りといい、経営者に対する見誤りといい、失礼ながら、都市銀行頭取としての資格は、あなたにはありませんよ、反省しておられるのでしょうね」

中根委員は、阪神銀行から受け取った〝想定問答集〟を巧みに割り込ませて迫った。

三雲は顔を青ざめさせながら、

「私には私なりに申し上げたいことがたくさんありますが、結果的にこういう事態となった以上、反省はしております、しかし、これだけは国会という場においてどうしても申し上げたい――」

と云い、見せかけ融資を指示したのは万俵だと云いかけると、中根の声がおっかぶさった。

「いや、解りました、しかし、この国会という場において、今度の問題は大同銀行の不明の致すところだと認め、反省しているのですね、それならば結構です」

有無《うむ》を云わさず、三雲の良心の訴えを、言葉の暴力で押し潰《つぶ》してしまい、

「次に、永田大蔵大臣に伺います、今度の問題で大蔵省の監督責任を感じていますか」

中根委員は、勢いづくように云った。

「大蔵大臣、永田格君」

吉見委員長がやや改まった語調で呼ぶと、永田大臣は半ば閉じていた三白眼をゆっくり開け、きりぎりすのような痩身《そうしん》で、たち上った。

「監督が充分、行き届いていなかったことは遺憾に思います、今後はこういう事態が発生しないよう、銀行検査は必要に応じて厳しくやっていく所存であります」

言葉は慇懃《いんぎん》だが、中根の追及など蚊《か》が止まったほどにも感じていない紋切型の答弁をした。しかし中根の方は大蔵大臣を相手取っての代表質問に気負いたち、

「今回の問題で銀行の経理に与える影響を、大臣はどう考えておられますか、経営不安を起す怖《おそ》れはないのですか」

「阪神特殊鋼は更生会社として、現在、既に再建の道を歩んでおり、私に報告されているところでも、更生会社として運営よろしきを得れば、比較的早期に再建される見通しなので、阪神特殊鋼の倒産が銀行の経営に致命的な打撃を与えるところまでは行

っておりません、また経営不安についても、下請け、関連企業に対する対策は、両行ともに万全を尽すといっておりますので、これ以上拡《ひろ》がらないと信じます」

「では、大蔵大臣、あなたは一社に対する銀行の融資額は、どの程度までが適正であると考えていますか、大口融資の規制問題については、以前から問題になっており、今回の阪神特殊鋼倒産を契機に具体的に規制法案をつくる考えはないのですか」

「その点に関しては、検討に値する課題ではありますので、数年前、銀行局でアメリカの規制法案を研究させましたが、目下のところは考えておりません」

永田大臣は、ぬらりと逃げを打った。

「春田銀行局長、そのアメリカの大口融資規制法案とはどういう内容のものですか」

「銀行局長、春田透《ひでる》君」

「お答え申し上げます、アメリカでは一社に対して自己資本の一〇パーセント以下という制限があり、それを日本に導入し得るものか否《いな》か、調査、研究致しましたが、わが国とアメリカとでは国情の相違もございまして、目下は、銀行の経営責任において、自主的に制限するよう厳しく指導しております」

春田銀行局長は、慇懃鄭《てい》重《ちょう》に、もの馴《な》れた答弁をした。

「なるほど銀行の経営責任においてですね、となると永田大臣、今回の場合、貴重な大衆預金を預かる金融機関として、軽率であったということになるならば、金融機関の責任者を追及する方策はあるのですか、もしあるとすれば、それはいかなる根拠に基づいて行なうのですか」

なおも執拗《しつよう》に食い下ると、永田大臣は、

「銀行法第二十三条、法令違反、公益侵害等に対する処分の項目に基づいて行なうことになります、条文については銀行局長より説明させます」

と云い、すぐ春田銀行局長が答弁した。

「第二十三条の条文を申し上げます、『銀行ガ法令、定款若《ていかんもしく》ハ主務大臣ノ命令ニ違反シ又ハ公益ヲ害スベキ行為ヲ為《な》シタルトキハ主務大臣ハ業務ノ停止若ハ取締役、監査役ノ改任ヲ命ジ又ハ営業ノ免許ヲ取消スコトヲ得』となっております」

「では大臣は、今回の問題で両行に対し、銀行法第二十三条を適用する考えはあるのですか」

永田大臣は、三白眼をちかっと光らせ、

「この問題については、阪神特殊鋼の債権債務の問題も、いまだ結論が出ておりませんが、その結果を待って、もし当局で銀行経営の任にあらずと考えれば、当然、厳しい措置をもって臨むつもりです」

と答弁すると、中根委員は満足げに頷《うなず》き、吉見委員長が壇上から、

「本日の大蔵委員会は、これにて終了致します」

閉会を告げた。万俵の顔に九死に一生を得た安堵《あんど》の色がうかび、隣席の三雲は、最後の永田大蔵大臣の発言で、今日の大蔵委員会が最初から一つの方向付けをもって開かれていたことに気付き、顔面を蒼白《そうはく》にした。

# 五　章

万俵鉄平は、早朝の雪の山道を猟犬一匹を連れ、独り登っていた。

眼前に丹波《たんば》の中央部を縦走する多紀《たき》連山が雪を頂いた容《すがた》を見せ、その一つである三岳《みたけ》山の山道は、氷点下の寒さのために凍《い》てつき、空気まで氷のように硬く冷たい。鉄平は肩にジェームス・パーディの猟銃をかけ、俄《にわ》かに険しくなった山道を鉈《なた》で枝を払い、一足ごとに足場をつくりながら、登っていた。手足の先が凍《こご》え、一足進む度に息が切れ、吐く息がすぐ凍りつくようで、激しく苦しい歩足《ほそく》であったが、今の万俵鉄平にとっては、そうして肉体を傷《いた》めつける日々が、せめてもの心の救いであった。

足を止め、山の頂を仰ぐと、北の斜面から雪が降りはじめている。阪神特殊鋼を明け渡した日、ぼたん雪が降りしきっていたことが鉄平の胸を掠《かす》めたが、過去の思い出を振り払うように再び険しい山道を登った。行き止まりの沢まで来ると、犬は戸惑うように鉄平を仰いだが、鉄平は凍てついた岩に足もとが滑らぬよう注意しながら、ずんずん下りて行き、沢を渡ると、道なき道に踏み入った。

不意に猟犬が、くんくんと雪に覆《おお》われている地面に鼻をすりつけ、逆毛をたてた。山兎《やまうさぎ》の足跡らしい小さな跡形がついている。鉄平は銃をかまえながら、犬のあとを追った。突然、眼の先の窪《くぼ》みにかさっと音がし、枯れた叢《くさむら》から兎が飛び出した。

ターン！

発砲すると、茶褐色の山兎が宙に撥《は》ね上り、叢に落ちた。猟犬がすぐ血を滴《したた》らせた大きな山兎をくわえて来た。鉄平は、山兎の両耳を摑《つか》み、再び山中を上りかけると、どっどっどっと、枯枝を踏みつけながら鉄平の方に向って来る音がした。はっと身構えると、

「誰かのう！」

人声がし、猟犬が尾を振った。

「市太爺《いちたじい》さんのところにいる万俵だ！」

「おう、万俵の若旦《だん》那さんか、鉄砲の音がしたんで、何かと飛んで来たんや」

猟銃を手にした市太老のところの勢子《せこ》であった。今日の猪猟《ししりょう》のために、猪《いのしし》の餌《え》ばみの跡や足跡を先見《さきみ》に来ているのだった。鉄平が手にぶら下げている兎を見、

「この上の尾根に、猪の足跡が見つかりましたでぇ、足跡の大きさからみて、親猪らしい、早よ報《しら》せんことにゃあ――」

と云《い》い、鉄平を促して雪の山道を下りながら、
「若旦那さん、毎朝、ようご精が出ますな、山歩きも大分、馴《な》れなはったやろ」
岡本の邸《やしき》を出、妻子を東京の妻の実家へ送って行った後、暫《しばら》く一人で考えたいから
と、妻にも行先《ゆきさき》を告げず、祖父の代からの付き合いである多紀連山の麓《ふもと》にある草山村
の猟師、大垣市太老の家に身を寄せているのだった。
山麓《さんろく》まで下り、ライトバンに乗って、市太老の家まで帰って来ると、土間で十頭の
猟犬が、麦と米と猪の臓物を混ぜた餌《えさ》を貪《むさぼ》るように食べ、炉ばたには、味噌汁《みそしる》が湯気
をたてて煮たっていた。勢子が猪の足跡を見付けたことを告げると、市太老の長男の
市郎をはじめ、そこに集まっている地元の猟師たちは、歓声を上げ、腹ごしらえにか
かった。
市太老は、炉ばたの正面に鉄平を迎え、
「さあ、さあ、若旦那さん、濡《ぬ》れた皮の上衣《うわぎ》は脱いで——、その山兎はわしがワタヌ
キしときますよって、早う温まりなはれ、山歩きもええけど、こう毎朝では体にこた
え、なんぼなんでも無茶や、先代の大旦那さんがおられたら、大目玉もんよ、のう」
市太老は二言目には、先代の大旦那さんと云い、鉄平が容貌《ようぼう》、体軀《たいく》、性格ともに先
代に似ていることを懐《なつ》かしみ、鉄平がここ暫く逗留《とうりゅう》したいが、家には黙っていてほし

いと云った時も、理由などきかず、鉄平のために別棟になっている自分の隠居部屋を空けて、迎え入れたのだった。

鉄平は、市太老がよそってくれた味噌汁の椀《わん》を受け取り、ふうふう吹きさましながら箸《はし》をつけていると、表戸が開き、いつものように昨日《きのう》の夕刊と朝刊が一緒に放り込まれた。土間の上框《あがりがまち》で朝食を食べていた勢子の一人が、炉ばたに置いたのを、鉄平は二杯目のご飯を所望しながら、まず夕刊に眼を向け、はっと箸を止めた。

大蔵委　阪神特殊鋼倒産に関連し
　　大同、阪神銀行頭取を喚問

一面左側の肩に、大きな見出しが出ている。鉄平は、新聞を鷲摑《わしづか》みにして、記事に眼を走らせた。そこには昨日、衆議院大蔵委員会に、大同、阪神両行頭取が喚問され、阪神特殊鋼への融資経過について厳しい追及を受けたことが記《しる》されている。そして阪神銀行の頭取である万俵大介より、大同銀行の三雲頭取の方に放漫融資、不良貸付としての厳しい責任が問われていることに、鉄平は五体が引き裂かれるような痛みを覚え、つい先刻《さっき》まで肉体を酷使し、いためつけることによって忘れようと努めて来たことが、どっと思い返された。

「若旦那さん、発《た》つ用意でけましたでぇ」

地下足袋に足もとを固め、銃を肩にかけた市太老の長男の市郎を先頭に、猟師や勢子たちが、十頭の猟犬を引き連れてたち上ったが、鉄平は放心したように応《こた》えなかった。

「どうしなはった、若旦那さん！」

市太老が訝《いぶか》しげに促した時、鉄平ははっと我に返り、

「すまないが、先に行ってほしい、尾根の場所は解《わか》っているから後を追う――」

辛うじてそう云い、もう一度、新聞を拡《ひろ》げ、二面に詳細が記されている記事を読んだ。明らかに父、万俵大介は、何らかの奸計《かんけい》をもって、三雲頭取を陥れる策を計り、三雲頭取はその罠《わな》に落ち、満身創痍《そうい》になっている――。「三雲さん、あなたは企業の将来性を見誤ったばかりでなく、経営者まで見誤っている、都市銀行の頭取としての資格などあなたにはない」「大蔵大臣は、今度の問題で監督すべき金融機関の責任者を処分する方策を考えていないのか」――、鉄平の耳朶《じだ》に父に踊らされて三雲頭取を弾劾《だんがい》する政治家の声が聞えて来るようで、いたたまれなかった。無理に閉じていた心の創口《きずぐち》が鋭く裂け、どくどくと血を噴き出すような思いであった。鉄平は眼を閉じ、

突き上げて来るものに耐えようとした。だが、いつの間にか有線電話のハンドルを廻し、東京の三雲の家の番号を申し込んでいた。まだ八時前だから、三雲頭取は在宅しているはずであった。やっと電話が繋《つな》がった。

「もしもし、三雲さんのお宅ですね、頭取をお願い致します、万俵鉄平です」

と云うと、老婢《ろうひ》らしい声で、

「一足違いで、たった今、お出ましになりました、もしもし、少々、お待ちを――」

と応え、受話器の向うで声が変った。

「もしもし、万俵さん――、志保でございます、どちらにいらっしゃるのです」

鉄平は、言葉に詰ったが、

「丹波の篠山《ささやま》の知人宅です、今、新聞を見て、昨日の大蔵委員会のことを知り、三雲頭取に何とお詫《わ》び申し上げていいか、それでお電話をさし上げたのです……」

志保は暫く、言葉を跡切《とぎ》らせ、

「父はもうすべてを覚悟しているようでございますわ、それより万俵さんの行方が知れないことを気にかけておりました、どうか只今《ただいま》の居場所をおっしゃって下さいまし」

細い静かな声であったが、一筋の温かい心の流れが伝わって来た。鉄平は瞬時、迷ったが、昨年十一月に三雲頭取と猪撃ちに来たところですと、志保に告げた。

三雲は、大蔵省の正面玄関を入り、大臣室のある二階に向って階段を上りながら、つい今しがた、大同銀行を出て来る時、自宅からかかって来た娘の志保の迫るような声を思い返した。

――今、万俵鉄平さんからお電話がありましたの、丹波の篠山に蟄居《ちつきょ》していらして、新聞を見て、はじめて昨日の大蔵委員会のことを知って、三雲頭取にすまない、自責の念で一杯だと、そうおっしゃって……、お父さま、鉄平さんを許してあげて――と、懸命な声で伝えて来たのだった。そうした念《ねが》いを伝えて来た愛娘《まなむすめ》へのいとおしさと、さらに自分がこの人物ならばと賭《か》けた万俵鉄平が、今は丹波の山中に蟄居しているということが、三雲の胸の中で重なり合った。

階段を上り、左へ折れると、官房長室、事務次官室、政務次官室が並び、大臣室に通じる廊下は、慌《あわただ》しい朝の官庁とは思えぬ静けさに包まれている。昨日、大蔵委員会が閉会し、銀行に帰りついた三雲の後を追うように春田銀行局長から電話があり、

「明朝、永田大臣がお呼びですので、午前九時十五分に大蔵大臣室までお出向き願い

たい」と云って来たのだった。大蔵委員会に喚問されたすぐ翌日であり、しかも、午前九時十五分という、まだ大蔵省詰めの新聞記者たちが出て来ていない時刻だけに、三雲は、厳しい叱責《しっせき》を覚悟していた。

大蔵大臣室の前まで来ると、かっきり九時十五分であった。隣接している秘書官室をノックすると、すぐ大臣室へ案内された。

三十坪ほどの広さの大臣室には、執務用の大きな机と応接用ソファ、会議用の大テーブルが配置され、国旗が掲揚されている。

永田大蔵大臣は国旗の前のソファに坐《すわ》っていたが、春田銀行局長のみならず、井床銀行課長まで陪席していることに、三雲は異様な思いがした。

「この度は何かと当局にご迷惑をおかけし、大臣にまでご心労をおかけして、申しわけございません」

大蔵委員会に、永田大蔵大臣まで参考人として出席しなければならなかったことを、詫《わ》びた。

「ご足労です——」

永田大臣はにこりともせず、自分と向い合った椅子《いす》をすすめ、

「阪神特殊鋼への不良融資に関していろいろと報告書を読み、昨日の大蔵委員会の質

疑応答を聞いていると、結局、大同銀行の体質に起因しているようだが、三雲君としてはこの問題にどう対処するつもりでいるのですかねぇ」

「私と致しましては、阪神特殊鋼へのこげつきを整理して、ちゃんと軌道に乗せてから、引責辞任を致すつもりでおります」

三雲は姿勢を正して云いながら、陪席している井床銀行課長が自分の発言をメモしていることに気付いた。

「だが、問題は三雲君の考え通り軌道に乗るか、どうかだが、銀行局長の報告によると、大同銀行の傷は予想以上に深く、君のところの力だけで、傷あとの整理が出来るか疑問だと云っている、事実、頭取が責任を取っただけですむ話ではなさそうなので、君に来て貰《もら》った次第ですよ」

永田大臣の言葉には、複雑なニュアンスがあった。

「その点につきましては、当行では連日、役員会を開いて善後策を検討し、何とか後《あと》処理できるめどをつけております」

と云うと、永田はそれには応えず、かわって春田銀行局長が口を開いた。

「今度の問題を通して一番、痛感するのは、大臣もご指摘になったように御行《おんこう》の融資の仕方、人、組織を含めた体質自体の脆《もろ》さですね、大きな融資先にはいつも他行のあとに随《つ》いて、いわゆる〝二位銀行〟として融資しているうちは、そうした旧態依然たる体質でもぼろを出さずにすまれたんでしょうが、鉄鋼のような基幹産業のメインになって、リードして行くとなると、現状でははっきり云って力不足で、都市銀行として、今まで通り独りだちしていけるものか甚《はなは》だ心もとないと思います、先日、松平日銀総裁の意見を聞いてみましたが、やはりちょっと独力では難かしいのではないかというようなご意見でしたよ」

「そんなはずはないと存じます、松平総裁には逐次、経過を報告し、何とか独力で大同銀行の傷あとを改善するという方向で、いろいろ助言を戴《いただ》いております」

三雲は、きっぱり云った。

「そりゃあ、君に対する激励の意味じゃないかね、総裁は、春田君に事実そう云っているんだろう」

永田は、三雲の言葉を無視するように云うと、春田は、

「そうです、実は、大同銀行の経営を改善するにはどうすればよいか、日銀としてどれだけの協力が出来るのか、その辺を総裁に打診してみたのですが、日銀として大同銀行の面倒見をどうするかという具体的な話にはならず、むしろ現在、大同銀行が背負っている深傷《ふかで》では、とても独力でやっていけないという判断をしている感じです、

もちろん、日銀出身の三雲さんにかかわることですから、はっきりとした云い方は避けておられますが――」

「独力で駄目なら、どこかに手をかりないといかんではないか」

永田の三白眼が、じろりと三雲の方を見た。

「とおっしゃいますと、まさか、どこかと合併を……」

三雲は愕然《がくぜん》とした。大蔵大臣じきじきの手厳しい叱責は覚悟して来たが、まさか他行との合併勧告が持ち出されるとは予想だにしないことであった。

「三雲君、僕も今度のことでは心配して、金融界の心ある人の意見を聞いてみたところ、大同銀行と合併してもという意向をもっているところが、一、二あるようだし、春田君のところには、他《ほか》にもいろいろと青写真があるらしいじゃないか」

「たしかに複数の銀行から非公式な意思表示がありますから、私の方でいろんな角度から検討してみたところ、たまたま阪神銀行から、今度の阪神特殊鋼への融資については、親銀行として道義的な責任を感じているから、大同銀行の多額のこげつきの整理には積極的な協力をしたいと云って来ているので、この際、阪神銀行との合併が、一つの有力な考え方ではないかと存じます」

春田が、改まって永田大臣に具申するように云うと、永田は、

「うむ、それも一つの考え方だね」

いかにも初耳のように頷《うなず》き、三雲にいささかの疑いも持たせぬような老獪極《ろうかいきわ》まる云い方をしたが、三雲の脳裡《り》には、今まで絶えず、何かガラスが曇っているような感じであったのが、今、はっきり拭《ぬぐ》われた思いがした。だが、大同銀行のために日夜業務に励んでいる役職員たちが、この話を耳にすれば、いかに激怒するであろうかと思うと、胸が締めつけられた。三雲はひたと眼を上げた。

「大臣、お言葉を返すようでございますが、当行には、他行との合併によって、現在の危機を乗り切ろうなどという意見は、役員の誰一人として持っておりません、よしんば、かりに、私がその気持になっても、大同銀行一万人の行員は、大臣のお言葉の方向へは動かないと存じます」

大臣の要求を拒んだ。陪席している春田は苦い表情をし、その横で、びっしりメモを取っている井床銀行課長も、思わず手を止めたが、永田はきりぎりすのように痩《や》せ細った体をゆっくり椅子から起し、

「三雲君、何しろ突然の話で、君もびっくりしただろうし、何もここで即答して貰おうとは思っていないよ、まあ、役員会にもかけて慎重に考えてから返事してくれ給《たま》え、しかし、僕の善意は大事にしてもらいたい」

三白眼を光らせ、止《とど》めを刺すように云うと、春田は、

「じゃあ、これで――」

と云い、永田・三雲会談は、僅《わず》か二十五分で一方的に打ち切られた。

大蔵省から大同銀行へ帰った三雲頭取は、直ちに緊急役員会を招集した。

今朝《けさ》、午前九時十五分に三雲が大蔵大臣室に呼び出されていることを知っている専務、常務たちは、三雲の帰行を待機していたから、すぐ役員会議室に参集した。

三雲はさし迫った表情で、

「緊急役員会を招集したのは、ほかでもない、実は先程、永田大蔵大臣に呼ばれ、今回の件を契機にして阪神銀行との合併を勧告された、あまりにも唐突《とうとつ》であり、大同銀行の死活に関することなので、私としては大臣のお言葉に副《そ》える自信はないと云って来たが、当局がそこまでいうことは、当行にとって重大な経営危機と云わざるを得ないから、諸君の忌憚《きたん》のない意見を聞かせて貰いたい」

と云うと、愕然とするだろうと思った役員たちは、妙にしんと黙り込んだ。真っ先に激怒するはずの綿貫専務をはじめとする業務担当の小島常務、人事担当の山之内常

務、総務企画担当の角野常務らの生抜き派はちらっと上眼遣《うわめ》いに三雲を見、中間派である経理担当の夏目専務と事務能率担当の中原常務は口を噤《つぐ》み、三雲と同じ日銀天下りの外国担当の白河専務だけが、あまりのことに顔を蒼《あお》ざめさせた。三雲はそうした沈黙に尋常でないものを感じた。そして中間派の夏目専務に向って、

「夏目君、あなたの意見はどうです」

と促すと、夏目は温和な眼をまごつかせるように瞬《まばた》きし、

「頭取が、即答を拒否して帰って来られたのは、一行の頭取としてごりっぱな態度だと思います――」

「いや、僕が聞いているのは、阪神銀行との合併に対する君の意見ですよ」

重ねて云《い》うと、横合いから綿貫が、口を挟《はさ》んだ。

「ほかならぬ銀行局長が同席の上で、大蔵大臣から阪神銀行との合併を勧告された限りは、頭から蹴《け》らず、この席上で討議すべきだと思います」

三雲は、きっとした視線で、綿貫を見た。

「綿貫君、君は大蔵大臣の意見をもっともだと思うのかね」

「いえ、そうは申しておりません、ただわれわれは、大蔵省の監督下にあって営業して来ているので、当局とことをかまえたくない、いやしくも大蔵大臣じきじきの勧告

を、頭から拒否するのはいかがなものでしょう、そうまで云われる限り、大臣として何か、それなりのお考えがあるのではないでしょうか」

「たとえ何らかの考えがあったとしても、まことに非礼な話だと思う、いやしくも公《おおやけ》の金融機関に対して、何の前ぶれもなく、突如、合併話を切り出すなど、私はむしろ大臣の方が非礼だと思う、それでも、綿貫君、君はおめおめとこの合併勧告を受け入れるというのですか」

毅然《きぜん》と云った。

「いや、そこのところが問題でございますよ、大蔵省の許認可で動いている銀行として、大蔵大臣がそういう言葉を洩らされるということは、事務当局として、それが望ましいと思っている証拠だと考えねばならないのではないでしょうか」

叩《たた》きあげの専務らしい老練さで、やんわりと云い返すと、

「綿貫君の話を聞いていると、まるで阪神銀行との合併を歓迎しているようじゃないか」

「とんでもありません、しかし私は、最近の金融情勢を見るにつけ、いつかは当行も合併に踏みきらねばならんと思ってはいました、もちろん、どこと特定の相手を考えたわけではありませんが、今、頭取のお話を聞き、この際、大臣のお言葉を冷静に受

け入れるべきではないかと存じます、当行にとって不為《ふため》になる話ではないと思われますので――」

「君は、一体、何をもって、不為ではないと云うのかね」

「実は、もし合併しなくてはならぬのならと、私の頭の中で考えておりました中に、たまたま阪神銀行が入っておりましたので――」

あとは言葉を濁すように云うと、綿貫派の業務担当常務である小島が発言した。

「頭取、先刻来のお話を伺っておりますと、もし頭取にご決意があれば、阪神銀行なら手頃の相手でありますから、検討の余地があるように思います」

と云うと、同じく綿貫派の人事担当の山之内常務が、

「人の和という点から考えても、貯蓄銀行から今日《こんにち》、都市銀行にのし上った苦労人の多い当行員と、地銀的都市銀行である阪神銀行の行員とは、どこか一脈相通じるものがあり、一考に値すると存じますが――」

同調しかけると、日銀天下り派である白河専務が激しく遮《さえぎ》った。

「君たちは突然、何を云い出すのだ、君たちがいつも云う大衆と密着した当行の特殊性とか、自主独立路線というのは、一体、どうなるのだ、ちょっと大蔵省から厳しいことを云われたからといって、そんなにびくびくするのはやめ給え、だから、つけ込

まれるのですよ！」

昂奮《こうふん》のあまり、綿貫たち生抜き派を指さして非難し、一触即発の気配がたち籠《こ》めた。

三雲も顔を紅潮させ、

「そうした諸君の年来の気持を汲《く》んだればこそ、私は今日の勧告に反対して来たのだ、もちろん、私も大勢観としては、金融再編成の流れの中で、合併を考えている、しかし、大蔵大臣から突如として切り出された阪神銀行との合併勧告はおかしい、それではまるで阪神特殊鋼倒産に関連して、傷もの同士が一緒になれという類《たぐ》いの話で、そんな姑息《こそく》的な合併は、いつかは必ず悲劇的な結果に終る、合併はやるからにはそれが終着駅になるような志《こころざし》の高い合併でなければならない」

と云うと、白河専務がまた呼応した。

「同感です、どこかが合併すれば、すぐ追い越されてしまうような合併では意義がないし、大同銀行の大きな将来に繋《つな》がらない」

正論を打ち出すと、綿貫は赭《あか》ら顔をまっ赤《か》に光らせ、

「そこまでご深慮のほど有難うございますが、たとえ大同銀行の名は消えても、実を生かすという考え方もありますよ」

開き直るように云うと、三雲の顔に青筋がたった。

「君は、大同銀行を売る気ですか！」

面罵《めんば》するように云った。綿貫は鼻翼を膨《ふく》らませ、

「あなた方こそ、次々と歴代、日銀から天下って来て、われわれの銀行のために何をやってくれましたか？何もしてくれなかったじゃあないですか、苦節四十年のわれわれ生抜き派の結論が、名を捨てて実を生かすための合併です、あなた方がもっとしっかりし、当行のことを思ってくれていたら、或《あるい》はこうした考えにならなかったかもしれないのだ！」

売り言葉に買い言葉のように応じると、白河が、

「何を云う！私たちがおったればこそ、今後の国際競争に備えて、外国為替《かわせ》部門をいち早く強化し、最初はたった六人であった調査部を充実し、都市銀行にふさわしい体裁を整えられたのではないか」

と云い、中間派の夏目専務を三雲派へ引きずり込むように、

「夏目君、三専務の一人として、あなたの忌憚のない意見を承りたい」

と迫ると、既に綿貫の根廻しで、新銀行の専務の椅子《いす》を確約されている夏目は、

「白河さんと綿貫さんの両氏、それぞれのご意見がおありでしょうが、阪神特殊鋼への貸込みで当行の経営が危機に瀕《ひん》している時だけに、ここは大蔵省当局から出された

合併案にのっておけば、何かとバック・アップを得られ、将来、当行の屋台骨を揺がすような破綻《はたん》は避けられるものと思います」

と応《こた》えると、その言葉におっかぶせるように人事担当の山之内常務が突如、たち上った。

「頭取、実は白河専務以外の、ここに列席している役員たちは、綿貫専務を筆頭に、既に阪神銀行との合併の決意を固めております」

「なに！　まさか、それは、ほんとうか……」

固唾《かたず》を呑《の》んで一同を見渡すと、白河専務以外の役員は、黙って頷《うなず》いた。紅潮した三雲の顔からさっと血の気が退《ひ》いた。綿貫は、そんな三雲の手ごたえをじっと、確かめてから、

「実は、大蔵委員会の喚問がすまれたら申し上げようと思っていたのですが、まさか大蔵大臣からのお呼出しがあるとは予想だに出来ず、大臣に会われる前にお話し申し上げられなくて、残念ですが、われわれの意見は、固まっておりました」

白河専務のニューヨーク出張中を狙《ねら》って、ことを決してしまったのだった。熱気をはらんだ会議室は一転して冷え冷えとしたうそ寒さに掩《おお》われた。

「それにしても、なぜもっと早い時期に、率直に話してくれなかったのだ」

三雲は腸《はらわた》からこみ上げて来る怒りを抑え、やっとそう云うと、綿貫は俄《にわ》かに下手《したで》に出たもの腰で、

「しかし、頭取にご相談を申し上げ、万一、頭取がご賛成でない場合でも、私どもとしてはこの際、阪神銀行との合併は行なった方が当行のためになるという使命感に燃えており、頭取に弓をひくことになりますので、止《や》むなくこのような形になったのです」

と応えると、三雲はまだ全面的に信じられぬ思いで、

「もう一度だけ、役員諸君に聞く、諸君らは綿貫専務とほんとうに意見、行動を共にしているのか」

搾《しぼ》り出すように悲痛な声で確かめると、もはやどの顔も三雲頭取から視線を逸《そ》らせ、綿貫専務の方を注目している。綿貫は徐《おもむ》ろにたち上り、

「頭取、甚《はなは》だ申し上げにくいことでございますが、既に私たちは書状をもって、互いの意思を確認し合っております」

と云い、上衣《うわぎ》の内ポケットから連判状を出して、三雲の前に拡《ひろ》げた。取締役以上の全役員十六名のうち、十一名が連判していた。三雲は、突如、背後から断崖《だんがい》に突き落されたような衝撃に襲われ、眼が眩《くら》んだ。

「なお、ご納得が行かぬようでございましたら、取締役も招集して役員会としての採決を取るように取り計らいますが——」

三雲は、首を振った。

「連判状まであるのなら、今さら採決の必要はない、私は日銀から大同銀行の頭取に就任した時、いつの日にか、大同銀行生抜きの人に、頭取の座を渡したいと思って来たが、私の非力で、心ならずも意を達せずじまいであったことを恥じる、今回、阪神特殊鋼の問題で、阪神銀行との合併を当局から迫られ、君たちと胸襟《きょうきん》を開いて話し合ってみたかった——」

三雲は、思いを残すように云い、

「しかし、もはや、君たちの心が奈辺《なへん》にあるかが解《わか》った、私としてはすべて終ったから、あとは君たちに任せる——」

と云うと、三雲は潔《いさぎよ》く椅子からたち上った。綿貫たちのクーデターは成功したのだった。三雲は椅子から離れると、息を殺すように自分を見詰めている役員たちに背を向け、扉《とびら》に向って静かに歩き、独り役員室を去った。

＊

いつもより早く眠りから覚めた万俵大介の眼の下の窪《くぼ》みに、にんまりとした笑いが溜《た》まった。自分の野心が満たされた時に見せる快い緩みをもった笑いであった。昨夜、大同銀行の綿貫専務から、クーデターが成功し、三雲頭取はあとは君たちに任せるといい残し、役員会の席を去ったと伝えて来た。そのことが、万俵の心を満たしているのだった。時計を見ると、まだ七時前である。寝室の暖房は適度にきいていた。両側のベッドに視線を移すと、相子の豊満で露《あら》わな肢体と、寧子の雛《ひな》人形のように白い小柄な体が横たわり、どちらもぐっすりと眠っている。クーデター成功の報《しら》せを耳にした万俵は、異様な昂《たかぶ》りの中で、久しぶりに妻妾同衾《さいしょうどうきん》の淫《みだ》らな娯《たの》しみを貪《むさぼ》り、心身ともにたっぷりとした快楽を堪能《たんのう》したのだった。万俵は、年内に阪神、大同銀行の大株主の諒承《りょうしょう》と組合対策を隠密裡《り》に行ない、来春早々、合併発表に持ち込むことだと思った。それにはまず、阪神銀行側としては、筆頭株主である大阪重工の安田社長の諒承を取りつけなければならない。

「……あら、お目ざめでしたの、日曜日ですのにお早うございますのね」

相子が眼を醒《さ》ました。

「うむ、そろそろ起きて、食事をする、午前中に安田太左衛門さんを訪ねる約束をしているから」

相子は素早く起きて、万俵にガウンを着せかけ、自分もガウンを羽織ったが、寧子は、妻妾同衾を強いられた恥ずかしさに堪えられぬように、

「お先に――」

眼を伏せ、消え入るような声で云うと、三台のベッドが並んで、まだ昨夜の獣のような交わりのあとが漂っている部屋を、すうっと出て行った。そんな寧子に、相子は眼もくれず、

「安田さまへいらっしゃるのなら、銀平さんもご一緒なすっては？　その方が何かとおよろしくなくって――」

万俵の心の中を読み取るように云い、ナイト・テーブルの上の電話のダイヤルを廻した。銀平の家を呼び出すと、若いお手伝いはまだお寝《やす》みですと応えたが、相子は強引に起させ、銀平が電話口に出ると、すぐ受話器を万俵に手渡した。

「銀平かい、私だ、今朝十時に安田さんを訪問する約束をしているから、お前も一緒に行って、万樹子とのことを解決するがいい」

と云うと、銀平は睡眠不足の不機嫌極まる声で、

「そんなことで日曜日の早朝、叩き起さないで下さいよ、僕はご免蒙《こうむ》りますよ」

「しかし、銀平、今日、安田さんを訪ねるのは、ことのほか大事な用件だ、それだけ

にお前も一緒に行って、万樹子と話し合う方がいい」

大事な用件という言葉を強調すると、

「どんな大切なご用件かしりませんが、僕は何度おっしゃっても参りませんよ、大体、ベルト・コンベアに乗せるように勝手に安田万樹子との結婚を運んだのはそちらなんだから、万樹子を戻したければ、勝手に連れ戻して下さいよ、僕は何の不自由もしていないのですから――」

と云《い》うなり、がちゃりと電話をきった。万俵は苦々しげに受話器を置き、相子も表情を険しくした。

山芦屋《やまあしや》の安田太左衛門邸に、万俵の車が着くと、既に正門は開かれていた。車を降りて、玄関に足を向けると、

「お舅《とう》さま、ようこそ――」

珍しく和服姿の万樹子が出迎え、万俵の背後へちらっと視線を向けた。もしや銀平もという、女心だった。

「銀平の奴《やつ》、相変らずのお寝坊でねぇ、いくら電話しても起きなくって――」

と云うと、万樹子は大きな瞳《ひとみ》を見開いたまま、頭を振った。

「いいえ、いいんですの、あの人は絶対、自分で迎えに来ないこと、私には解っておりますわ」

「そんなことはないよ、何しろ、今日は日曜日の午前中だもんだから――」

いたわるように云うと、

「お舅さま、毎日が、日曜日の朝ではございませんわ」

銀平の誠意のなさを詰《なじ》るように云ったが、

「どうぞ、こちらへ――、父が茶室の方で先程からお待ち申し上げております、母もあとで参上致します」

庭石伝いに、柴垣《しばがき》の向うに見える茶室へ案内した。

蹲《つくばい》で口をすすぎ、躙口《にじりぐち》から茶室へ入ると、安田太左衛門は、炉の前に端坐《たんざ》して待っていた。万俵は正客の座に着いた。

「ご休養の日に、お邪魔致します」

「なんの、なんの、私の早起きは年中で、日曜日は茶室に入る事を楽しみにしていますから、お客になって戴《いただ》いて有難いぐらいですよ」

安田は温和な表情で云い、見事な袱紗《ふくさ》捌《さば》きで柄杓《ひしゃく》を構え、しゅんしゅんと煮えたぎっている釜《かま》から湯を掬《すく》って、古薩摩《こさつま》の筒茶碗《ぢゃわん》に茶をたてた。万俵は作法通り、ゆっく

り呑み干し、古薩摩の枯れた野趣を賞《め》でながら、

「銀平は、いまだにこちらへ伺わず、私もほとほと手をやき、申しわけなく思っております」

と詫《わ》びた。安田はそれには応えず、

「ご長男の鉄平さんは、その後どうしておられるのです、阪神特殊鋼の経営には失敗なさったとはいえ、人物、識見ともに優れた人で、阪神特殊鋼を去られてからも、会社は未《いま》だに鉄平さんの人柄を慕い、鉄平さんの命じられた〝阪神特殊鋼の煙突の煙を絶やすな〟という一言を守って、難かしい再建計画に取り組んでいるそうじゃありませんか」

「お褒めにあずかって恐縮です、ここ暫《しばら》く東京へ参っておりますが、いずれ何か仕事をはじめると思いますので、その節はよろしく――」

あくまで鉄平が万俵邸を去ったことは口に出さなかったものの、志摩半島や丹波の篠山、東京と大阪の『つる乃家』などの心あたりを再三再四、あたってみても、鉄平の行方は杳《よう》として知れなかった。

「二子さんの結婚式も、いよいよ三月の三日におきまりになったそうですね」

「おかげさまで――」

と応えたが、二子は、父親である自分の説得も聞かず、細川一也との結婚を強硬に拒んでいる。二子のことと云《い》い、銀平と万樹子の不仲と云い、銀行合併という大事業を前にした万俵にとっては、煩《わずら》わしい雑事以外の何ものでもなかったが、どちらも合併話とかかわりがあったから、なおざりに出来ない。

二服目のお茶を喫し終ると、

「本日、ご自宅までお伺い致しましたのは、このほど、内々にではありますが、当行と大同銀行とが合併の合意に達しました、そのことを筆頭株主である安田さんにご報告かたがた、ご諒承を得に参った次第です」

と云った。安田はお点前《てまえ》の手を止め、愕《おどろ》くように万俵の顔を見た。

「本来ならもっと早い時期に、大株主の方々のご諒解方を得なければならぬのですが、このところ金融界がいろいろと騒がしく、どう転ぶか解らぬ状態でしたので、ご報告が遅れました、事後承諾のような形になりましたが、結果としては喜んで戴けることと思います」

万俵が云うと、

「あなたが合意される限りは、一対一の対等合併でしょうね」

「もちろんです、幸い融資先について見ると、当行は重化学部門が中心、大同さんは流通部門が中心で重複しておりませんので、合併によって資金量が大きくなるだけ、当行の従来のお取引先に対して今まで以上にご満足戴ける状態になると確信しております」

「しかし、当然、本店は東京へ移るでしょうから、今はそうはおっしゃっていても、遠い将来はやはり東京に重点がおかれるんじゃないですか」

「いや、東京で預金を集めて、こちらで運用する、つまり資金だけ持って来て、食《く》い得《どく》というわけですよ」

万俵の顔に、銀行家らしい笑いがうかんだ。

「じゃあ、新銀行の頭取は？」

「私がやります」

「しかし、向うは何といっても阪神銀行より上位の銀行ですのに、三雲頭取はよく承知されましたね」

「ところが、三雲頭取は病臥《びょうが》され、向うの経営陣はがたがたになっています、そんなこともあって、私が頭取ということになりました」

「じゃあ向うの方は、行内的に無理なく、役員会の総意として、万俵頭取にかたまったのですね」

安田は念を押すように確かめた。万俵の脳裡に、綿貫らのクーデターが掠《かす》めたが、

「数ある役員の中には合併反対の人もあり、新銀行の頭取についても、当然、議論が闘わされたことは想像に難くありませんが、結論としては、向うの役員の総意によって決定されたことですから、ご安心下さい」

と云い、万俵は一度、言葉を切り、

「ここで是非、安田さんにお願いしたいのは、合併に対する世論のリードです、おそらく、同じ阪神特殊鋼の倒産で傷ついた同士で、どうして一方がリーダー・シップを取り、一方が吸収される形になるのか、マスコミ、経済団体などで問題視されると思いますので、その辺を――」

時間をかけ、あらゆる手練手管で永田大蔵大臣に働きかけて来ただけに、万俵の最も怖《おそ》れるところは、世論であった。じっと耳を傾けていた安田は、

「そうすると、そうした疑問に対して、合併は阪神特殊鋼の倒産が直接の原因ではなく、大同銀行の経営体質に起因するもので、たまたま阪神特殊鋼の件はきっかけになったにすぎないと、私に世論の旗振り役をせよとおっしゃるわけですね」

暖かい冬陽《ふゆび》の射《さ》し込んだ茶室に一瞬、厳しい空気が張り詰めた。

「お手数ですが、当行の筆頭株主であり、関経連の役員であるあなたに、何かと意見

を求められることが多いと思いますので、よろしく――」

深々と万俵が頭を下げると、

「承知しました、世論の旗振り役はお引き受けしましょう、しかし、今日は実のところ、万樹子のことでお運び戴くものと思っていました、あれも万俵家から帰ってはや三カ月たち、少なくとも銀平君が迎えに来て、新年から心身ともに再出発させてやりたいと思っておりました、ですが、もう娘の万樹子はお宅へは帰しませんよ」

安田は、企業と娘との関係をぴしりと分けるように云った。

新橋の待合『たがわ』は、忘年会の宴席の退《ひ》け時がいっときになり、玄関が賑《にぎ》わっている。

自由党の長老グループが芸者を伴い、二次会へ流れて行って間もなく、廊下に響くような高笑いが聞えて来た。帝国製鉄の副社長であり、日経連の常任理事である兵藤正一郎招待の〝兵六会〟のメンバーで、体重八十キロの巨漢の兵藤副社長を真ん中に、大蔵省、通産省、建設省の局長、局次長クラス十数名が出て来た。

「ともかく、今年はわが鉄鋼業界にとって試練の年だったよ、君たちもよく揉《も》んでくれたし、来年こそはお手柔らかに願いたいもんだ」

兵藤が酒気に顔を紅《あか》らませ、玄関の式台のところにたって逸材揃《ぞろ》いの官僚たちを見送りながら云うと、通産省重工業局長の石橋は、

「揉まれたのは、どちらですかねぇ、さっき若い芸者に、局長、めっきり頭がお薄くなりましたのねなんて、妙な同情をされてがっくり来ているのですよ」

とやり返した。賑やかな笑いが起る中で、兵藤は一人一人と握手を交わして、送り出した。

主計局次長の美馬中が、春田銀行局長の次に挨拶《あいさつ》すると、兵藤は大きな手で、美馬の手を握り、

「やあ、美馬君、来年は君には、いい義弟が出来るね、可愛《かわい》がってやってくれ給《たま》えよ」

自社の秘書課の細川一也のことを云った。美馬は内心、ひやりとしたが、

「もちろんですとも――、今年は何から何までほんとうにお世話になりました」

言外に阪神特殊鋼のことを響かせて鄭重《ていちょう》に礼を云い、急いで春田の車に同乗した。住まいがそれぞれ世田谷の桜丘と成城で、同じ方向であったから、〝兵六会〟の帰りは相乗りする場合が多かった。車が動き出すと、

「君もいろいろと忙しいね」

春田は、ひやかすような云い方をし、

「阪神特殊鋼は、帝国製鉄が引き受けることに本決まりらしいが、具体的にどういう合併案になるんだい、公正取引委員会の方で大分、眼を光らせている様子だよ」

「帝国製鉄が引き受けてくれれば、一旦《いったん》、減資して帝国製鉄がかなりの株を持つということで計画を進め、向うの傘下《さんか》の昭和特殊鋼とは業務提携の形ですから、特殊鋼の市場シェアから見て独禁法にはふれませんよ、まあ、いずれにしても管財人が入ってまだ十日もたっていませんから、具体的な細部にわたっては更生計画案がつくられてからということではないでしょうか、それより、局長、さっきの話ですが――」

美馬はハイヤーの運転手の方をちらっと見、声を低めた。さっき『たがわ』の手洗いで、春田から、阪神、大同銀行の合併を永田大臣の政敵である田淵幹事長が嗅《か》ぎつけたらしいと、耳うちされたのだった。

「ほんとうに田淵幹事長に、嗅ぎつけられたのですか」

「井床銀行課長が、田淵幹事長にじきじき呼ばれ、いろいろと聞かれたそうだ」

「そうすると、松尾審議官あたりから嗅ぎ出されたのでしょうかねぇ」

松尾審議官は、田淵幹事長の息のかかった男である。

「いや、彼には洩《も》れないはずだ、用心の上にも用心して、巧《うま》く浮かしてしまっているからね、井床君の推測では、課長補佐の浜崎があやしいらしい」

「あの浜崎君が——、驚きましたねぇ、いつの間に、彼は田淵派のしびれ薬を嗅がされたんでしょう」

五十歳で、去年やっと課長補佐になったノン・キャリであったが、潔癖で温厚な人柄から、とても田淵派の誘いの手に乗るなどとは思えなかった。

「井床君の話では、彼の細君の実家が田淵幹事長と同郷の広島二区で、細君の父親が亡《な》くなったこの秋に、相当な香典が、地元の田淵選挙事務所からぶち込まれたらしい——」

春田は煙草《たばこ》の煙を窓ガラスに吹きつけながら云った。美馬は黙って頷《うなず》いた。このところ田淵幹事長の活動は、潤沢な資金を使って、ますます活発になり、永田派の前に次第に大きくたちはだかって来ている。美馬にとっても、春田にとっても、田淵が確実に情報網を強化しつつあることは脅威であった。

「局長、今から大臣のところに行きませんか」

「僕もそれを考えていたところだ、ぼやぼやしていると、今度は田淵派から潰《つぶ》されかねない」

春田はそう云うと、運転手に永田邸のある杉並の下高井戸へ行先《ゆきさき》を変更した。

高速道路を初台《はつだい》で降り、十分ほど行くと、下高井戸であった。その住宅街の一角にある三百坪ほどの敷地に、かなり古びた日本家屋が建っていた。一国の大臣の住まいにしては質素過ぎたが、故池山前総理に楯《たて》ついた冷飯時代からの反骨を貫いた家であった。

「あっ、毎朝新聞の車が来ているようですね、ここで降りましょうか」

ハイヤーのライトの向うに、毎朝新聞の社旗をたてた外車が停まっているのを美馬が素早く見付けて車を停めた。二人は永田邸の二百メートルほど手前から歩き、裏門へ廻ってベルを押した。中から書生が顔を出し、

「あっ、これはどうも――」

春田と美馬と知って、すぐ切戸を開いた。

「毎朝新聞だけかい」

「はい、大臣はつい今、帰邸されたばかりです」

と云い、植込みの間を縫って、永田の書斎の次の間に、ひとまず案内した。

「毎朝新聞は、誰が来ているのだい」

応対に出て来た秘書に、春田が聞いた。

「榎本《えのもと》記者です、今日は大蔵省の記者クラブの方との忘年会がありましたので、記者クラブの幹事の榎本記者が送って来られたのですよ」

「じゃあ、今、これ？」

盃《さかずき》を干す恰好《かっこう》をすると、

「ええ、ですが、お急ぎのご用件なんでしょうね」

「そう、だけど、気取られては困るんだ」

「じゃあ、電話がかかって来たことにして、ともかく一度、書斎に来て戴きますから」

と云い、出て行った。間もなく、廊下に足音がし、

「どうした、二人揃って――、まあ入り給え」

書斎へ請じ入れ、机の前のソファを眼で指した。

「実は、阪神、大同の合併の件、田淵幹事長の耳に入った様子ですので、大臣のお耳にお入れしなければと存じまして――」

春田はそう云い、田淵に知れたらしいいきさつを説明した。

「ふうむ、嗅ぎつけられたか、それならことを急がねばならん」

永田は、薄眼を天井に向けた。

「で、君らはどうすればいいと考えるのだ」

「幹事長の動きは潰し作戦が明白ですから、時間をおくのは危険です、早急《さっきゅう》に相手の動きを封じ込む方法を講じませんと――」

春田はそう云い、永田大臣の背後の押入に視線を向けた。そこには鍵《かぎ》のかかったファイル・ボックスがあり、田淵幹事長と、政界の黒幕である〝鎌倉のあの男〟とがからんだ数々の㊙資料がぎっしりと詰っている。

「これか？　これを使うのは来年の総裁選用だ」

と云い、永田は首を振った。

「では、大同銀行の方もすっかり固まっておりますので、わざと情報を洩らし、新聞に書かせて既成事実に仕上げてしまう術《て》ですね」

春田はそう云い、美馬の方を向き、

「阪神銀行の方は、株主対策もすんで、大丈夫なんだろう」

万俵大介の代理者に聞くように云った。

「ええ、準備完了の様子です」

「じゃあ、問題ない、大臣、今来ている榎本記者は、どうです」

榎本に書かせようという意味であった。

「うむ、日銀の方は、しかと抑えてあるな」

「はあ、先日来、ご報告致しましたように、日銀総裁は、最初は三雲の後任頭取を日銀から送り込む意思表示をしていましたが、大蔵委員会以後は、大蔵省に一任ということに――」

春田は、日銀総裁を侮《あなど》るように云った。

「よし、じゃあ、榎本君にやらせよう、あの男なら心配ない」

榎本は、毎朝新聞大阪本社から今年の夏、再び東京本社の経済部に戻って来た記者で、永田の冷飯食い時代から、ぴったりと永田に随《つ》いていた大物記者だった。

「しかし、どんな工合に？」

春田と美馬は、さすがに尻込《しりご》みしたが、永田はかまわず、書斎の扉《とびら》を開け、

「榎本君、うちの春田と美馬の両君が、年末の挨拶に来ておるんだ、忘年会のやり直しだ」

と云った。廊下の向うの応接室から、榎本記者が姿を見せた。

「へえ、深夜の年末挨拶ですか、面白そうですねぇ」

榎本は、酔いの廻った顔で笑いながらも、早くも何かを嗅ぎ出すように、春田と美馬を見た。

予算編成で明け暮れた今年も、今日が御用納めであった。昨夜遅くまで廊下の外に人がごった返していた主計局の慌《あわただ》しさが嘘《うそ》のような静けさだったが、今年もついに予算は年内にまとまらず、越年してしまった。

主計局次長の美馬は、山積した予算資料を片付け終り、ほっと一息つきながらも、年毎《としごと》に深刻化する米価問題を思うと、正月を迎える気分は重い。

不意に、毎朝新聞の榎本記者が入って来た。

「さすがに今日ばかりは、静かですねぇ」

美馬は内心、身構えた。予想した通り、昨夜、永田大蔵大臣邸で顔を合わせた榎本記者は、春田銀行局長と美馬が揃って永田邸を訪ねたことに新聞記者の第六感を働かせ、取材に来たらしい。

「昨夜はどうも――、久しぶりに大臣の昔話が出て、懐《なつ》かしかったですよ」

到来物の珍しいウイスキーを傾けながら、永田の大蔵官僚時代の話に花を咲かせたことを美馬が云うと、榎本記者は、

「いや全く――、軍部に睨《にら》みをきかした主計官時代の話は、いつ聞いても、抱腹絶倒

ものですねぇ、ところで今年の予算は相変らず米価でもめてますが、美馬さんたちが主張している米の買入れ制限は、実現の可能性があるんですか、自由党では予想以上に反撥《はんぱつ》が強いそうじゃないですか」

と云いながら、美馬の机の前に坐《すわ》り込んだ。

「しかし去年、買入れ価格の据置きを果したのだから、今年は何としても買入れ制限を果したいですね、毎年毎年の食糧管理特別会計の大幅赤字の打開策は、もはや米の買入れ制限以外にないですよ」

美馬が強気で云うと、

「だが、ご本尊の永田大蔵大臣の口ぐせは〝われ誰よりも農民を愛す〟じゃないですか」

「そうだったんですかねぇ、でも榎本さん、いくら買入れ価格を据置きにし、米作りを減らす奨励金までつけても、出来た米を無制限に政府が買い上げる今の予算の仕組は、予算編成の癌《がん》ですよ、主計局長も自由党との折衝は根気よくやってますしねぇ」

と云い、美馬は口を噤《つぐ》んだ。榎本記者が主計局次長の部屋へ入って来たのは、果して昨夜の自分たちの思うつぼにはまりに来たのかどうかと、焦《あせ》りはじめた時、

「ところで、阪神銀行はどうなるんですかねぇ」

「どうなるって、何が――」

正面きった榎本記者の質問に、美馬は虚を衝《つ》かれる振りをした。

「おとぼけは願い下げにして貰《もら》いたいですね、僕に話してもいいことが、何かあるはずでしょう――」

「困るな、僕の立場ではどうも――」

美馬はことさらに困惑するように、語尾を濁した。

「じゃあ、春田局長のところへ行けば、耳よりの話が聞けるというわけですか」

畳み込むように云った。美馬は、榎本がどの程度、感付いているのか見当がつきかね、瞬時、返事に迷った。このまますぐ春田のところへ送り込めば簡単だが、榎本は政官界のみならず、財界にも広い顔を持つ記者だけに、この際、恩を売っておきたい計算もある。

「榎本さんの千里眼にはかなわないな、うちの舅《ちち》からは何も聞いていないの？」

榎本記者が、大阪勤務だった時、万俵大介に食い込んでいたことを知っている美馬は、ことさらに舅《しゅうと》の方にこと寄せ、意味あり気に云った。榎本の顔に、閃《ひらめ》くような色が奔《はし》った。

「じゃあ、金融再編成で、何かが？」

「これ以上はねぇ……、春田さん、まだいるんじゃないかな」

という云い廻しで、美馬は巧みに情報を洩らした。榎本は、美馬の言葉半ばに、もう椅子《いす》からたち上り、部屋を飛び出して行った。

美馬は、そのうしろ姿を見遣《みや》りながら、緊張がほぐれ、笑いを嚙《か》み殺した。榎本は、春田が局長室にいるような云い方をしたが、今頃は自由党本部へ年末の挨拶《あいさつ》廻りに出かけているはずで、美馬が火を点《つ》けた後、春田は榎本記者を夜、自宅へ誘《おび》き寄せ、阪神、大同銀行の合併を洩らす手はずになっているのだった。

世田谷の桜丘にある春田銀行局長の家は、二年前に新築したばかりの渋い洋館建てで、玄関に新年の注連縄《しめなわ》が、早々と張られている。

春田局長は、応接間で自分の帰りを待ち受けていた榎本記者と向い合い、さっきから榎本の執拗《しつよう》な追及を受けていた。

「しかし、局長、阪神銀行が合併することは確かなんでしょう、相手は富国銀行ですか」

榎本記者が大阪本社の経済部詰めだった一年前、阪神銀行と富国銀行との間に、都市銀行としては思いきった預金の相互受払いの業務提携が発表され、その頃から、万俵大介の金融再編成に対するなみなみならぬ深慮遠謀を感じ取って、富国、阪神銀行の合併を秘《ひそ》かにマークしていたのだった。

春田は、煙草をふかしながら、

「いや富国じゃない」

「じゃあ、阪神銀行より下の銀行ですね、阪神より下の銀行って、一体どこだろう」

「相手は必ずしも、下位とは限らないじゃないか」

春田は、苦味ばしった顔に笑いをうかべた。

「じゃ、やはり阪神が吸収されるのですね」

「そうとは限らないんじゃないかな」

「春田さん、朝刊《あさかん》に間に合わせたいんですから、余りじらさないで下さいよ、阪神銀行より上で、阪神が吸収されないとなると……」

榎本は既に午後九時を過ぎている時計を見、明日の朝刊締切時間を気にしながら考え込んだが、

「そうだ！　阪神の相手は、大同銀行じゃないですか、阪神特殊鋼で体質ががたがたになった大同銀行しか考えられない、早速、三雲頭取に会った方がいいわけですね」

図星を指すように云った。春田は、
「だが、三雲さんは、病気らしいよ」
さりげなく応答したが、その一言で、阪神、大同銀行の合併は、決定的な情報とな
った。相手が大同銀行でなければ、三雲に会いに行っても無駄と応《こた》えるはずである、
しかも三雲は病気らしいと、ことさら云うところにこの合併の本質が示唆《しさ》されている
ようであった。榎本の眼が俄《にわ》かに輝いた。
「局長、鯱《しゃち》が鯨《くじら》を呑《の》む、小が大を食うとは、まさにこの阪神、大同合併のことですね、
ともかく第一報を社に入れます、局長、恩に着ますよ」
スクープの礼を云い、勢いよくたち上った。
榎本記者が、待たせてあった車に飛び乗り、表通りの電話ボックスで毎朝新聞経済
部のデスクへ、大同、阪神合併の第一報を入れたのは、午後九時四十分であった。
毎朝新聞経済部では直ちに、選《え》りすぐりの記者八名を編成し、他社に気取られぬよ
う、事実の裏固めをはじめ、関係筋の取材を開始した。
東京へ向う早朝の飛行機の中では、殆《ほとん》どの人が毎朝新聞の一面を食い入るように読

んでいる。そこには、大同、阪神銀行の合併を報じた記事が大きくトップを埋めている。

機内の前列に、大亀専務を伴って坐っている万俵大介も、まだ早朝からの心の昂《たかぶ》りが抑えきれず、周囲で拡《ひろ》げられている九段抜きの大きな見出しが、躍るように眼に入って来る。

大同、阪神が対等合併
預金高一躍第五位に

大同銀行（頭取三雲祥一氏、資本金二百三十億円）と阪神銀行（頭取万俵大介氏、資本金二百十億円）はこのほど両行首脳間で一対一の対等合併に踏み切ることで合意に達し、近く両行の取締役会にはかって発表する。合意内容によると、合併後の新銀行の名称は『東洋銀行』、来春四月一日発足をめどとし、新頭取には阪神銀行の万俵氏が就任する予定である。都市銀行同士の大型合併は戦後初めてで、両行の合併が実現すると、一躍都市銀行第五位の大銀行が誕生する。この合併は金融界に衝撃的な影響を及ぼし、銀行合併の〝起爆剤〟となることは必至で、いよいよ金融界は激動期に入る。

センセーショナルな前書きに続いて、両行首脳の間で合意に達した主な点や両行の規模、性格、歴史が記され、永田大蔵大臣と春田銀行局長の談話が載っている。

永田蔵相談　両行の合併によって規模の利益を生かし、国民経済の要望に応えることは、金融効率化の趣旨にかなうもので、時宜に適したことと考える。今後、両行の努力によって新銀行が速《すみ》やかに発足することを期待するものである。

春田大蔵省銀行局長談　合併の申請が正式に出た場合、大蔵省としては検討の上、速やかに認可し、支援する方針である。

大蔵大臣、銀行局長ともに双手《もろて》を挙げての支援態勢が読み取れる。昨夜十時前、美馬から、慌しく電話があり、今、春田銀行局長が大同、阪神の合併を毎朝新聞の榎本記者にスクープさせたから、その取材に対応する体制を敷くようにと連絡して来たのだった。万俵はすぐさま、大同銀行の綿貫専務に連絡し、さらに自行の東京事務所の芥川に連絡し、直接、綿貫と会って、細部にわたる打合せをするように命じた。銀行業務の実務面には長《た》けているが、こうした面にはぼろが出やすい綿貫に懸念《けねん》を持ったからであった。しかし、スクープする記者が、毎朝新聞の大阪本社経済部から東京へ転任した敏腕の榎本記者と知って、まず他社へ洩《も》れる懸念はあるまいと思っていたが、今朝《けさ》の朝刊を手にするまでは眠れぬ一夜を明かしたのだった。隣席の大亀も、昨夜以来の疲れと昂奮《こうふん》で眼を充血させている。

空港には、秘書とともに芥川が出迎えていた。迎えの車に乗るなり、

「頭取、共同記者会見は、午前十一時から、ホテル・オークラの有明の間でということにきまりましたが、今朝は五時過ぎから、抜かれた新聞各社からがんがん電話が鳴り詰めでしたし、今日の記者会見はただではすまされぬ様子です」

マスコミの扱いに馴《な》れた芥川も昂奮しきった声で云った。

「そうだろう、うちへも地元紙など、本店が神戸にある阪神銀行が東京ダネでスクープさせるとはけしからんじゃないかと、凄《すさま》じい剣幕でかけて来、五、六本目の電話からは、上京中で不在ということにしたら、大亀君ががんがんやられたらしい」

万俵が云うと、大亀は、

「マスコミもさることながら、行内も寝耳に水の合併で蜂《はち》の巣をつついたような騒ぎで、新聞を読んだ行員は支店長に、支店長は私をはじめ各役員に問合せの電話を入れ、

咽喉《のど》が涸《か》れはてましたよ」

額に汗を滲《にじ》ませて云った。

「で、一般行員、役員の反応はどうなんです」

「相手が上位行だから動揺している様子だが、今夕、支店長会議を招集して合併の趣旨を説明し、諒解《りようかい》を求めると同時に、荒武常務が、組合三役と会って、これまた組合員の諒解、協力方を要請することになっている」

昂った声で云った。万俵は、

「大同銀行の方は、大丈夫なのか」

芥川に向って聞いた。

「三雲頭取は、あのクーデターの後、役員会に辞表を出し、事態が落ちつくまで過労を理由に慶応病院へ入院するという形を取っておられるので、今日の共同記者会見には綿貫専務が頭取代行で、出席されます」

と云い、芥川は、昨夜、綿貫の自宅へ記者会見用の〝想定問答集〟を届けに行った模様を報告した。

「ふむ、まあ、それだけ術《て》を打っておけば、乗り切れるだろうが、ぼろが出れば、私が巧《うま》くカバーすることだ」

そう応えながら、万俵は、おそらく記者会見の席上では、毎朝新聞以外の、記事をぬかれた各社の記者たちが殺気だち、相当、突っ込んだ質問を浴びせかけて来るだろうと、覚悟した。

ホテル・オークラの有明の間には、五十名を越す各社社会部、経済部の記者とテレビの放送記者が詰めかけ、テレビ・カメラも据えられて、暖房のきいている上に、人いきれとテレビ・ライトの熱気で、十二月二十九日というのに蒸せ返るような暑さであった。

正面のテーブルに、阪神銀行の万俵頭取と大同銀行の綿貫専務が並んだ。記者会見などはじめての綿貫が、大きな赭《あか》ら顔を真っ赤に紅潮《か》させ、しきりに咳払《せきばら》いして、落ち着きのない様子であるのに対し、万俵大介は、銀髪端正な表情でゆったりと椅子に坐り、かすかな微笑さえうかべている。対照的な二人の姿がこの合併の実態を物語るようであった。

万俵大介は徐《おもむ》ろにたち上って、年の瀬も押し詰っての記者会見で、記者団に迷惑をかけたことを詫《わ》びた上で、合併趣意書を読み上げた。

内容は、両行経営陣の間で基本的合意に達した点として、①経済の国際化に対応して金融機関も大型化し、経営基盤の拡充強化を図らねばならない、②大衆化社会に対応して一般顧客に対する金融サービスをよりきめ細かくするために両行合併による全国的な店舗網の充実が不可欠である、③急速に進みつつある金融の自由化に対応して、国際金融業務の面でワールド・バンクの役割を果すためには、広範な海外拠点と、豊富な資金の確保が必要であるという三点を挙げ、型通り声明文を読み終ると、記者団から一斉に質問の矢が放たれた。

「一体、この合併話は、いつ頃から始まり、最初はどちらから持ちかけられたものですか」

「今年の三月から春田銀行局長の呼びかけでわれわれ中下位五行が定期的に集まる会合ができましてね、そこで互いの経営方針、業務提携などについて話し合っているうちに、これからの時代に対処するためには同じ中位行同士が団結して体質の強化を図るべきだという意見を偶然、両行が持っていることが解《わか》ったのです、そして互いにこのような相手なら、必ずやうまくやって行けるだろうと思うに至り、まとまった話で、いわば恋愛結婚とでも申しましょうか」

にこやかに万俵が応えると、綿貫も、

「その通りです、どちらからともなく、まあ以心伝心という、あれでございまして

――」

顔中を汗にして応えると、スクープした毎朝新聞の対抗紙である日本新聞の記者が、

「しかし、合併のタイミングから推して、国会で追及された阪神特殊鋼の件が両行合併のきっかけになったのが、真相じゃないですか」、

鋭く浴びせかけるように云《い》った。万俵は一瞬、身じろいだが、

「そうではございません、阪神特殊鋼のひっかかりは一つの結果であり、むしろ両行仲良く協調融資をやって来たというのが実態で、決して阪神特殊鋼のひっかかりで傷もの同士が一緒になったという類《たぐ》いのものではございません」

と応えると、今度は経済紙の専門記者が質問した。

「綿貫専務に伺います、通常の合併の場合は、資金量の大きい方が存続会社となり、資金量の少ない方が解散会社になるわけですが、今度のケースは逆ですね、どういうわけですか」

「それはですね、形式的な手続き上の問題でして、要するに二つの銀行が古い殻を捨てて新しい銀行を産み出すということで、どちらがどちらをどうこうするということはないのでして……、その証拠に新銀行の本店は、当行本店に定める予定でございます」

綿貫はよほど上っているのか、しどろもどろに応えた。別の記者がすぐ追討ちした。

「しかし妙ですね、このおめでたい合併発表の席に、三雲頭取の姿が見えないのはなぜですか」

「三雲は、会見がはじまる前に予《あらかじ》め、おことわり致しておきましたように、目下、病気入院中で、本人も今日、自らご披露できぬことを非常に残念がっております」

「病名は、何ですか」

「季節柄、風邪をこじらせまして……、実はこのところ阪神特殊鋼の善後処置に加えて、この合併推進のための行内外の詰めに忙殺され、過労で倒れたわけでございまして——」

綿貫は、皺《しわ》になったハンカチーフで、顔の汗を拭《ぬぐ》った。

「どこの病院へ入院されているのです？」

三雲不在にこだわる質問が集中した。

「慶応病院ですが、只今《ただいま》のところ面会謝絶になっておりますので、病室番号も申し上げることが出来ません、ひとつ悪《あ》しからず——」

聞かれない病室のことまで云い、いかにもすまなそうに頭を下げた。

「病気のことはひとまずおくとして、新銀行の頭取が万俵頭取で、副頭取が綿貫専務なら、三雲頭取のポストは何ですか」

「三雲頭取はご病気ですのでですね……」

綿貫が口ごもると、横から万俵が、

「三雲頭取には、会長のポストをお願いしております」

「しかし、この役員名簿には、会長人事に全くふれていませんね、今日の欠席と関連があるんじゃないですか」

記者たちの追及は、容赦なかった。

「いいえ、三雲頭取は健康上の理由で、自ら職責に堪えずとして、私に頭取のポストを譲られ、会長のポストも同じ理由で固辞されている状態です、これ以上は、個人の健康上の秘密に関することですので、何卒《なにとぞ》、ご容赦下さい」

万俵は、三雲関係の質問を巧みにシャット・アウトした。記者団もさすがに黙り、

「では合併のメリットは何ですか」

新たな質問が飛んだ。万俵は、

「まず第一に合併によって一躍、都市銀行第五位の大銀行が誕生し、規模のメリットが得られること、次に全国的な支店網が網羅でき、しかも両行の取引企業が、当行は重化学工業部門が主であるのに対し、大同は流通部門が主で、重複せず、補完性が極

めて大なることです、両行が一緒になれば、五体満足、すべてを兼ね備えた上位銀行になり、来《きた》るべき国際競争にも充分、打ち勝てるものと信じます」

自信に満ちた表情で云い、やがてカメラマンの注文で、万俵が綿貫に手をさし出すと、綿貫の大きな手がそれを受けた。

＊

丹波篠山の市太老の家に身を寄せている万俵鉄平は、うつうつとした表情で天井を見詰めていた。

三雲頭取が、国会の大蔵委員会で阪神特殊鋼倒産に関して一方的に責任を追及され、満身創痍《そうい》の羽目に陥ったことを新聞で知った翌日から、鉄平はぷっつりと新聞も読まず、テレビも観《み》ず、一切の世事から眼を背け、荒涼とした思いで日々を送っている。僅《わず》かに部屋の窓から見える多紀連山の雪の量と空の晴れ方だけが、今の鉄平にとっての関心事であった。

「若旦《だん》那さん――」

襖《ふすま》の外に、市太老の声がした。鉄平は掘炬燵《ごたつ》に足を突っ込み、天井を見詰めていた体を起した。

「お餅《もち》が焼けましたでぇ、初搗《はつづ》きのお餅は、真っ先若旦那さんに食べて戴《いただ》きたいと思うてなあ」

お盆に香ばしい餅がのせられていた。

「有難う、せっかくだが、あとで食べるよ」

と応《こた》えると、市太老は首を振った。

「あとで、あとでと云いなはるが、このところ急に食欲が失《の》うなり、食べなさらんやないか、それに明後日《あさって》は元旦、お正月ぐらいは、東京の奥さんや子供さんらの待ってなさる家へ帰んなさったら、どないに喜びなさるか――」

と云うと、頰が削《そ》げ、眼光が鋭くなった鉄平の顔が曇った。妻と子供を東京の大川家へ預けたままにしている一家の長としての無責任さが胸に来、「パパ、早く帰って来てね」と甘えた太郎と京子の言葉を思い出すと、幼い者まで振り捨てて来ていることに心の痛みを覚えたが、妻の早苗が、故大川一郎の娘らしくしっかりしていることが、辛うじて鉄平の心の支えになっている。

「いや、私はこの正月は、こちらで過したいが、迷惑だろうか」

「なんの、なんの、迷惑などあらせんが、お家の人の気持を思うての……」

七十近い市太老はそう云い、ふと案じるように、

「若旦那さん、あんた、なんぞえらい心配ごとがあるのんと違うかのう、わしらには若旦那さんの会社のことや仕事のことなど、難かしいことは解らんけど、何かえろう心を病《や》んではるようや」

「いや、倒れた会社が、その後うまく行っているかどうかが気になっていて――」

言葉を濁すと、

「こんな時、先代の大旦那さんが生きていなはったらなあ、なにしろ大旦那さんは、猪《しし》撃ちに行く時でも、一発しか弾を持たれんで、わしが何度、危ないからと云うても、わしは一発しか持たん、一発で仕留めんことにはわしの鉄砲が泣くいうような剛毅《ごうき》なお方やったし、ことのほか、若旦那さんを可愛《かわい》がってはったから、お力になって貰《もら》えるものを――」

市太老は、しみじみとした声で云った。市太老には、深い事情は解らなかったが、神戸の万俵家から再三の問い合せの電話があっても、来ていないと応えてほしいという鉄平の言葉に、父である万俵大介と鉄平との間にただごとでないものを感じ取っているようだった。

「万俵のおじさんに、速達の手紙や！」

市太老の孫が、大声で郵便物を届けに来た。鉄平は訝《いぶか》しげに受け取り、速達の封書の裏を返すと、三雲志保からであった。三雲頭取が大蔵委員会に喚問された新聞の記事を読んだその朝、申しわけなさですぐ電話をしたが、一足違いで三雲は銀行へ出かけてしまい、志保が電話口に出て来て、どこにいるのかと問われ、つい三雲頭取と昨年の十一月、猪撃ちに来たところですと応えてしまったのだった。それにしても、志保から速達とは、何事が起ったのか、市太老が席をたつと、鉄平は急いで封をきった。志保らしいたおやかな筆跡であった。

突然、お手紙をさしあげ、せっかくのご静謐《せいひつ》をお妨げ致します失礼をお許し下さいまし

先日は、あなたさまらしい父へのお心遣いのお電話を戴き、有難うございました父のことでございますから、このたびの経緯については何一つ詳しいことは話してくれませんが、本日、日銀時代からご一緒でした白河専務がお見えになりました時、お伺いしますと、父はあの大蔵委員会の翌日、大臣に呼ばれ、今回の責任の追及と同時に、あなたさまのお父上の銀行との合併を迫られ、それに反対した父は、自ら頭取の座を去ったとのことでございます　そしてこのような合併の運びを秘《ひそ》かに画策され、本日の新聞に突如、大同、阪神銀行の合併が公表されましたのも、すべて

あなたさまのお父上のご所業と承りました

私は私なりの見方で、父の日常を見て参り、父はあなたさまの高炉建設にすべてを賭《か》け、不運な結果に終りましたとはいえ、父なりの理想と情熱を注いで参ったのでございます　そうした父が、今、病気入院という形までとって、銀行合併が円滑に進むための体裁を取り繕わねばならぬことに、いいようのない怒りを覚えます

或《あ》る意味では、あなたさまも、私の父も、同じ無念の思いと存じますが、どうかお心乱しなく、よいお年をお迎え下さいまし

山深いそちらは、雪の中のお暮しと存じますが、くれぐれも御身お大切に遊ばし、めぐり来る春にまた、お目もじ出来る日を心待ちに致しております

かしこ

鉄平は読み終えるなり、そんな馬鹿《ばか》なことが——と、呻《うめ》くような声を出した。三雲が頭取の座を去り、大同、阪神銀行が合併するなど、信じられないことであった。鉄平はすぐ囲炉裏のある居間へ行き、有線電話のハンドルを廻し、弟の銀平に確かめるべく、阪神銀行本店の電話番号を申し込んだ。暮の三十日の夕方であったが、電話はすぐ繋《つな》がり、第二貸付課長席を呼び出した。

「もしもし、銀平かい、僕だよ」

受話器の向うで、銀平の驚く声がした。

「兄さん！　もしもし、兄さんですね、今、どこにいるんです、みな心配していますよ、ことにお母さまが心を細らせておられる――」

と云ったが、鉄平は、

「大同、阪神銀行の合併は、ほんとうなのか」

「今頃、何をおっしゃってるんですか、それより何処《どこ》にいるんです」

銀平は重ねて所在を聞いたが、それには応えず、

「お前は、大分以前から、この合併の動きを知っていたのかい？　もしもし、どうなんだ」

「二カ月程前、お父さんから聞いて、知ってましたよ」

「じゃあ、阪神特殊鋼が倒産する前だな、なぜ僕に報《しら》せてくれなかったのだ――」

迫るように云うと、

「そんな馬鹿な、僕は阪神銀行の貸付課長ですよ、銀行合併の動きは、自行の企業秘密じゃありませんか、それより、もしもし――」

「それじゃあ、阪神銀行の頭取たる父は、或る時点から、意図的に阪神特殊鋼への融

資を引き、大同銀行の三雲頭取をして貸し込ませ、阪神特殊鋼の倒産をトリックにして、自行より上位の大同銀行との合併に成功したのだな」

鉄平の声が、怒りで震えた。

「或《あ》るいは、そうかもしれない――」

「お前たちは……」

受話器を握ったまま、絶句すると、

「おやじと一緒にしないでほしいな、迷惑ですよ」

「――銀平、それで三雲頭取の立場は、どうなるのだ」

「現在、病気入院中ということになっていますが、既に役員会へ辞表を提出しているそうだし、新銀行の頭取はおやじがやるから、要は体《てい》よく頭取の座を追われたというわけでしょうね」

鉄平は瞬時、言葉を跡切《とぎ》らせ、

「阪神特殊鋼の方は、どんな様子だ？」

「五日前に千人ほどの思い切った人員整理をやり、むろんボーナスも出ない有様だけど、帝国製鉄の傘下《さんか》に入ることが本決まりしたから、再建は早いですよ」

銀平はこともなげに云ったが、鉄平はもはや、継ぐべき言葉がなかった。

「もしもし、兄さん、話は帰ってからすればいいじゃないですか、ともかくお正月には帰って来るでしょう」

「いや、帰らない――」

「じゃあ、僕がそっちへ行きますよ」

「来る必要はない」

鉄平は、電話をきった。そして電話台の下に積んである新聞の束を取って、部屋へ引き返した。

何紙かの新聞の中で、朝刊トップに、大同、阪神銀行の合併がセンセーショナルに報道されている。そして阪神銀行頭取の万俵大介と大同銀行頭取代行の綿貫千太郎がにこやかに握手している写真が大きく扱われ、万俵大介の端正な顔には脂《あぶら》ぎった会心の笑いがうかび、綿貫の分厚な唇は喜びのあまり垂れ下るように開かれている。

鉄平は凝然として、新聞に見入っていた。大同、阪神銀行の合併などとは、鉄平の想像を絶する事柄であった。しかし、今にして思えば、或る時点から俄《にわ》かにメイン・バンクである阪神銀行が融資率を削減したことも、何かといえば大同銀行に泣きつかせて、急速に大同銀行に貸し込ませたことも、銭高に見せかけ融資を行なわせて阪神特殊鋼の経営を急激に悪化させたことも、すべて大同銀行との合併という銀行家としての大きな野心を遂げるためであったのだ。そう考えると、父に謀《はか》られたという思いに打ちのめされた。

そして、その策謀の梃《てこ》に使われたものが、自身の知力と精神力のすべてを投入し、今日《こんにち》までの、自分の人生そのものであるといっても過言でない高炉建設であったことが無念だった。しかも、阪神特殊鋼倒産の時点においても、単に重荷になった阪神特殊鋼を帝国製鉄へ身売りしようと考えたものと解釈し、阪神特殊鋼の非常勤役員である父を背任罪で告訴までしながら、父の真の策謀を見抜けなかった自分の企業家としての甘さ、不明さが思い知らされ、ここ二年間、父に騙《だま》された上にも騙され続けて来た屈辱が、鉄平の骨身に食い入った。しかし、今となっては、もはや、どうする術《すべ》もない。

その夜は、鉄平にとって一睡だにしない、長く果てしなく暗い一夜であった。

翌日の大晦日《おおみそか》は、昨夜、降りしきった雪が止《や》み、澄んだ青空が丹波盆地に拡《ひろ》がっていた。

「おう、若旦《だん》那さん、どこぞへ出かけはるのかのう」

縁先で、正月用の道具類を取り出し、一年間の塵《ちり》を払っていた市太老が、狩猟用の皮ジャケットを着、ジェームス・パーディを肩にかけ、土間で編上げのハンター・シューズを履いている鉄平に声をかけた。

「久しぶりにいい天気だから、山歩きして来ようと思ってね、ぶらっと行って来る」

鉄平はそう云いながら、土間から縁側の方へ廻った。

「それやったら今日は、銃を置いて行きなされ、この丹波篠山では、一年に一回、大晦日は殺生《せっしょう》せんことになってますのや」

「そういえば、そうだったな、銃は万一の場合の威嚇《いかく》用にしか使わないよ」

鉄平は、白い歯を見せて頷《うなず》いた。市太老は、それでも若旦那さん、今日だけはと、皺《しわ》だらけの一徹な顔で遮《さえぎ》りかけたが、鉄平が白い歯を見せて笑ったのは、はじめてであったから、引き込まれるように、

「ほんなら気晴らしに行っておいでなさるがええが、地元の猟師が誰も入ってない日やから、かたがた、あんまり山深う入らんと、早よ戻っておいでなされや」

と云《い》った。鉄平の出猟を機敏に嗅《か》ぎつけた犬舎の犬が、一斉に金網に足をかけ、尾を振り、連れて行って貰おうと、吠《ほ》えたてていたが、

「じゃあ、行って来る――」

鉄平は一匹の犬も連れず、納屋《なや》の前に停めてあるライトバンに乗った。市太老の長

男の市郎や妻、孫たちはそれぞれ、煤払《すすはら》いや正月料理の用意に追われ、誰も気付かない様子であった。

草山村の村道を抜け、鉄平は十キロ奥の赤柴山《あかしば》へライトバンを走らせた。途中、行き交う車も人もなく、ようやく上りきった太陽に、昨日降った雪がきらきらと輝き、静かな大晦日の朝であった。

赤柴山の麓《ふもと》まで車を乗り入れると、鉄平は車を停め、祖父譲りのイギリス製の名銃、ジェームス・パーディを肩にかけ、山頂を目ざして、ゆっくり歩きはじめた。山道には十センチ余りの積雪があり、歩く度にさくさくと音がし、くっきりと足跡がついた。暫《しばら》く続いたなだらかな山道が、やがて次第に険しくなり、呼吸が乱れて来たが、鉄平は歩行を緩めず、ぐんぐん上って行った。雪をかぶった太い松の樹《き》や、背丈より高い山笹の切れ目から、丹波富士といわれる雪を頂いた多紀連山が容《すがた》を見せはじめた。

鉄平は、ふと足を止めた。何か音を聞いたような気がしたのだった。鳥の羽搏《はばた》きでも、樹間をわたる風の音でもない。鉄平が曾《かつ》て聞いたことのある音のようでもあり、また人の声のようでもあった。鉄平は荒い息を吐きながら耳をすまし、背後を振り返った。しかし、背後にあるものは、雪に映えた白い光と、自分の足跡だけで、辺《あた》りはしんしんとした静けさに包まれている。空耳だったのかと足を進ませかけ、鉄平は、はっと体を硬くした。なぜとはなく、父である万俵大介が遠く、背後から、からからと高笑いするような幻聴がした。

その幻聴を振り払うように、鉄平はさらに尾根に向って、険しい傾斜を登って行った。この辺りは昨年の十一月、三雲頭取と猪撃《しし》ちに来た時、頂上の岩陰に寝ていた猪《いのしし》を市太老の息子の市郎が見付けて、猟犬をけしかけて追出しをかけ、三雲と鉄平が〝待ち撃ち〟についた場所であった。当時のことを思い出しながら、鉄平はあの時に受け持った待場《まちば》を目ざし、足もとを踏みかためるようにして、杉の木立の中へ入って行った。一歩、木立の中へ入ると、陽が遮られ、蒼《あお》い樹の影を落してほの暗く、氷点下の峻烈《しゅんれつ》な冷気が手足の指先を凍《こご》えさせたが、鉄平は白い息を吐き、喘《あえ》ぎながら進んだ。鳥の気配一つせず、時折、雪でしなった枝から、ばさっと雪が落ちる音が、凍りつくような静けさの中で、大きく耳に響く。

やがて前方が明るみ、透徹した陽が、光の矢のように射《さ》し込んで来た。左右に切りたった山が展《ひら》け、それにつれて群生している杉も疎《まば》らになった。

木立をぬけると、冷たいが清々《すがすが》しい風が渡り、冴《さ》え渡った空の下に新雪に抱かれた山と谷が拡がった。鉄平は眩《まぶ》しさで思わず、眼を細め、銃を肩から下ろして、周《まわ》りを見廻した。三雲と待ち撃ちした岩場は、この近くにあるはずであった。視線をめぐらせた途端、眩暈《めまい》に襲われ、ぐらりと体の重心を失い、思わず、ジェームス・パーディの銃床で体を支えたが、揺らいだ視界の端に、目ざす岩場が見えた。鉄平は山笹の上の雪を掬《すく》い、口に含んだ。歯にその冷たさが沁《し》みたが、たちまち舌の上で解け、乾いた咽喉《のど》に快い刺激となって胃腑《いのふ》に下った。鉄平はもう一口、口に含むと、もとのしっかりした足どりで、百メートルほど前方の高みにある岩に向った。

岩のすぐそばに杉の巨木が聳《そび》えたち、雪が白い浄《きよ》め布を敷いたように降り積もっている。鉄平は疲れた体をごろりと岩の上に横たえた。昨夜、一睡もしていない体に、一時間余にわたる山歩きはこたえた。

背中が、次第に冷たく凍えて来た。皮ジャンパーが、じっとり湿り、悪寒《おかん》が五体を奔《はし》ったが、鉄平は身動き一つせず、三雲のことを考えていた。大同銀行の頭取の座を追われた三雲は、今後どのような身の振り方になるのだろうか――。自分が父の奸策《かんさく》を見ぬくことが出来ておれば、三雲頭取をしてこのような羽目に陥れることはなかったはずである。昨日来の激しい自責の念が、再び火のように鉄平の心を灼《や》いた。

森閑と静まりかえった山中から、山鳩《やまばと》の哀切な響きをもった啼声《なきごえ》が聞えて来た。それが鉄平には、母の寧子の忍び泣きのように聞えた。岡本の家を出る時、自分の膝《ひざ》に頽《くずお》れ、許しておくれ！　と哀願した母の白い顔が瞼《まぶた》に甦《よみがえ》った。祖父との不倫を許せというのか、父と祖父のどちらの子か解《わか》らぬことを許せという意味だったのだろうか――、鉄平は手袋をとり、凍えた手を陽にかざし、そこに流れている自分の血を確かめるように凝視した。

そのままの姿勢で、長い時間が過ぎた。谷を隔てた向いの尾根にいつの間にか、雪雲が厚くかかり、風に吹き流されるように動いている。鉄平は体が凍え、背中から手足にかけて感覚が麻痺《まひ》しかけているのに気付くと、体を起し、両手を強くこすり合わせながら、跡切《とぎ》れた思考のあとで、もう一度、父、万俵大介のことを思った。自らの欲望を遂げるためには、冷然と金の力で自分に都合のよい正義を作り変えることの出来る男――、今度もきっとそう試みるだろう。だが、今度は――、鉄平の憔悴《しょうすい》した眼に、ぎらりとした凄《すさま》じい光が溜《た》まった。

クゥ、クゥ、ク、クー、山鳩の啼声がさらに近くで、もの哀《がな》しさを帯びて続いた。鉄平は岩の上に徐《おもむ》ろに趺坐《あぐら》をかき、温《ぬく》みの戻った手で祖父から譲られたジェームス・パーディを取り上げた。拭《ふ》き磨かれた銃口は黒く光り、機関部の彫刻はいぶし銀のように渋く重厚な色を湛《たた》え、銃床は銃を使う者の身長と肘丈《ひじたけ》に合わせて作られたものだった。鉄平は銃を逆さに持ち変え、銃口を自分の顎《あご》の下に押し当て、銃床を膝の間に挟《はさ》んだ。靴を脱ぎ、靴下を脱いだ足で、引金を引いた。

ターン！ 雪山に凄じい銃声が一発、鳴り響いた。

万俵鉄平の自殺は壮絶を極めた。ジェームス・パーディの銃口を顎の下に押し当て、右足拇指《おやゆび》で引金を引いて、即死していた。

最初に、鉄平の自殺現場を目撃したのは、赤柴山の炭焼小屋に来ていた地元の猟師であった。大晦日には殺生をしないこの地方の習慣にもかかわらず、銃声が轟《とどろ》いて来たことに不審をもち、雪道についている足跡を追って来て、凄じい現場にぶち当ったのである。

猟師の急報で、直ちに山麓《さんろく》の駐在所の警官が篠山警察署に連絡し、捜査課長以下、猟銃関係の保安主任、鑑識係など八名がサイレンを鳴らして現場へ急行したが、猟銃事件を何度か経験している刑事、警官でさえ、現場のあまりの壮絶さに息を吞《の》んだ。

鉄平は血に染まった雪の上に仰向けに絶命していた。死後二時間たっていたが、銃弾は咽喉もとから後頭部頭蓋骨《ずがいこつ》を砕いて貫通しており、おびただしい血液が雪の降り積もった岩場を血の海に染め、傍《かたわ》らの杉の巨木の幹、枝葉にも、血しぶきや肉片が飛び散っている。

ジェームス・パーディは、鉄平の体とは反対に、銃口が爪先《つまさき》の方に向いて倒れていた。顔や手には、血しぶきが滴《したた》っていたが、引金を引くために靴を脱いで素足になった右足先だけは、白く硬直している。

一瞬、息を呑んだ署員たちは、捜査課長の指揮ですぐ現場の保存にかかった。制服警官が十メートル四方にロープを張りめぐらせている間に、三名の刑事は周囲の足跡や遺棄物を調べ、ブルーのジャンパーに白木綿の手袋をはめた鑑識係二名は死体の写真撮影や凶器の位置を記録しはじめた。他殺か自殺か、暴発事故かが、捜査の第一のポイントであった。

「あんたでしたね、最初の目撃者は」

私服の捜査課長が、ロープを張った境界線のところで、村の駐在所員の質問に応えている猟師に声をかけた。山麓に検問が設けられ、関係者以外は立入禁止になっていた。

「へえ、そうです、心臓がひっくり返るほど、びっくり仰天しましたでぇ」

猟師はまだ驚きから醒《さ》めやらぬらしく、歯の根をかちかちさせて、応《こた》えた。

「銃声が聞えたのは、何時頃でしたか」

「さあ、確かなことはよう憶《おぼ》えとらんけど、八時半、いや九時頃やったと思います」

「銃声は何発、聞えましたか」

「一発だけです、あの音は猪撃ちに使う一号弾やと思いますがな」

「そんなことまで、よく解るねぇ」

「そら、わしかて猪撃ちの猟師や、音だけ聞いて、兎《うさぎ》撃つ散弾か、猪撃ちの弾《たま》か解らいでか」

「それで、銃声を聞いてすぐここへ登って来たんだね」

「さよです、なんし、大晦日の今日は殺生せんことになっとるのに、猪道《ししみち》の一つになってる西尾根でターンと銃声が響いて来たんで、おかしいなと思うてな、そやけど、まさか人が死んだなど思うてもみんことや」

喋《しゃべ》るほどに猟師は昂奮《こうふん》し、早口になった。捜査課長は落ち着いた表情で聞き、

「それなら、なぜこんな上までわざわざ登って来たのかね、この雪道ではあんたの炭焼小屋からゆうに一時間はかかったろうに」

と質問した。猟師は俄《にわ》かに気色ばみ、

「刑事さん、妙なこと云いはるやないか、わしが登って来たのは、若い衆の中で、近頃、猟師会に隠れて無茶するのがおるので、現場を摑《つか》まえてしぼり上げたろと思いましたのや、第一、わしはあんな人は見も知らん、どうせ都会から来たよそ者やろが」

食ってかかると、

「課長――」

岩場の方から若い刑事の呼ぶ声がした。

「頭蓋骨を貫通したらしい銃弾が見つかりましたよ、この杉の木に食い込んでいます」

死体が仰転している岩場の傍《そば》の杉の巨木を指《ゆび》さした。死体から二メートルほど上の二《ふた》抱《かか》えもありそうな幹に、直径十八ミリの銃弾がぶすりと食い込み、あたりに血痕《けっこん》と、白濁した脳漿《のうしょう》が付着している。

「本人が携帯している弾との照合の結果はどうかね」

捜査課長は、死体の状況を調べている鑑識係に聞いた。

「ところが、本人は弾帯を所持していませんし、弾倉にも一発の弾も残っておりません」

「なに一発もない？　では遺書か、何かそれらしいものは見付かったかね」

「いえ、遺書も、身元が割れるようなものも一切、見付かりません、しかし全般的な状況から推測して、自殺の線は、ほぼ確定的だと思われます、まず第一に発砲時の衝撃跡ですが、ここをご覧下さい」

鑑識係はそう云い、死体の足先のあたりをさし示した。発砲の際、銃床の重みがかかったせいか、その箇所だけ十数センチ積もった雪にぽっかり穴があき、岩肌が剝出《むきだ》しになって、銃床の底に岩面との鋭い摩擦傷がついている。

「岩場の銃床の跡を見ると、本人が引金を引かない限り、こうはなりません、これが畳の上なら、畳がくぼんでしまうぐらい力がかかりますからね、第二に硝煙《しょうえん》反応ですが、本人の顎、手に同一の反応が出ています」

その説明通り、火薬の煙と残滓《ざんし》が焼け爛《ただ》れた顎にも手にも見て取れた。傍らから猟銃関係の保安主任も、

「それに傷口の様子、死体の倒れている方向と銃の位置、血液、肉片の飛散り方などから推して、銃を顎の下におし当て、接射した自殺とほぼ断定されますね、暴発の場合ですと、体と銃口の距離がありますから、顎から上が吹っとんで死体が汚なくなっています、こういう死に方は、よほどの射撃の技倆《ぎりょう》と胆っ玉がないと出来ませんな」

半ば唸《うな》るように云うと、捜査課長は、死体の足もとに倒れている銃を見つめ、

「この辺ではあまり見たことのないりっぱな銃だな、なんだね」

「役目柄、いろんな銃を見て来た私も、はじめてみるもので、銃床を調べてみましたら、幻の名銃といわれるイギリス製のジェームス・パーディという逸品で、わざわざ

別誂《べつあつら》えしたらしく、銃の製作された年月日まで記されていますよ」

「とすると、これほどの銃を所有しているこの男は、ただ者ではないわけだな」

捜査課長はそう云い、死体の顔を凝視した。後頭部頭蓋骨から血にまみれた脳漿が飛び出し、顔中、網目のように血が滴っているが、太い形のいい眉《まゆ》、まっすぐ通った鼻梁《びりょう》、真一文字に引き結ばれた口もとのどれ一つとっても、意志の強靭《きょうじん》さと逞《たくま》しさが備わっていた。遺書も残さず、たった一発しか装塡《そうてん》していない銃で、これほど壮絶に自らの命を絶った男は、一体、何者なのか。捜査課長が、惹《ひ》き入れられるように死体の顔をまじまじと見つめている時、連絡係の警官が長靴を雪まみれにし、息せききって、上って来た。

「課長、死体の身元が山麓に乗り捨ててあった車のナンバーから割れました、草山村の猪撃ちの名人、大垣市太爺《じい》さんのところに来ている神戸在住の万俵鉄平という人物です、市太爺さんは息子に伴われ、もうすぐ現場へ駈《か》けつけて来ます」

「万俵鉄平――、聞いたことのある名前だな」

「はい、先月末、倒産した阪神特殊鋼の専務だそうです」

「え！　すると一昨日《おととい》、東京の大同銀行と合併することが大々的に新聞、テレビで伝えられた阪神銀行の万俵頭取の御曹子じゃないか」

捜査課長の顔に驚愕《きょうがく》の色がうかんだ。

二時間ほど前までは、青く澄んだ空が拡《ひろ》がり、積雪が眩《まぶ》しいほど照り映えていたが、向いの尾根にかかっていた灰色の分厚い雪雲が張り出し、いつの間にか重く垂れはじめていた。陽の光が遮断《しやだん》され、風が音をたてて吹きはじめると、山中の寒さは一段と厳しくなり、ちらちらと小雪が降りはじめた。

血で汚れた鉄平の顔にも、血に染まった岩場にも、雪が舞い下りた。やがて現場検証が終り、担架が上げられ、万俵鉄平の死体は移された。

市太親子はまだ登って来なかったが、二人の警官は担架を持ち上げ、雪の山道を下りはじめた。ジェームス・パーディは、すぐうしろに続く鑑識係が指紋を消さぬように布で巻いて持っていた。

雪は次第に濃密になり、警官たちの肩先や担架の上にも、降りかかった。

ホテル・オークラの一室で、大同、阪神両銀行の役員の初顔合せが行われていた。

大晦日の午前十時から始め、そのあと午餐会《ごさんかい》という押し詰った運びであるのは、一昨日の毎朝新聞に両行合併をスクープされ、急遽《きゆうきよ》、公表に踏み切ったためであった。

阪神銀行側は、万俵頭取をはじめ十四名の取締役、大同銀行は綿貫頭取代行をはじめ十四名の取締役が出席し、両行役員の紹介がすんで、万俵頭取の挨拶《あいさつ》がはじまっていた。ともすれば固くなりがちな座の雰囲気《ふんいき》を和《やわ》らげるように、万俵は銀髪端正な顔に微笑を漂わせ、

「この度は、不思議なご縁で両行が合併することになりましたが、この間《かん》に示されました両行役員の皆さん方の度量と新時代を見る洞察力に、まず敬意と感謝を表します、新銀行は、〝東洋銀行〟という名称が示しますように、二つの銀行が一つに寄り合うのではなく、ここに全く新しい銀行が私たちの手によって誕生するわけであります

――」

一同を見渡しながら云った。両行の役員たちは、互いに腹のうちを探り合い、合併後の自分のポストを気に懸《か》けながらも、表面は和気藹々《あいあい》の面持で、万俵の言葉に耳を傾けている。

部屋の扉《とびら》が開き、秘書が緊張した表情で、万俵の手もとにメモを置いた。そのメモにちらっと眼を走らせた途端、万俵の言葉が跡切《とぎ》れた。

ご令息鉄平氏　篠山にて自殺

万俵は息を呑み、メモを握った。顔が引き攣《つ》れ、全身が氷のように冷えた。

「……私がご協力を得て……激動期を乗りきり……両行は……」

舌がもつれ、足もとが揺らいだ。隣席の大亀、芥川、大同銀行の綿貫はもちろん、居《い》列《なら》ぶ両行の役員たちも、万俵の様子に奇異な視線を向けた。万俵は辛うじて足を踏んばり、テーブルの下で拳《こぶし》を握りしめ、言葉を手繰り出すように、やっと口を開いた。

「――新銀行の発展は、両行役員の大いなる協力を得なければなりません、殊《こと》に大同銀行の役員各位は、これまで三雲頭取に尽されたのと同様のご協力を、新銀行の私にも寄せられるよう切望致します、惜しむらくはこの席上に三雲頭取が病臥《びょうが》中のためお見えにならぬことであります、ですが、三雲頭取の意は、頭取代行の綿貫専務が体しておられることと存じます」

そう言葉を結んで着席すると、綿貫がたち上って、大同銀行側の挨拶をはじめた。得意満面の顔で、大きな口を開いて何か饒舌《じょうぜつ》に喋っていたが、もはや万俵には何を話しているのか、耳に入らなかった。万俵は、鉄平自殺のメモを、大亀と芥川に見せた。みるみる二人の顔色は変り、動揺したが、万俵は眼で制した。拍手が鳴った。綿貫の挨拶が終ったのである。万俵も大きく拍手を贈ってから、

「このような喜ばしい席に申しわけありませんが、余儀ない用件が出来《しゅったい》、中座させて戴《いただ》きます」

と断わり、動揺する気持を必死に抑えて、部屋を出た。

万俵が羽田発正午の飛行機で伊丹空港に着くと、総務部長と本店頭取秘書の速水がロビーに待ち受けていたが、万俵は独り車に乗り継いで、三田《さんだ》経由の国道を篠山に向った。

鉄平自殺の報《しら》せは、篠山警察署から岡本の邸《やしき》へ知らされ、相子から本店秘書課の速水に通報されたのだった。万俵は、羽田を発《た》つ前に、岡本の邸へ電話して相子を呼び出し、家族の者はめだって新聞種になるから銀平以外、現場へ駈《か》けつけるなと厳命し、銀行内に関しては総務部長が東京の芥川と連絡をとって、新聞に書きたてられぬよう万全の術《て》を打てと命じた。

両行役員の初顔合せの挨拶の最中《さなか》に、鉄平の自殺の報せを受け取った時は、言葉が跡切れ、乱れるほどに動揺した万俵だったが、やや落着きを取り戻し、鉄平が何故《なぜ》、自殺したのか、篠山のどこで、どのような死に方をしたのかということを考えていた。万俵の脳裡《り》に、昨日《きのう》、銀平に電話をかけて来た鉄平が、「父は阪神特殊鋼の倒産をトリックにして、大同銀行との合併を図り、自分のみならず、三雲頭取まで陥れたのか」と怒り狂ったということが、思い返された。その電話をかけて来た翌日の自殺である。鉄平の死は、父である自分の企業的野心を見抜き、その野望を阻《はば》もうと意図した自殺ではなかろうか――。もしそうなら、何らかの形で遺書を残しているかもしれないという不安と恐怖が募り、鉄平の死を悲しむより、その不安の方が、万俵の心を大きく占めた。

「君ぃ、もっとスピードを出せないのか」

運転手に向って、苛《いら》だった声で急がせた。

「はあ、あいにく雪が降り出し、スリップの危険がありますので――」

いつの間にか、車は国道一七六号線に入り、遥《はる》かに見渡す多紀連山の方は、どんよりと雪雲に覆《おお》われている。

国鉄篠山駅に近い篠山警察署に着くと、万俵はすぐ署長室へ案内された。

「この大晦日《おおみそか》に、署ならびに地元の皆さま方に大へんなご迷惑をおかけ致しました」

と詫《わ》びると、署長は、

「いや、それよりえらいことでしたね、遺体は既に山から下ろして、署内に安置してあります」

と云《い》い、同席している捜査課長が、

「先程、ご実弟の方が来られ、遺体についていらっしゃいます、こちらへどうぞ――」

先にたって、署の裏側の死体安置所へ足を向けた。

コンクリートの打放しに、トタン屋根をかけてあるだけの殺風景な安置所の扉《とびら》を開くと、火の気のない薄暗い室内に、ぽつんと坐っている銀平と、大垣市太老の姿が見えた。銀平は父と顔を合わせるのを避けるように、蒼白《そうはく》な顔を伏せて出て行ったが、市太老は、大介の姿を見るなり、真っ赤に泣きはらした眼を上げ、

「えらいことになってしもうて――、わしがよう気いつけてたら、若旦《だん》那さんはこんなことに……」

膝《ひざ》を折り、声を放って泣いた。市太老が供えたらしい線香と正月用の餅《もち》が、木の台の上に置かれている。

万俵は、担架に仰臥《ぎょうが》している鉄平の死体の方へ歩み寄った。そして一瞬、躊躇《ためら》うように足を停め、白布をめくった。その途端、棒だちになった。咽喉《のど》もとが焼け爛れ、山から移送する途中、さらに出血したらしく、吹き出した血が顎下で血溜《ちだま》りになり、頭蓋骨《ずがいこつ》から流れ出ている白い脳漿まで紅《あか》く染まって、顔中に血網《ちあみ》が走っている。万俵

はその凄惨《せいさん》さに、眼を背けた。

捜査課長は、遺族の心中を察するようにすぐ白布をもと通りにした。

「なぜ、こんなことに？」

万俵は、やっと口を開いた。

「それは署の方が伺いたいことです、先程、ご実弟の銀平氏に伺った話では、大分、以前から行方不明だったそうですが、何かご事情がおありですか」

「いや、別に、私としては、嫁の実家である故大川一郎邸に住まいしているものとばかり思っておりましたもので——遺書か何か、残しておりませんでしたか」

「いえ、遺書はありませんでしたが、なぜそんなに長く妻子をおいて、家を出ておられたのか、その辺と自殺の動機が結びつくように考えられるのですが——」

捜査課長は、重ねて聞いた。

「その点については、私も東京からここへ駈けつけて来るまでの四時間余りの間、いろいろ考えをめぐらせました、鉄平は、阪神特殊鋼の倒産を苦にして悩みつづけ、何とか気持をたて直そうと独りになって努力したものの、人一倍責任感の強い人間でしたから、やはり自責の念に耐えられず、死を選んでしまったのではないかと……」

万俵は遺体を横にして、そう云い繕い、

「現場の様子は、どんな風でしたか」

と聞いた。

「男らしい、勇気のある死に方でした、ジェームス・パーディという銃にたった一発だけ弾《たま》を籠《こ》め、一発で命を断っておられます」

捜査課長はそう云い、雪の岩場に坐《ざ》して覚悟の自殺を遂げた状況を詳しく話すと、万俵はその一語、一語を注意深く聞きながら、死ぬ時まで祖父譲りの銃を使い、弾の籠め方まで祖父を真似《まね》、まるで父親である自分に対決するような死に方をしていると、許し難い憎悪《ぞうお》に駈られた。その時、死体安置所の扉が開き、若い警官が、

「課長、只今《ただいま》、県警本部から連絡がありました、銃床の硝煙反応は陽性、現場の血液はB型です」

と報告した。捜査課長はすぐ手帖《てちょう》にメモしたが、万俵は訝《いぶか》しげに問い返した。

「間違いじゃありませんか、本人の血液型はA型のはずですが――」

「いや、うちの鑑識が現場で採取した生血《なまち》を、パトカーですぐ県警の科学検査所へ運んで鑑定したのですから、間違いありません、ご記憶ちがいではありませんか」

「しかし、鉄平はこれまでA型と判定されています」

と云い、戦争末期、B29の被爆に備えて、鉄平たちの学校で集団検査をした結果、

本人の名札の下にはA型と記《しる》されていたことを話すと、捜査課長は、

「ああ、それなら戦争中によくあった間違いですね、おたくの場合だけでなく、署でも時折、あることですが、なおご不審でしたら、署としても、もう一度、確認せねばなりません、私自身が県警の鑑識へ問い合せましょう」

と云い、一旦《いったん》、出て行ったが、すぐ戻って来た。

「間違いありません、ご長男の血液型はB型です」

と云った途端、万俵の全身から血が引いた。鉄平の血液型がA型と思えばこそ、亡父A型と妻O型の間にも、または大介自身のAB型と妻O型の間にも生れる可能性があり、絶えず、どちらの子供かという疑惑に苦しみ、憎悪し続け、鉄平を死に追いやるような冷酷な仕打ちにもなったのだった。それが鉄平が自ら命を断った今、鉄平の血液型がA型ではなく、B型であり、まぎれもなく自分の血を分けた実子であったとは——、万俵は、放心したように白布に覆われた鉄平の遺体にすり寄った。そして焼け爛れ、血まみれになっている鉄平の咽喉もとの血を自分の手で拭《ぬぐ》った。

天王山を背にした万俵家の日本館は屋根だけを残して純白の布で掩《おお》われ、下の大門

から日本館に至る六丁ほどの坂道の両側にも黒白の鯨幕《くじらまく》が引き廻されて、故万俵鉄平の葬儀がしめやかに行なわれていた。

自殺であることと、新年二日の葬儀であることを憚《はばか》って、自宅葬であったが、日本館の広間正面にしつらえられた祭壇には、家紋入りの棺巻《かんまき》に掩《おお》われた柩《ひつぎ》が安置され、万俵家の菩提《ぼだい》寺である姫路亀山《かめやま》御坊から足を運んだ院主が大導師となって、十六人の僧侶《そうりょ》が左右に列ぶ中を、告別式の読経《どきょう》が続けられていた。

祭壇左の遺族席には、喪主である鉄平の長男太郎が、転校したばかりの慶応幼稚舎三年生の制服姿で妹の京子とともに母の早苗に介添《かいぞ》えされて坐《すわ》り、次いで万俵大介、寧子、銀平、二子、三子と美馬中、一子夫妻、石川正治、千鶴夫妻の順に、親族、姻《いん》戚《せき》が列《つら》なっている。黒い喪服を着た人たちの中で一人、寧子だけが公卿《くげ》華族の出らしく白無垢《むく》縮緬《ちりめん》の喪服に、白珊瑚《さんご》の数珠《じゅず》を持ち、今にも倒れそうになる体を次男の銀平に支えられている姿が人目をひいた。

右側の告別式参列者席には、ごく内輪だけにと配慮したにもかかわらず、阪神銀行の頭取であり、万俵コンツェルンの総帥《そうすい》である万俵大介の長男の葬儀とあって、地元政財界の有力者五十数名をはじめ、万俵コンツェルンの役員たちが列なり、その中には、東京から駈けつけた大同銀行の三雲頭取の姿も見られた。

読経が続く中で、万俵大介は、祭壇の柩の上に掲げられている鉄平の遺影を見上げていた。太い眉《まゆ》、精悍《せいかん》に見開かれた眼、引き締まった頰の肉、ぐっと引き結んだ唇、生前の逞しく生き生きとした鉄平の表情が、参列者たちを見詰めている。

万俵大介の胸には、荒涼とした風が吹き荒れていた。鉄平の血液型がA型ではなく、B型であったことによって、鉄平が自分の血を分けた長男であったことが、万俵の心をずたずたに切り苛《さいな》んでいるのだった。鉄平の血液型がA型であることによって、もしや祖父と妻との間に生れたのではという出生の疑惑が強まった時の陰惨な衝撃が、昨日のことのように思い返された。もし鉄平の出生に疑惑を抱かなかったら、阪神特殊鋼を故意に倒産させてまで、銀行家としての企業的野心を遂げたであろうかと、自問自答した。阪神銀行の将来のためにならなら、たとえ鉄平が血を分けた実子であっても、やはり阪神、大同の合併はやってのけたであろう、だが、骨肉《はぐく》を分けた子であれば、死に追いやるほどの冷酷な手段は選べなかったはずである——。

万俵は激しい自責の中で、鉄平を阪神銀行の後継者として育み、迎え入れられなかったことを恨み、悔んだ。鉄平なら万俵コンツェルンの総帥としての人間的資質を備え、ここに参集している一族、コンツェルンを率いて行くことが出来る。阪神銀行を合併へと駈りたてたのも、阪神銀行の将来だけではなく、万俵コンツェルンの将来のためをも含めた考えであったのだった。そう思うと、自分の跡継ぎを失った実感が胸に沁《し》み、一族の長としての深い挫折《ざせつ》感が、万俵の心を占めた。

読経の声が止《や》み、大介は、はっと我に返った。

「ご遺族のご焼香でございます、喪主の方からどうぞ――」

伴僧が遺族席に向って、恭《うやうや》しく礼をした。幼い喪主の太郎が、早苗に介添えされ、遺族席からたち上った。鉄平似で色が浅黒く、眉と眼にきかぬ気らしい気性が漂っていたが、泣くまいと口もとを結び、祭壇の前で手を合わせかけ、

「パパ、きっと帰って来るって、約束したじゃないか!」

我慢できないように、泣きじゃくった。それまで気丈に耐えていた早苗の眼に涙が噴き上げ、居列《いなら》ぶ人たちも、眼を潤《うる》ませた。

次いで万俵大介が焼香にたち、焼香台の前で長い合掌をした。胸中には、複雑な懊《おう》悩《のう》が交錯していたが、長すぎるほど長い大介の合掌は、誰の眼にも、跡継ぎである長男を失い、哀《かな》しみに閉ざされる父親の姿として映った。だが、万俵大介は、一人の男の、静かだが厳しい視線を背中に感じ取っていた。それは策謀を重ねた末に蹴落《けおと》すことの出来た大同銀行の三雲頭取の眼であった。大介は、沈痛な面持で焼香を終えると、三雲の視線を振り払うように踵《きびす》を返し、寧子を促した。

寧子は、銀平の手をかりてよろめくようにたち上り、白無垢縮緬の喪服の裾《すそ》を床に引きずるようにして祭壇に近付いた。大晦日の夕、篠山から帰って来た鉄平の遺体と対面した時、寧子は遺体の傍らに置かれているジェームス・パーディを見ると、異様な叫びをあげた。鉄平が岡本の邸を去る日、出生の疑惑を問われて応《こた》えられなかった寧子は、自分が鉄平を死に追いやったという罪の意識に苛まれた。涙も涸《か》れ果ててしまったような寧子は、祭壇にぬかずくなり、

「許しておくれ……」

低く呟《つぶや》くように云い、その場に頽《くずお》れてしまった。遺族席はもちろんのこと、参列者席にも、かすかな動揺が起り、銀平は母を助け起すようにして席へ戻ったが、万俵一族の末席に坐っている高須相子だけは、いささかの動揺もなく、寧子の姿を冷やかに見詰めていた。

焼香は、さらに二子、三子と進み、美馬中がたち上った。美馬が、鉄平自殺の報を大介から聞いたとき、最初に云ったのは、「何というはた迷惑なことを――、新聞に伏せられないまでも、暴発事故ということに出来なかったのですか」という苦言であった。義兄の死までも、大蔵省主計局次長という乾いた心で受けとめただけで、型通りの焼香をすると、兄を失った悲しみに打ちひしがれている一子に、さっと次を譲っ

た。

遺族の焼香がしめやかにすみ、告別式は参列者の焼香に移った。知事、市長、県会議長などの政治家の中に、地元選出の社民党議員で大蔵委員の中根正義の顔が一際《ひときわ》めだって見えた。毎年、正月四日の阪神銀行の年賀式には顔を出していたが、ぬけ目なく告別式に現われ、年賀のかわりをして行った。そして後に続く三雲とすれ違うと、

「やあ、お元気そうじゃないですか」

大蔵委員会での卑劣な追及など忘れ果てたように、笑いかけた。三雲は厚顔無恥なその笑いかけを無視し、鉄平の霊前に静かに焼香した。新たな香煙がたちのぼり、鉄平の柩の上にたゆとうように輪を描いた。三雲の深い哀悼を湛《たた》えた眼に、さらに哀しみが増した。

阪神特殊鋼の元役員たちの焼香も、惻々《そくそく》として、人々の心を搏《う》った。帝国製鉄から管財人が入って更生会社になった阪神特殊鋼に、一人だけ残された一之瀬工場長は、

「専務、煙は絶やしませんぞ——」

悲しみを堪《こら》え、鉄平の霊前に約束し、営業担当であった川畑と経理担当の銭高も深々と頭を垂れて、鉄平の冥福《めいふく》を祈った。高炉建設に意見の食い違いこそあれ、最後まで一体となって鉄平をもりたてて行っておれば、このような離散は起らなかったの

ではないか——、今は万俵倉庫、万俵商事の捨て扶持《ぶち》を食《は》んでいる銭高、川畑は、曾《かつ》て鉄平の逞《たくま》しいバイタリティに煽《あお》られるように阪神特殊鋼を飛躍的に大きくさせた頃の充実感を、それぞれの悔恨の中に思い返した。

やがて、弔問客の焼香も終り近くになり、万俵大介は、早苗と太郎を促して、席をたった。引き続いて始まる一般焼香の参列者に、会葬御礼の挨拶《あいさつ》をするためで、青竹と白木に囲まれた礼場に、喪主の太郎を真ん中にしてたった。

一般焼香は、鯨幕を引き廻した下の大門から、静かに切れ目なく続いた。つる乃家の老女将《おかみ》と芙佐子も顔を青白ませ、列につらなっていた。黒い喪服の中に、紺《こん》やグレーの略式の服を着て、一目で阪神特殊鋼の現場作業員と解《わか》る人々の姿も多数、見られる。作業員たちは一様に焼香台の前で長い黙禱《もくとう》をし、暫《しば》し、焼香の列を滞らせるのも忘れたようにたたずんでいた。その度に、立礼している早苗の眼には新たな涙が溢《あふ》れ、万俵大介は端正な表情を崩さず、立礼を続けた。

何十人目かの弔問客に対して、万俵が立礼しかけると、黒ドスキンの略装礼服を着たその男は、つと万俵の傍へ歩み寄った。

「倉石です——」

と名乗ったが、万俵にはとっさに思い出すことができなかった。

「鉄平君の友人の倉石弁護士です」

と云《い》った途端、万俵の上体が揺らいだ。鉄平が父である自分を阪神特殊鋼の非常勤取締役として背任罪で告訴した時の、鉄平側の弁護士であった。万俵は硬《こわ》ばりかける口もとで、

「新年早々の葬儀にもかかわらず、ご会葬のほど、いたみ入ります」

ことさらに鄭重《ていちょう》な挨拶をした。

「いや、友人として力及ばなかったことを今、鉄平君に詫《わ》びて来ました」

と云うなり、倉石は怒りを見せた表情で、さっとたち去って行ったが、万俵には倉石の弔問が、俄《にわ》かに不気味な影になって掩いかぶさり、立礼中、ずっと暗い尾を曳《ひ》いた。

一時間余りにわたる一般焼香が終り、いよいよ出棺《しゅっかん》であった。

日本館の玄関に、遺族をはじめ告別式参列者の人たちが粛然と両側に列んだ中を、鉄平の柩はしずしずと担《かつ》ぎ出され、霊柩車《れいきゅう》におさめられた。そのすぐ後の車には、喪主の太郎、早苗、大介が乗り、続いて母の寧子と銀平、遺児の京子をはじめとする遺族たちと、親戚がそれぞれ車に分乗して従った。霊柩車がゆるゆると動き出すと、うしろに続いた車も黒く長い列をなし、天王山を背にして高台から下りた。

不意に霊柩車が停まった。邸内の坂の中ほどにある石橋の上であった。遺族も会葬者たちも、一斉にはっと不吉なことのように息を呑《の》んだが、それは万俵大介が、阪神特殊鋼を一望のもとに見渡せる石橋の上で霊柩車を停め、柩の中の鉄平に名残りを惜しませるために、予《あらかじ》め指示しておいたのだった。

灘浜に臨んだ阪神特殊鋼の高い煙突からは、鉄平が生きていた時と同じように鉄を精錬する煙が、今日も絶えることなく、たちのぼっている。霊柩車は再び動き出した。

鉄平の柩が運び出され、出棺を見送る会葬者もたち去ると、三雲は人影のなくなった万俵家の庭に、独りたっていた。

万俵大介をはじめとする一族の人たちは霊柩車に従って火葬場に向い、僅《わず》かに居残っている人たちは、広間の祭壇の取り片付けや、おびただしい樒《しきみ》や供花《くげ》のあと片付けに追われ、告別式が行なわれた広間から隔たった庭にいる三雲の姿に気付く者は誰もいない。

そこからは、邸内の東側の高みに建っている鉄平の曾《かつ》ての住家が見えた。三雲には、鉄平の死が、何としても口惜《くちお》しかった。そして自分が大蔵委員会に喚問されたことを鉄平が新聞で読み、電話して来たのを娘の志保から聞いた時、電話の一本、或《ある》いは葉書の一枚でも出しておいたら、もしや、という心の悔いが深まった。そう思うと、鉄平の住まっていた家へ行ってみたい衝動に駈《か》られた。広大な庭の池の横を通りぬけ、樹齢百年を越す松の樹《き》の間を縫い、芝生の庭に面したル・コルビジェ式の建物の前にたって、玄関の扉《とびら》を押すと、音もなく開いた。

さらに一歩、内《うち》へ足を踏み入れると、黴《かび》くさい湿《し》けた臭《にお》いがしたが、南側に面したテラスの鎧戸《よろいど》が一枚だけ開いており、そこから冬の陽が射《さ》し込んで、絨毯《じゅうたん》が剝《は》がされた床《ゆか》に、小椅子《いす》が三脚、残っていた。三雲はその一脚に腰を下ろした。曾て万俵鉄平も、この居間に寛《くつろ》ぎ、家族と団欒《だんらん》し、そして情熱を燃えたぎらせて、高炉建設にたち向ったのであろうと思うと、銀行家《バンカー》としての自分の理想を具現してくれるはずであった強靱《きょうじん》な信念と逞しい行動力を持つ一人の青年実業家を忽然《こつぜん》として失った悲しみが、今さらの如《ごと》く、三雲の体の奥底からこみ上げて来た。それにしても、万俵鉄平は、なぜ突然、猟銃自殺を遂げたのであろうか。元旦の新聞紙面は、各社とも作りおきの記事が多いためか、鉄平の死は、社会面の一隅に、会社倒産によるノイローゼ自殺かと、簡単に報じられていたが、万俵鉄平は、ただそれだけの理由で、自ら命を断つような人間だとは考えられない――。

どのくらいの時間がたったろうか。不意に、床に黯《くろ》い人影が映った。思わず、ぎょっとして椅子からたち上ると、その人影もたち竦《すく》むように止まった。振り返ると、薄暗い部屋の入口に、万俵大介が礼装のままたっていた。

「あ、三雲さん、あなたでしたか――」

「お断わりもせず、勝手に入って失礼致しております」

詫びるように三雲が云うと、

「いや、私もなんとなく、こちらへ足が向いてしまって――」

万俵はそう云い、改まった姿勢で、

「本日はご遠路、お運び下さり、最後までご会葬戴《いただ》き、鉄平は誰よりも、あなたのご参列を喜んでいることと思います、あちらに供養膳《くようぜん》をご用意しておりますので、どうぞ――」

父親らしく礼を云った。

「いや、私はもうそろそろ、帰京致さねばならないのですが、鉄平君の死にぎわのご様子を聞かせて戴きたいと思って、あなたをお待ちしていたのです」

三雲は、憂《うれ》いを含んだ眼《まな》ざしで云った。

「親の私から申すのもなんですが、鉄平の死は銃口を顎《あご》の下に当て、足指で引金をひき、しかも、一発だけ籠《こ》めた弾《たま》で命を断った、男らしい死に方でした」

「そうでしたか——、しかし、あの意志の強い逞しい人が、どうして自殺などをはかったのでしょうか」

「ご承知のように人一倍、責任感の強い性格だっただけに、阪神特殊鋼の倒産を苦にしていた矢先に、年末にあった多数の従業員の解雇、その他の様子を知って、おそらく、死をもって詫びようとしたのだと思います」

と応えると、

「ほんとうに阪神特殊鋼の倒産だけが、原因だったのでしょうか、自殺にまで踏み切るには、何かもっと、それより深い、原因があったのでは？」

三雲は納得がゆきかねるように云った。

「いや、阪神特殊鋼倒産の責任に加うるに、三雲さんにまでご迷惑をおかけした申しわけなさに尽きると思います」

と云うと、三雲の眼に刺し通すような強く厳しい光が溜《た》まった。

「それが原因なら、万俵さん、私の銀行家としての不明と、あなたご自身の企業的野望が、鉄平君をして死に追いやってしまったといえるのではないでしょうか——」

三雲の声は震えを帯びた。万俵は一瞬、動揺の色を見せたが、

「観方《みかた》によっては、或《ある》いはそう云えるかもしれません、しかし、企業である限り、親

子の間といえども、致し方のない場合もありましょう」

と言葉を濁した。しかし、阪神特殊鋼の倒産が意図的なものであり、阪神、大同合併は鉄平の犠牲によって購《あがな》った合併だったのではないかという疑惑を持っている三雲は、

「企業発展のためには、肉親でも何でも、人間的なものを一切、犠牲にし、置き忘れてしまっていいものでしょうか、人間性を置き忘れた企業は、いつか、何処《どこ》かで必ず、躓《つまず》く時が来るというのが、私の信条です」

芯《しん》の強い、きっぱりした口調で云うと、万俵は、

「三雲さん、私は阪神銀行の頭取であると同時に、万俵コンツェルンの総帥《そうすい》です、そしてコンツェルンの中核はいうまでもなく阪神銀行です、中下位行である阪神銀行が現状のままでは、やがて〝坐《ざ》して死を待つのみ〟という状況に追い込まれることが予測されます、となれば、統率者たる者は、手段を選ばず、隙《すき》あらば相手を取って食おうと考えるのは当然のことでしょう」

と云った。三雲は、しばし万俵の顔を凝視し、

「万俵さん、孟子《もうし》の教えに、『天下ヲ得ルニハ、一不義ヲ成サズ、一無辜《むこ》ヲ殺サズ』という言葉がありますねぇ」

静かな淡々とした語調で云った。天下を得るには、一つの不義もなさず、一人の罪なき者も殺してはならぬという意であった。自ら不倫、不義の私生活を営み、罪なき者、鉄平を死に追いやってしまった万俵としては、その言葉がぐさりと鋭く胸に突き刺さった。

いつの間にか、南側の一枚開け放たれている鎧戸の窓から射し込んでいた陽が翳《かげ》り、がらんとした部屋の中で、万俵と三雲が二人だけ、無言のまま、対《む》かい合っていた。それは人生観、死生観を異にする二人の人間が相対峙《たいじ》し、対決するかのような姿であった。

やがて三雲は、静かに口を開いた。

「鉄平君の死は、私でさえも今なお耐え難い思いです、いわんや、あのようなりっぱな跡継ぎを失われた父親たるあなたのご心中は、お察しして、あまりあるものがあります……」

再び万俵の胸が、鋭く刳《えぐ》られた。その跡継ぎを自らの手で縊《くび》り殺してしまったのだった。

三雲は、たち去りかねるようにもう一度、鉄平の居間であった部屋を見廻し、鎧戸の開いている窓際にたった、昏《く》れなずむ夕陽の中に、阪神特殊鋼が黒い輪郭を見せて、くっきりと浮かび上っているのが見えた。

鉄平君、さらば——、三雲は心の中で、そう最後の別離を告げ、くるりと万俵大介に背を向けた。

# 終章

夜の羽田空港の国際線のラウンジは、それぞれの思いをもって海外へ飛び発《た》って行く人々の哀歓と、見送る人たちの騒《ざわ》めきで埋められている。

そんな中で、ひっそりとした見送りであったが、一際《ひときわ》、美しく目だつ姿があった。パン・アメリカン機で、一之瀬四々彦のいるペンシルバニアのピッツバーグに向う万俵二子、それを見送る一子、三子の姉妹と銀平の姿であった。鉄平の死から二カ月半経《た》っていたが、誰の胸にもその哀《かな》しみは深かった。しかし、鉄平の死によって、二子と細川一也との婚約は解消した。父の万俵大介は、二子と四々彦の結婚をようやく諒《りょう》承《しょう》し、細川家へは自殺者を出した家として婚約辞退を申し入れ、細川一也の体面をたてて、婚約を解消したのだった。

「鉄平兄さまも、今頃、姫路のあのお墓から、二子、元気で行っておいで、四々彦君によろしくって、云《い》っていらっしゃるでしょうねえ」

白のドレス・コートの衿《えり》もとに、母の寧子から贈られた蘭《らん》の生花を飾り、清楚《せいそ》で華やかな装いをした二子が、しみじみとして云った。一昨日《おととい》、万俵家の菩提寺《ぼだいじ》である姫路の亀山御坊に納骨された鉄平の墓へ詣《まい》り、四々彦との結婚が許され、渡米する報告に行ったのだった。

姉の一子が、母に似た白い細面《ほそおもて》を頷《うなず》かせ、

「鉄平兄さまが、今度の二子ちゃんの結婚を一番、喜ばれるはずね、生きていらしたら、どんなにか……」

と云い、夫の美馬が義妹の結婚のための旅だちを見送りに来ていないことを気にし、

「ご免なさいね、美馬は、どうしても、はずせない用事があるそうで――」

と云うと、二子は明るく頰笑み、

「いいのよ、お姉さま、それより、私だけがこんな勝手をして、自分だけが倖《しあわ》せになって、悪いみたい――」

姉の生活が決して倖せではなく、万俵家の閨閥《けいばつ》結婚の犠牲になっていることを知っているので、逆に姉をいたわるように云った。

「でもね、私には子供という生甲斐《いきがい》があるわ、今夜だって、宏も、潤も、二子叔母ちゃまのお見送りに行くんだってきかないのを、夜が遅いからって云いきかせてきたの、可愛《かわい》くってよ」

息づくように云い、

「二子ちゃん、あなた方の結婚式、ほんとに二人だけで挙げるの」

古風な一子は、まだ信じられぬように聞いた。

「ええ、そうよ、最初はお父さまは大反対で、四月一日の新銀行の披露パーティがすんで一段落つくまで待つように、五月になればお母さま、銀平兄さま、三子ちゃんも連れて、ピッツバーグへ行き、アメリカでのお父さまの友人、知己に集まって戴《いただ》いて、ちゃんとした結婚式と披露宴をするからって、なかなか許して下さらなかったのだけど、私たちはどうしても二人きりで、式を挙げたいの、それが四々彦さんの強い希望で、一之瀬のお舅《とう》さまも諒承して下さっているの」

二子が、兄の急死を四々彦に知らせると、外国で自分が最も尊敬し、信頼していた人の訃報《ふほう》を受け取ることほど苛酷《かこく》なことはない、僕はその日、独り教会の椅子《いす》に坐《すわ》って、専務の死を悼《いた》み、弔《とむら》ったという短いが、切々たる哀しみを籠《こ》めた手紙を書き送って来たのだった。その鉄平の死のあとだけに、二人きりのひっそりとした結婚式にしたいというのが、四々彦の希望でもあり、また阪神特殊鋼の煙を絶やさぬことを、鉄平の霊前に誓った四々彦の父の一之瀬工場長の希望でもあった。

「それで、生活の方は、うまくやって行けそうなの、第一、新婚家庭に必要なお荷物やお支度など、どうするの？　ピッツバーグはシカゴから飛行機で二時間もかかるということじゃないの」

一子は、ピッツバーグのUSスチール技術開発研究所に勤めている四々彦との経済生活を案じ、日本から船便で或《あ》る程度の荷物は送っているとはいえ、新婚家庭に必要ないろいろな支度に姉らしく心を配った。

「お姉さま、私たちは2LDKぐらいのアパートに住むのよ、結婚のためのお支度なんてものいらないわ、第一、欲しい家具があれば、ピッツバーグの百貨店で買えばいいし、日用雑貨品ならスーパー・マーケットで整えればいいわ」

快活に云うと、妹の三子は、

「羨《うらや》ましいわ、やっぱり結婚は自分で選んだ人とするものね、私、相子女史に良縁探しを頼んでしまっているのを早速、取り消すわ、危うく、セーフね」

大真面目《おおまじめ》に云った。二子たちは思わず失笑したが、その失笑の中に、笑えぬ真実があった。

さっきから女たちのおしゃべりをよそに、インク・ブルーの誘導燈が明滅する滑走路を眺め、煙草《たばこ》をくゆらせていた銀平は、くるりと二子の方を振り向き、

「ピッツバーグは、お前の知っているボストンのような静かな街じゃあないよ、多く

の大製鉄工場が集まった鉄鋼都市だ、そこにある世界的なUSスチールの技術開発研究所で一之瀬四々彦君は、新しい鉄鋼作りの研究開発に励み、一日の仕事が終れば、郊外のアパートへ帰る、その妻は健康で何の不安も、疑惑もない倖せな家庭を営み、アメリカ社会の中へ溶け込んで行く――、それも一つの生き方だろう、祝福するよ」

二子の肩を軽く叩《たた》くと、

「銀平兄さまは、これからどうなさるの」

一カ月前、銀平は万樹子と正式に離婚してしまっているのだった。

「さあ、僕かい――、僕のことは鉄平兄さんの一周忌がすんでから考えることにするよ」

曖昧《あいまい》に言葉を濁しながら、妹たちは知るよしもないが、兄の鉄平が死に至る過程を自分が傍観していたことが、深い心の傷になっている銀平は、すべては心の傷が癒《い》えてから考えてみようと思っているのだった。

「アテンション・プリーズ!」

搭乗《とうじよう》案内がはじまった。

「パン・アメリカン一八五便、二十一時二十分羽田発、サンフランシスコ、シカゴ経由、ニューヨーク行きの便にご搭乗のお客様はお急ぎ下さい」

ラウンジにいた人々は、それぞれに別れの言葉を交わし、搭乗客はガラスに囲まれた搭乗者専用の待合室へ入って行った。

「じゃあ、行って参ります、お父さまとお母さまには、向うについたらすぐお手紙を出しますからご心配なくと、お伝えしてね」

二子は、羽田まで見送るという両親の希望を固辞して来たのだった。一子はみるみる涙ぐんだが、三子は、

「お姉さま、お倖せに——、この夏に遊びに行くかもしれないわ」

二子の方へ手をさしのべて握手し、銀平は、

「じゃあ、体に気をつけて——、デッキから見送ってやるよ」

と云い、送迎用のデッキの方へ足を向けた。デッキのそこここには見送る人たちが手を振り、投光器の光の輪が、あかあかとパン・アメリカン機を照らし出し、前から十番目の窓ガラスに、二子らしい顔が覗《のぞ》いた。

やがてジェット機のエンジンがかかりはじめた。銀平、一子、三子は、デッキから体を乗り出し、思いきり手を振った。十番目の窓から白い蘭の花が振られるのが見えた。見送る方の眼にも、見送られる方の眼にも、涙が溢《あふ》れていた。鉄平の死は、万俵

家の弟妹たちに、何らかの再出発を促し、意味しているようであった。

赤坂のナイト・クラブ『サンブラ』の踊りの輪の中で、相子は美馬中に体をゆだね、スロー・テンポのステップを踏みながら、右手の腕時計を見た。

「二十一時三十分――」、万俵二子は遂《つい》に発ってしまったわ」

相子のステップが乱れ、苛《いら》だちが顔に出た。美馬はぐいと相子の腰を締めつけ、

「そうこだわるなよ、君らしくもない――」

気持を和《やわ》らげるように云ったが、相子は踊るのをやめ、ボックスの席へ戻り、ハイボールを注文し、あおるように飲んだ。飲むほどに二子と細川一也との破談が思い返され、煮えくり返る思いがした。

万俵家の閨閥作りとしてはこれ以上ないと思われる総理夫人の甥《おい》である細川一也との縁組を考え、仲人《なこうど》の小泉夫人との度重《たびかさ》なる交渉、総理夫人を招いての京都嵯峨《さが》での豪奢《ごうしや》な見合い、結納、挙式の日取りの取定《とりき》めなどのために、東京・神戸間を何度、往復したことか――。しかも、二子が無断で細川一也自身に婚約解消を申し入れたことで、小泉夫人から唇が裂けそうなほど屈辱的な非難の言葉を浴びせられても、ひたす

らに陳謝し、収拾策に駈《か》けめぐったのは、万俵家の閨閥の枝を拡《ひろ》げることによって、万俵家における閨閥推進役としての自分の立場を、より確固としたものにしておくためであった。しかし、その努力も、鉄平の自殺によって、打ち砕かれてしまった。上流階級の常識として、自殺者の係累《けいるい》のある家との縁談は忌避されるのが通例であったから、鉄平の初《しょ》七日があけて早々に、その旨《むね》を小泉夫人を通して細川家へ伝えると、細川家もこじれていた縁談のきれ目と思ったのか、すんなりと受け入れたのだった。

相子はまたハイボールをあけた。

「そう荒れるなよ、まだ次に三子ちゃんの結婚があるじゃないか」

「駄目よ、鉄平さんが死んでからというものは、万俵家には何か眼に見えない変化が起っているみたい――」

ほの暗いキャンドルの灯《あか》りの下で、相子は吐息をつくように云った。

「君の思い過しだよ、細川家との婚約解消も円満に方《かた》がつき、この件にかかわっていた君も、僕も、別にどうってことはないじゃないか」

美馬はあっさり云ったが、一カ月前、銀平が万樹子と正式に離婚という苦杯を舐《な》めさせられている相子は、やり場のない敗北感を嚙《か》みしめ、

「あなたはいいわね、大蔵官僚として万俵家を牛耳《ぎゅうじ》る仕事は、今度の大同、阪神銀行

の合併のように、りっぱに残って行くのですもの」

と云《い》い、グラスの中の琥珀《こはく》色の液体を淋《さび》しげに見入った。

「君だって、今まで万俵家の閨閥作りを画策し、万俵家は君と僕という二人の他人によって、外と内とを支えて来たんじゃないか、それに鉄平君の死によって、万俵家の総領になった銀平君の再婚という大きな問題が残っているよ」

「そうねぇ、でも何だか疲れたわ、暫《しばら》くは何もしたくないみたい――」

「ま、それもいいだろうね、ところで舅《おやじ》さんたち、岡本の邸《やしき》から麴町《こうじまち》へは、いつ、引っ越して来るの」

四月一日から新銀行である東洋銀行が発足するにあたり、頭取の万俵大介の本邸も、麴町の行邸へ移すことになっているのだった。

「行邸の改装が遅れているようなので、新銀行の披露パーティぎりぎりになりそうよ」

「じゃあ、君は結局、どうするつもりなんだい、岡本の邸に残るって聞いたけど、時折、東京へも来るのだろう」

美馬は相子の方に顔を寄せて聞いた。岡本の天王山を背にした一万坪の邸の中なればこそ、妻妾《さいしょう》同居の生活も世間に洩《も》れることなく営めるが、東京の麴町の邸では不可能のことであり、相子は岡本の邸に、神戸店勤務の銀平と残ることになっているのだった。万俵自身も月のうちの一週間ぐらいは神戸へ出張して岡本の邸に泊ることでもあり、一抹《いちまつ》の淋しさはあるにしろ、大介との生活を世間に知られずに長続きさせるためには、岡本に残ることに、さしてこだわりはなかった。

相子は、ハイボールのグラスに口をつけ、

「私のこれからのことなど、どうしてそんな風にお聞きになるの」

「老婆心《ろうば》からだよ、君の話では、岡本の邸で、今まで通りの生活をするということだけど、世間の眼がことのほかうるさい時、あの用心深い舅《おやじ》さんが、ほんとにその気でいるのかな、難かしいんじゃないか——」

疑わしげに美馬が云うと、

「とんでもない、万俵は、私なしではすまされない人ですわ」

妻妾同衾《どうきん》という異様な生活を営んで来た相子は、自分に対する大介の執着を充分、知っていた。

「大へんな自信だね、だが、これを機会に君自身、もっと自由な生活を娯《たの》しむべきだと思うねぇ」

美馬はそう云うなり、女のように白い手を、相子の手に絡《から》めた。

「ふっふっふっ……とてもご親切なアドバイスだけど、美馬さんとこれ以上、自由を娯しんで、もし万俵に見つかったら、どうなさるおつもり？」

「大丈夫、僕が大蔵省のエリート官僚である間は、舅《おやじ》さんはたとえ僕たちの現場に出くわしたって、一言も、何も云えようはずがないよ」

美馬は、平然と云った。大蔵省サイドのトップ・シークレットを自分から得ている万俵大介は、相子との情事に気付いても、見て見ぬ振りをするしか仕方がないと高をくくり、情事をも官僚的な感覚で処するいやらしさがあった。

「じゃあ、今までこうして何度も会っているのに、どうして？」

「君をその気にさせるのに、手間どっただけだよ、だけど麹町の行邸が改装中なら、今晩はホテルだろう？」

誘い込むような湿った声で、囁《ささや》いた。

「もし今晩、万俵が上京していなかったら、ツインのお部屋を予約していたと思うわ、でも、どうやら情事だけは計算通りには運ばないもののようね」

さり気なく、美馬の手をはずし、

「じゃあ、これで――」

と、たち上った。

相子は、心の中で、何度も情事を持ちそうになっては、そのチャンスを逸してきたが、今となってみれば、美馬のような男との情事は、体のぬくもりにも、心のぬくもりにもならず、ただうそ寒さだけが残るだろうと思った。

相子が麹町の行邸へ帰ったのは、十時をかなり廻っていた。背中を露《あら》わにしたカクテル・ドレスの上に、きちんと上衣《うわぎ》を重ね、口紅《ルージュ》を薄く落すと、相子は美しいが、地味で聡明《そうめい》な女執事の顔に変り、内玄関のベルを押した。

「お帰りなさい、二子お嬢さまは、ご無事にお発《た》ちですか」

迎えに出た書生が聞いた。相子は、二子を羽田空港へ見送りに行ったことになっているのだった。

「ええ、予定通りご無事に――、頭取はお帰りですか」

「はい、つい先程、お帰りになり、今、バスを使っておられますが、高須さんが帰られたら、お嬢さまの出発の様子を聞きたいからと、おっしゃってました」

書生はそう伝えると、退《さが》って行った。

二週間後には万俵家の本邸となる家の中は、壁面を明るく塗り直し、絨毯《じゅうたん》が敷き替えられて、以前にはない明るさと温か味が感じられる。しかし、自分が住むところでなくなった邸の明るさと温か味は、かえって相子の心を傷つけた。相子は、居間に入れた渋い木目を生かした北欧調の椅子に腰を下ろしたが、いたたまれぬ思いでたち上り、自室に使っていた一階東端の部屋へ足を向けた。

部屋の灯りを点《つ》けた途端、相子は、はっと体を硬《こわ》ばらせた。そこには自分が上京して来た時に使っていた机、椅子、ドレッサーなどすべての調度類が取り片付けられ、深々とした絨毯の上に真新しいマホガニーのベッドが二台、並んでいる。一見して、万俵大介と寧子のための寝室であった。相子は、焔《ほむら》のような嫉妬《しっと》を覚え、ぎりっと歯ぎしりした。

「相子、ここにいたのかい」

背後で万俵の声がしたが、相子は振り返らなかった。ガウンを羽織った万俵は、相子の前に廻り、

「はじめの予定では、今まで通り二階の寝室を使うつもりだったんだが、改装の設計者の意見で、ここへ移したんだよ」

「ご自由ですわ、どう遊ばそうと――、居間の方へ参りましょうか」

つとめて平静に云うと、

「ふむ、実は相子に話があるから、居間の方がいい」

先にたって、居間に戻った。

「急に改まってお話など、何ですの、二子さんの出発のことでしたら、私は頭からお見送りを断わられましたから、存じあげませんわよ」

「二子とは、昼間、銀行で会って話した、そして出発の模様は、さっき一子からの電話で聞いたよ」

と云い、万俵は一瞬、言葉を跡切《とぎ》らせてから、

「話というのは、ほかでもない、新銀行の頭取としての今後の私の在《あ》り方なんだ、新銀行の発足と同時に私の財界人としての舞台は東京へ移った、東京では公私の生活がガラス張りになり、その上〝小が大を食う〟合併を成し遂げた時だけに、マスコミ、その他、周囲の眼がすべて私に集中している、それでなくとも、都市銀行第五位の新銀行の頭取になったからには、それに相応する経営者としての社会的責任とモラルを自らに課さねばならない」

万俵の声は、いつにない昂《たかぶ》りを帯びていた。そこには年来の企業的野心をようやく遂げ、それを軌道に乗せて行くためにはあらゆる面で一分《いちぶ》の隙《すき》もない、完璧《かんぺき》さを備えておかねばならぬという気負いがあった。

「そうなると、相子とのこれまでの生活は、岡本の邸ででも続けて行くことは不可能

だ――」

「なんですって、それじゃあ、お話が違うじゃありませんか、岡本の邸でなら世間の眼を遮《さえぎ》られるからと私を説得なさったのは、今日のようなお話に持って行くための一時的な方便だったのですか」

「そうじゃない、新銀行合併直後の時点では、それで充分、乗りきれるつもりだったんだ、だが、鉄平の死後、いろいろとあらぬ噂《うわさ》をたてられ、家族関係が詮索《せんさく》され出し、このままの状態では、乗りきれなくなり、考えに考え、迷いに迷ったあげくの結論だ……」

万俵は一言、一言、区切るように云った。

「だからといって、すぐ別れるなど――、その気になれば、どんな方法、形だって考えられるはずですわ」

「だが、芥川の話では、去年、当行の銀行検査を行なった森永主任検査官に感付かれているらしい」

「でも、あの時のことは、難なくおさまっていたはずじゃありませんか」

銀行検査の最終日に頭取面接を終えた森永検査官が「美馬さんの奥さんは、洋装の似合う日本人ばなれした方ですね」と褒めたのに対して、万俵はそれが一子ではなく相子の間違いだと解《わか》ったが、訂正すれば、相子の説明をしなければならぬから、娘が聞けば喜ぶでしょうと応《こた》え、ことなきを得たのだった。

「ところがこの間、森永検査官が新宿の大蔵官舎から美馬の家の近くに転居して来、その挨拶《あいさつ》の時に一子とも顔を合わせ、嘘《うそ》だということが解ったらしい」

苦々しげに云った。

「じゃあ、私は美馬さんのガール・フレンドということで、あなたの愛人ってことまでどうして気付かれましたの」

「むろん、そこまでは知れようはずがない、だが万一、相子の存在を知られてしまえば、取り返しのつかない致命傷になる、この際、名実ともに身辺をきれいにしておかねばならない――」

と云い、万俵は白い封筒を相子の前に置いた。相子は訝《いぶか》しげにその封筒を取り上げ、指先に触れた途端、

「あなた、これは……」

開いてみるまでもなく、現金の入った包みであった。

「あなた、こんなもので、十何年間のあなたと私の間が清算できるとお考えなの？」

相子の眼に、憤《いきどお》りの色が漲《みなぎ》った。

「しかし、今となっては、こうした形を取るしか仕方がない……」

万俵が口ごもると、

「私をお金で解決のつく女だと思っていらっしゃるなら、とんでもない間違いですことよ」

「じゃあ、どうしろと云うのかね」

「どうなすっても、私はあなたとはお別れしませんわ」

激しく首を振った。

「だが、新銀行にはかえられない――」

「それが、あなたにとってどんなにお大切であっても、私の出方一つで、大へんなことになりかねませんでしょう?」

「脅かす気かねぇ、相子はそんなくだらん女ではないはずだ、ここに現金で一千万入っている、そして住まいの方は、万俵不動産で大阪近郊のマンションを物色させている」

「それでも、絶対、応じられないと申し上げたら?」

と云うと、万俵の眼に冷やかな光が帯びた。

「相子、あまり強気を云うものじゃないよ、森永検査官に不審をもたれたのも、もとはといえば、お前が派手に美馬と出歩いた、いわば身から出た錆《さび》じゃないか」

「ですが私は、何も美馬さんとやましい間柄ではありませんわ」

「当然じゃないか、私が云いたいのは、そんな自分の手ぬかりを棚に上げて、あまり高飛車に出るものじゃないと云っているんだ、その一千万は、そうしたあらゆることを積算した上で弾《はじ》き出した数字だ、まさかその額に不満はないだろう」

その声は、冷徹な銀行家の声以外の何ものでもなかった。

「あなたって怖《おそ》ろしい人ね、ご自分の企業的野心を満たすためには、親子の絆《きずな》のみならず、男女の絆も、ご用済みとなれば、平然と切っておしまいになるのね」

相子は、許し難いように云い、眼の前の封筒を万俵の方へおし返した。

「別れない！　意地でも別れてさし上げない！」

万俵は瞬《また》きもせず、相子を凝視し、

「妻でもなく、まして子供もない仲で、意地でも別れないなどというのはおかしいじゃないかねぇ、相子らしくない取り乱し方だ」

ぷつんと断ち切るように云った。相子の耳に、万俵の言葉が酷薄に響いた。妻、子供、そのいずれも相子が潜在的に、心の底で望んでいたことであった。惨《みじ》めな敗北感が雪崩《なだれ》のように相子の心を押し潰《つぶ》した。耐えがたい思いで、万俵に背を向けた。はじ

めて相子の顔が歪《ゆが》み、涙が噴き出した。だが、振り払うように涙を拭《ぬぐ》うと、ぐっと感情を抑えた表情で、万俵の方へ向き直り、

「あなたにとって、私は単なる愛人ではなかったはずですわ、これは十何年間の退職金として戴きますわ」

辛うじて、自らの体面を支えるように云った。

*

四月一日、午後一時半過ぎから、日比谷通りは、おびただしい高級車の列が数珠連《じゆずつな》ぎになり、帝国ホテルまで長く停滞していた。阪神、大同銀行の合併によって誕生した新銀行の披露パーティに招かれた人たちの車の列であった。

帝国ホテルの孔雀《くじやく》の間《ま》の入口には、金屛風《きんびようぶ》を背にして、新銀行の頭取である万俵大介、副頭取の綿貫千太郎以下、二十八名の役員がモーニングに威儀を正し、上気した顔で来賓を迎えている。

万俵大介は、喜びの中にも抑制のきいた微笑を端正な顔にうかべていたが、綿貫千太郎は一躍、都市銀行第五位の新銀行の副頭取になり得た嬉《うれ》しさを隠しきれず、緒《あか》ら顔をまっ赤《か》に上気させ、答礼する度に、吹き出る汗を、拭っていた。

「新銀行のご披露、おめでとうございます」

全国銀行協会会長である富国銀行の巌頭取《いわお》が、万俵の前で足を止めて祝った。

「これは巌頭取、今後とも何かとよろしくご指導の程を――」

万俵は、鄭重《ていちょう》に答礼しながら、今までは望むべくもなかった全国銀行協会会長という銀行家最高の名誉職も、これからは腕の振るいよう次第で、掌中にし得るのだと、新たな野心を膨《ふく》らませた。

来賓の顔ぶれは、時がたつにつれ、華やかさを加えた。総理の出席は得られなかったが、政界からは通産大臣、経済企画庁長官、自由党の党三役、衆参両院の大蔵委員が続々と現われ、官界からは両行合併の陰の立役者である春田銀行局長をトップに大蔵、通産次官をはじめ各局長、日銀からは煮え湯をのまされたとはいえ、副総裁、理事が早々に姿を見せている。

「万俵さん、おめでとうございます、新銀行誕生を機に一層のお近づきを――」

財界人の中では、早くも新銀行の豊富な資金に目をつけた大企業の役員たちが、以前にはない親近感をみせて、挨拶して行く。日経連や経団連の要職を兼ねるそれら中央財界の社長、専務たちの挨拶は、万俵の心を快く揺すぶった。

万俵の会心の思いは、松平日銀総裁の出席によって、さらに高まった。秘書役を伴

い、あたりを睥睨《へいげい》するような眼光を湛《たた》えて近付いて来ると、万俵は自ら一歩、前へ進み出て、

「ご来駕《らいが》、恐縮に存じます」

恭《うやうや》しく迎えると、松平総裁は、鷲《わし》のような鋭い眼で目礼を返したきり、さっと会場へ入ってしまった。歴代、日銀の天下り先である大同銀行を食われてしまった歯嚙《はが》みがありありと見て取れ、白けた気配が漂ったが、万俵はいいようのない勝利感が咽喉《のど》もとにこみ上げて来るのを覚えた。

来賓の列がやや跡切《とぎ》れた時、傍《かたわ》らの綿貫が汗を拭《ふ》きながら、肥満した体を万俵の方へ寄せ、

「大蔵大臣は、まだお見えじゃありませんが、確かにご出席下さるのでしょうね」

気懸《きが》かりそうに、小声で囁《ささや》いた。程なく会場に入り、新銀行の頭取として、来賓に挨拶する時間であったが、永田大蔵大臣の出席が得られなければ、今日の披露パーティに画龍点睛《がりようてんせい》を欠くことになる。

「もうそろそろ、お見えになる頃だと思いますよ」

そう応えながら万俵は、永田大臣もさることながら、娘婿《むすめむこ》の美馬中も遅れていることが訝《いぶか》しかった。

大蔵省の二階にある大臣室で、主計局次長の美馬は、新銀行披露パーティに出かけねばならぬ時間を気にしながら、永田大臣の前に一礼して、坐《すわ》った。

「君を呼んだのは、ほかでもない、新銀行の披露パーティに行く前に、話しておきたいことがあってねぇ」

永田大臣は、瘦身《そうしん》を大きな執務机の回転椅子《いす》にもたせ、口を切った。時が時だけに、美馬は新銀行誕生の際、万俵から永田大臣へなされた〝挨拶〟が充分に行き届かなかったのではと、懸念《けねん》すると、

「今日のパーティには、君は次期銀行局長ぶくみで、臨んで貰《もら》いたい」

突然のことに美馬は、自分の耳を疑った。

「しかし大臣、主計局次長の私が次に銀行局長というのは、序列をとび越えることになりますが――」

省内の序列から考えて、主計局次長の次は理財局長、乃至《ないし》、経済企画庁へ一旦《いったん》、転出した後、銀行局長というのが穏当な人事であった。だが、永田大臣は美馬の当惑など意に介さず、

「実は今朝、重藤《しげとう》次官が正式に辞意を申し出たので、後任は春田君に内定した、した

がって、春田君のあとの銀行局長は、君にやって貰うつもりでいる」

七月人事を前にして春田銀行局長の次官昇進は、衆目の見るところであったが、厳しい省内序列を無視して、自分を一足とびに銀行局長に任命するには、何か相応の理由があるはずだと、美馬は考えた。

「ま、このことは春田君とも相談した上のことだ、新銀行の誕生にあたっては、君も大いに骨を折ったが、万俵頭取の女婿《じょせい》という関係を離れて、次期銀行局長として考える時、東洋銀行の将来はうまく行くと思うかね」

薄い笑いを、三白眼《さんぱくがん》に漂わせて云《い》った。

「大臣、それはどういう意味のご質問でしょうか、東洋銀行は発足したばかりの銀行ですから、すべてはこれからにかかっていると思いますが――」

「そうかねえ、はっきり云って、弱い者同士が合併し、図体《ずうたい》が大きくなっただけの銀行に、何が期待出来るというのだね、それどころか、新銀行は従来のそれぞれの中下位銀行の問題点をそのまま持ち越し、重複店舗の配置転換、余剰行員の活用など、問題点の大きさは、合併前よりある意味ではもっと大へんだ、それにあの弱体な役員の顔ぶれではとても克服出来ないし、第一、万俵頭取自身に問題がありすぎる」

永田大臣は、冷やかに云った。

「問題とおっしゃいますと、たとえば——」

緊張した面持で聞くと、

「阪神特殊鋼倒産に至る融資経緯だ、同社の元専務で、万俵大介氏の長男の猟銃自殺など、地銀的都市銀行のオーナーならともかく、中央の都市銀行の頭取としては、暗い側面がありすぎる」

「ですが、新銀行の体質がそれだけ解っておられて、なぜご認可になったのでしょうか」

美馬も、さすがに抗弁した。

「君、解らんかね、それは金融再編成の火蓋《ひぶた》を切るために、ともかく都市銀行同士の大型合併が必要だったからだ、春田君はその行政指導の大任を見事に果し、それを手土産に次官に昇進するのだよ、次期銀行局長たる者は、今日、発足した東洋銀行の合併後の体質改善を図り、名実ともにワールド・バンクたる銀行をつくることだ、そのためには東洋銀行を上位四行の一つと〝再合併〟させることだ」

永田大臣の声が、大臣室に低く籠《こも》り、美馬は驚愕《きょうがく》のあまり言葉も出なかった。永田はさらに口を継いだ。

「上位四行の中《うち》、合併したばかりの東洋銀行を抑え込めるのは、まず五菱銀行をおいて他《ほか》にない、次期銀行局長たる君の仕事は、東洋銀行と五菱銀行との合併をまとめることだ、むろん五菱とは話が通じている」

「大臣——」

美馬は、絶句した。まさか永田の胸中が、阪神、大同を合併させ、新銀行を誕生させた上で、さらに上位の五菱銀行との再合併を意図していたとは——、それではまさに、豚は太らせて食え式のやり方以外の何ものでもない。さすがの美馬も身の毛がよだった。

「何だ、鳩《はと》が豆鉄砲を食ったような顔をして——、君だっていずれは代議士に打って出るつもりなんだろう、それとも東洋銀行入りでも考えているのかね」

「いえ、将来、政界入りを志していることには変りありません」

「それならなおのこと、在任中に大仕事をまとめ、足場を広くしておくことじゃないのかね、それには銀行局長二年、次官一年の計三年がかりで、東洋銀行と五菱銀行の合併を実現させることだ」

と云い、永田は、三白眼でじっと美馬を見据えた。五菱銀行との合併を成し遂げれば、永田は、美馬に次官のポストをも約束しているのだった。将来、政界入りを狙《ねら》っている美馬にとって、次官経験は選挙のための最も有力な肩書であり、永田のいう強大な財閥銀行との接近は、より太い資金パイプと繋《つな》がることであった。

美馬は、息苦しくなるような緊張感に捉《とら》われ、永田大臣から視線を逸《そ》らした。その美馬の眼に、帝国ホテルの孔雀の間で、合併の喜びに酔いしれているであろう万俵大介の顔が、迫るようにうかんだが、

「大臣、お受け致します」

美馬は、内示を受けた。


金屏風の前で、万俵大介はひきもきらぬ来賓に、答礼を繰り返しながら、予定の時間をとっくにすぎているにもかかわらず、永田大臣と美馬が、まだ現われないことに苛《いら》だち、かすかな不安を覚えていた。綿貫も同じ思いらしく、落ち着かぬ目つきで来賓を迎え、時計が二時半を示しかけると、総務部長がそっと万俵の傍《そば》へ寄り、

「もはやこれ以上、新銀行頭取のご挨拶《あいさつ》を延ばすことは致しかねますが——」

と促した。万俵は頷《うなず》き、進まぬ足取りで会場に入った。

孔雀の間は、千人を越す来賓で蒸せ返るような熱気に包まれている。万俵が人々の間を縫い、正面のスタンド・マイクの前にたった時、会場入口の近くにたっていた人々が左右に動き、通路がつくられたかと思うと、永田大蔵大臣が報道陣のカメラを

浴びながら入って来た。万俵は、ほっと安堵《あんど》し、大臣の方へ深い一礼をしてから、マイクに向った。

「本日は、ご多用の中、大蔵大臣をはじめ、政官財界のご要職の皆さま方にご出席を賜わり、ここに東洋銀行を発足させて戴く栄に浴しましたことを衷心より厚く御礼申し上げます、東洋銀行は、旧大同銀行と旧阪神銀行とが対等合併したばかりの新銀行でございますが、一日も早く行内の融和をはかり、新銀行の持つ全機能を発揮して、日本経済のために大いに貢献させて戴く所存でございます、同時に今後の国際競争に備え、真にワールド・バンクとしての力を蓄えるべく、役員一同、心を新たに致しておりますので、今後とも温かいご支援のほどをお願い申し上げる次第でございます」

簡潔であったが、上位四行に迫る気魄《きはく》が溢《あふ》れ、拍手が湧《わ》き上った。永田大臣はその中を万俵の傍へ歩み寄り、

「万俵頭取、おめでとう、東洋銀行の誕生を祝して、私が乾杯の音頭を取りましょう」

相好を崩して、云った。新銀行に対する永田大臣のなみなみならぬ力の入れように、会場はさらに湧《わ》きたち、万俵の顔に歓喜の色が満ち溢《あふ》れた。

「東洋銀行の誕生を祝して、乾杯！」

永田大臣が大きく声を発すると、シャンペンがあちこちで勢いよくぬかれ、グラスが高々とかかげられた。

「大臣御自らの乾杯、忝《かたじけ》のうございます」

万俵は昂《たかぶ》った声で云い、自分を中心にしてシャンペン・グラスが燦《きら》めき、喝采《かっさい》するように揺れるのを酩酊《めいてい》するような思いで見廻したが、その時、永田大臣のうしろにいる美馬に気付いた。当然、自分のそばに来て祝意を述べるべきであるのに、永田の陰に隠れるようにたっている。万俵の方から笑いかけると、美馬はたじろぐように体を退《すさ》らせ、顔に引き攣《つ》れるような笑いが奔《はし》った。万俵は奇異な思いでもう一度、眼を凝らすように見詰めると、美馬はもはや何事もなかったように、にこやかな笑いを返した。その一瞬の引き攣れるように歪《ゆが》んだ笑いが、まさか舅《しゅうと》である自分を裏切る戦慄《おののき》だとは、万俵は気付かなかった。

万俵は、三年先に再合併される運命に置かれつつあることも知らず、会場を埋めた来賓たちの乾杯を受け、激励の握手をさらに受け続けていた。

万俵家は夜の闇《やみ》に包まれ、本館のダイニング・ルームだけに、あかあかと灯りが輝いていた。ダイニング・ルームの中央に置かれた樫《かし》の大テーブルの上には、寧子が丹精を籠《こ》めた紅紫色のカトレアが優雅に活《い》けられ、スイス製のテーブル・クロスの上にはフルコースの銀のフォークとナイフが並べられていたが、テーブルを囲む幾つかの椅子には、大介を正面に、左右に寧子と相子の三人だけが坐り、曾《かつ》て万俵家の兄弟姉妹が坐った椅子は空席になっている。天井にシャンデリアが輝き、高窓に塡《は》められたステンド・グラスが燦き、ダイニング・ルームが、広く豪奢《ごうしゃ》であればあるほど、空席のうそ寒さが目にたった。

万俵は、帝国ホテルでのパーティをすませた後、明日、神戸のオリエンタル・ホテルで催す新銀行の披露パーティのために東京から帰邸していたのだった。

最初のスープが運ばれ、大介がスプーンを取ると、寧子と相子もそれに倣《なら》ってスプーンを取り、音をたてずに吸った。

「今日のご披露は大へんなご盛会だったそうで、おめでとうございます、何かとお気遣いで、気しんどいことでございましたでしょう」

藤紫のつけさげに碾茶《ひきちゃ》色の袋帯を胸高に締めた﨟《ろう》たけた装いの寧子が、京都訛《なま》りでおっとりと云うと、

「うむ、大蔵大臣に乾杯の音頭を取って戴き、いよいよ、これから名実ともに新銀行

の頭取として忙しくなり、責任も重くなる――」

大介はまだ昼間の昂《たかぶ》りから醒《さ》めやらぬ思いで云い、

「寧子、これからが大へんだよ、住まいの本拠が東京へ移り、相子の助けがなくなるのだから――」

万俵は、今夜の晩餐《ばんさん》を最後にして、万俵家を去る相子の気持をひきたてるように云うと、相子はローズ色のシルク・シャンタンのドレスの胸もとに、大粒の真珠のネックレスを飾り、

「これからは、お正月の万俵家の華やかな晩餐会は、なくなりますのね――」

毎年、年末の三十一日から新年にかけての四日間、志摩観光ホテルのメイン・テーブルを陣取り、大介を正面にして左右に寧子と相子が坐り、その両側に鉄平夫妻、銀平夫妻、そして万俵家の美しい姉妹たちが新調の装いで燦《きらび》やかに居列《いなら》ぶお正月の晩餐会――、人々の注目を集めていたその晩餐会が、自分が万俵家を去ると同時になくなることが、せめてもの心なぐさめであるかのように云うと、寧子は、

「相子さんがいらっしゃらなくなると、淋《さび》しゅうなりますわ、それに東京の邸《やしき》へ移って、私一人でやっていけますかしら……」

心細げな表情を見せたが、今日限りで、十何年間の妻妾《さいしょう》同居、或《あ》る時は妻妾同衾《どうきん》を

も強いられた生活が打ち切られ、舅《しゅうと》との忌《いま》わしい思い出があるこの邸を去って、東京の邸で名実ともに妻の座に坐れるやすらぎが、寧子の心を柔らかく包んでいた。しかし、忘れようと努めている鉄平の死を思い出すと、またしても涙がこみ上げて来そうになったが、今朝《けさ》、ピッツバーグの一之瀬四々彦のもとにいる二子から、二人きりの挙式を待つばかりですという便りを受け取り、あとは三子の結婚と銀平の再婚を自分の手でしなければならぬことを思って、寧子にもようやく世の母親らしい責任の重さが肌身に感じ取られた。その三子はこの春からアテネ・フランセに通うために一足先に東京の邸へ移り、銀平は明日の地元での新銀行披露の準備のために、今夜は帰りが遅くなる。

「相子さん、こんな時、あなたもお子さまがあれば、およろしかったのに――」

寧子の口から、ごく自然に出た言葉であったが、相子の胸には刃《やいば》のように鋭く突き刺さった。人の子供を教育し、良縁を探して結婚させ、閨閥《けいばつ》の枝を拡《ひろ》げたことは、一体、自分にとって何を意味するのだろうか。たしかにより有力な閨閥づくりをすることによって、万俵家の家内《いえうち》を自由に差配し、それが企業の繁栄に繋がるという権勢欲に似た満足感は得られたが、それが自分にとって何であったろうか――。それに比べて寧子という人間は、長男の鉄平を失ったとはいえ、飾り雛《びな》のように万俵家の奥深くにただおっとりと坐って何もしないでいて、再び妻の座を取り戻そうとしている。相子はテーブルの上のカトレアを引きちぎりたい衝動に駈《か》られた。

「相子、千里桃山台のマンションは気に入ったかい、南向きで陽あたりもいいし、間取りもよさそうじゃないか」

万俵はそう云いながら、相子がはじめて子供たちの家庭教師として万俵家へ現われた時の才気に満ち溢れた若々しさを思い返していた。あの時から比べれば、当時の若々しさは失っているが、それに代る熟《う》れた濃艶《のうえん》な肢体がある。その体を今夜限りで手放し、妻妾同衾の娯《たの》しみを失うのかと思うと、三台のベッドが並んだ寝室で交わり合ったさまざまな姿態が眼にうかび、俄《にわ》かに脂《あぶら》ぎった執着を覚えた。だが、男の企業的野心を果して行くためには、眼をつぶらねばならない。一つの銀行を食う悦《よろこ》びに比べれば、一人の女を気ままにする娯しみは、高価な美術品に淫《いん》する類《たぐ》いのものに過ぎない。

鱸《すずき》のムースリーヌの皿が運ばれて来ると、大介は寧子と相子にワインを注《つ》いでやった。

「相子さん、やはり当分、何もなさらないおつもり？　あなたのような方が、何もなさらないなど、もったいないのうて――」

寧子は溜息《ためいき》をつくように云《い》ったが、相子は、万俵の計らいで生活に困らないというだけで、今後、何をするかということは決まっていなかった。たった一人の肉親である高校の教師をしている弟が、再婚をすすめたものの、日本の煩《わずら》わしい家族制度の中で気苦労の多い再婚をする気持など、さらさらない。そうなると、再び外国へ行って、そこで安楽な生活の場を見付けるよりほかになさそうだった。

「また、外人と再婚しそうですわ」

グラスに口をつけ、ことさらに艶然と笑うと、寧子は驚いた顔をしたが、大介は明らかに不快な顔をし、気まずい沈黙が流れた。

突然、室内電話のベルが鳴った。相子が窓際《まどぎわ》に近いサイド・テーブルの上の電話を取ると、美馬からであった。

「あら、美馬さん、先日はどうも――、私たちは今、最後の晩餐をしているところですの、明日は何時頃、お着きになりますの」

明日の神戸における新銀行の披露パーティにも、美馬は、主計局の出張をかねて、本省役人の立場で出席することになっているのだった。

「え？　そのことで万俵に――、すぐお替り致しますわ」

と云うと、万俵はテーブルをたって、受話器を取った。

「もしもし、私だ——、今日の披露パーティには何かと有難う、明日も頼むよ」

上機嫌で云うと、

「実は明日のパーティですが、伺えなくなりました」

「急に、どうしてなんだい？」

「実は近畿《きんき》財務局での仕事が長びきそうで、とても神戸まで行く時間がないのですよ」

「だが、どうにか時間のやりくりがつかないのかね、顔を出してくれる程度でいいのだが——、次の七月人事で春田局長は次官に昇進し、銀行局長がかわるのは確実らしいので、その辺の動きについても、ゆっくり君の話を聞きたいと思っているんだよ——」

大介が云った途端、美馬は電話器の向うでおし黙った。

「もしもし、中君、どうかしたのかね？」

「いえ、別に——、ともかく、明日は失礼します」

向うから、電話をきった。万俵は、美馬の声がいつもの女のように鼻にかかった声と全く異なったよそよそしさがあることに気付いた。そして、昼間のパーティの時の様子を思い合せ、美馬が素直に喜んでいない不自然なものを感じた。

万俵は窓際に寄り、窓の外へ眼を向けた。広い邸内の高みにある鉄平の住まっていたル・コルビジェ式の建物が見えた。灯りは点《つ》いていないが、白い建物が闇の中に、ほの白く浮かび上っている。鉄平の葬儀後、早苗に子供たちを連れて帰って来るように云ったが、子供の学校の問題もあり、早苗は暫《しばら》く東京の実家で子供を育てたいと云い、戻って来ない。そして隣接する銀平の南欧風の建物も、灯りこそ点いていたが、万樹子は離縁《さ》り、銀平も不在がちで冷え冷えとしたうそ寒さに包まれ、一万坪に及ぶ宏大な邸内が、俄《にわ》かに荒涼とした死人の棲家《すみか》のように思え、遠くでかすかに聞えるもの音が、骨の鳴る音のように聞えた。

万俵の脳裡《り》に、猟銃自殺を遂げた鉄平の無惨《むざん》な顔がうかんだ。

「あなた、なにか……」

怪訝《けげん》そうに寧子が声をかけた。

「いや、少し疲れているんだろう――」

言葉を濁した。銀行の合併は成功したが、それが鉄平の死を犠牲にして購《あがな》われたという事実は、生涯、拭《ぬぐ》い去れぬものだと思うと、万俵の心を満たしていた成功の喜びは冷え、怖《おそ》れを覚えた。

万俵はテーブルに戻り、再びフォークを手にしたが、もう話すことはなくなっていた。寧子と相子も、話題を失《な》くしていた。人気《ひとけ》のないがらんとしたダイニング・ルームには、曾て万俵家の華麗な一族が団欒《だんらん》したさざめきはなく、三人の使うナイフとフォークの音だけが、天井に音高く響いた。

# あとがき

『華麗なる一族』は、週刊新潮に二年七カ月連載した小説で、私にとって困難な仕事であった。〝金融界の聖域〟である銀行の取材は、覚悟していた以上に困難で、その閉鎖性は医学界よりさらに聖域であることを痛烈に感じた。取材と金融の基礎勉強に半年余りも費やし、小説以前の作業にこんなに時間を費やしていいものかという疑問も持った。しかしそうした取材の積み重ねによって、銀行と政、官界のこれまで窺《うかが》い知ることの出来なかった結びつきとそこに介在する人間ドラマを観《み》ることが出来た。

しかし、この小説に登場する銀行、官僚、政治家たちには、決して特定のモデルはない。事実との間にどのような類似があったとしても、それは偶然の酷似であり、どこまでも虚構のものであることをお断わりしておきたい。

連載を終ってから、さらに取材して加筆訂正し、上中下三巻にまとめることが出来たのは、関係筋の心ある方々の陰のご尽力と、秘書野上孝子の協力によるところが大であることを明記致したいと思います。

昭和四十八年二月

山崎豊子

# 解説

青地　晨

志摩半島の観光ホテルの豪華なダイニング・ルームで、この小説の幕がひらかれる。どのテーブルにも訪問着やカクテル・ドレスを着飾った女性たちの姿がみられるが、ひときわ群をぬいて際《きわ》だった一組がある。「関西財界で名を知られている阪神銀行の頭取、万俵大介とその一族」である。『華麗なる一族』という小説のタイトルは、この万俵家の人びとをさしていることはいうまでもない。たしかに万俵家の人びとは、男性も女性も長い家族の伝統と富と社会的な地位によって築きあげられた「華麗なる一族」であった。

万俵家は姫路の播州《ばんしゅう》平野に根を置いて十四代もつづいた大地主で、先代の敬介のとき第一次世界大戦のブームに乗じて神戸に万俵船舶と万俵鉄工を創立し、船舶景気が頂点にさしかかる直前、持船のすべてを売り払って万俵銀行を創立した。その直後、多くの船成金が倒産したのをみても、敬介の非凡な手腕が察しられる。その後、群小の田舎銀行を吸収合併して現在の阪神銀行の基礎をかため、万俵不動産、万俵倉庫を興《おこ》し、地方財閥ではあるが万俵財閥といえるものをこしらえた。

父敬介の跡をついで阪神銀行の頭取となった大介は、地方銀行にすぎなかった阪神銀行を全国第十位の都市銀行に発展させ、万俵鉄工を阪神特殊鋼と改称し、近代的な設備の特殊鋼メーカーに仕立てあげた。

この大介を家長とする「華麗なる一族」の面々を手短かに紹介すると、つぎのようになる。

万俵大介「銀髪の端正な顔だちが貴族的な冷たさと品の良さを漂わせている」(カッコ内は小説からの引用)が、「よく光る眼と分厚な唇に脂《あぶら》ぎったものが感じられ、六十歳を迎えた人とは思えない」。たしかに大介は表面は「金融界の聖域」を司《つかさど》る一分のすきもない銀行の頭取だが、裏では同じ邸宅に妻妾《さいしょう》を同居させ、ときには三人で獣のようにベッドを共にする夜の生活を、妻に強要しているのである。その秘密は広い邸宅にまもられて、家族以外に知る人はない。

大介の妻寧子　公卿《くげ》華族のお姫《ひい》さんから莫大《ばくだい》な支度金で万俵家にあがなわれてきた人物。「おすべらかしの髪型が似合いそうな、純日本風の顔だち」の臈《ろう》たけた女性だが、内気で控え目の性格から、大介の愛人である相子におさえられている。正式の妻ではあるが、なんとなく日かげの人の感じがする薄倖《はっこう》な人。

高須相子「女には惜しいほどの政治力があり、到底四十過ぎとは思えぬ豊満な肢体と彫りの深い美貌《びぼう》」の持主。はじめは大介の子供たちの家庭教師としてアメリカ帰りの相子がむかえられたのだが、まもなく大介との体の関係ができると、万俵家の一切を取り仕切る地位と権威をもつようになり、大介の意をうけ万俵家の閨閥《けいばつ》作りに力をつくしている。

寧子と相子は、晩餐《ばんさん》のさい一日交替に大介の左側の席をしめることになっているが、これはその夜、大介とベッドを共にすることを意味している。こうした習慣は十数年もつづけられ、いまではなんのこだわりも感じられていない。しかし、それは大介や相子の場合だけで、妻の寧子は毒をあおいで自殺未遂の前歴があるし、成人した二人の息子と三人の娘たちも妻妾同居の生活を心の底では決して許容してはいない。それは相子が主として推進する政略的な閨閥結婚に対しても同様なのである。

長男鉄平「東京大学の工学部冶金《やきん》科を卒業し、アメリカのマサチューセッツ工科大学に留学後、すぐ阪神特殊鋼に入り、現在、三十八歳の若さで専務になっている」。「父よりも死んだ祖父に似た色の浅黒い精悍《せいかん》な顔」で、なんとかして自分の工場に高炉を作り、鉄鉱石から特殊鋼までの一貫作業を実現して大製鉄企業の横暴をおさえたい野心を燃やしている。しかし父大介は、相貌も性格もあまりに祖父に酷似している長男鉄平の出生に対して暗い疑惑をいだいている。そのため鉄平は父の銀行から融資上の圧迫をうけ、倒産に追いつめられる。自分に特別の好意と信頼をもち、巨億の融資をしたために失脚した大同銀行の三雲頭取のことを思うと、鉄平は居ても立ってもおられない責任を感じ、祖父にゆずられた猪《しし》撃ちの猟銃でむざんな死をえらぶ。この前後から「華麗なる一族」の崩壊が急速にはじまる。

鉄平の妻早苗「曾《かつ》て通産大臣と国務大臣を歴任した」政界の実力者大川一郎の娘、これも閨閥結婚であることはいうまでもない。積極主義の大川は、鉄平の高炉建設を熱心に援助するが、彼の急死後、鉄平の立場はいちじるしく弱くなる。

次男銀平　父大介と同じ慶応大学経済学部を出て、阪神銀行本店の貸付課長をしている。仕事にも対人関係にも冷たく、すべてに投げやりでニヒルな感触をただよわせる性格。私生活でも毎晩、バーを飲み歩くプレイ・ボーイなのだが、まだ少年だった頃、母の自殺未遂を垣間《かいま》みたことが銀平の性格をゆがめたのではないか。ニヒルな銀平も、母だけには人間的なやさしさがある。このあと彼も閨閥作りの犠牲者として、きわめて不幸な結婚をすることになる。

次女二子、三女三子　ホテルの晩餐会の頃は、まだ無邪気なブルジョア娘だが、やがて二子をめぐって時の首相の近親である大製鉄企業の秀才社員との縁談が着々と進む。政府がタクトを振っている都市銀行の合併には、第十位の劣勢にある阪神銀行は、背後に巨大な政治力をもつことが望ましい。首相の近親に結婚のターゲットがしぼられたのは、そのへんのふくみも充分にあったにちがいない。しかし二子は、いかにも秀才ぶったその青年を嫌い、兄の鉄平に似た技術者らしい技術者である一之瀬に心を寄せてゆく。

銀平におしつけられた大企業社長の娘が、銀平の冷たさと妻妾同居の現実に気がついて万俵家を去ってゆく事件とともに、閨閥づくりにも限界がきたことが暗示されている。三女の三子はまだ若く、この人間ドラマの主要な人物としては登場しない。

以上の八人が志摩半島のホテルで晩餐のテーブルをかこむ人びとだが、そのほかに万俵家の「華麗なる一族」の主要な登場人物がいる。

美馬中《あたる》、妻一子　美馬は未来の大蔵次官といわれる主計局次長。銀行局にいた頃、大介の眼鏡にかなって長女一子を妻にした人物、つまり万俵家の閨閥結婚第一号である。それ以来、大介から経済的援助をうけ、その見返りとして大蔵省の機密を大介にもらしている。立身出世主義の典型みたいな人物で、将来は義父の豊富な財力や地盤をあてにして、政界へ進出することをもくろんでいる。妻一子は母に似たおとなしい女性だが、夫の美馬に女性問題で裏切られ、やはり閨閥結婚の犠牲者の一人といえるかもしれない。しかし万俵大介は娘の個人的幸、不幸には関心がない。彼にとって美馬という大蔵官僚は最も利用価値の高い婿《むこ》なのであろう。政界の大物である大蔵大臣の派閥に属する美馬を介して、大臣と銀行合併に関して直接取引もできるからである。

以上の十人の「華麗なる一族」をめぐって華麗ではあろうが残虐《ざんぎゃく》な人間ドラマが展開されるのだが、美馬夫妻がホテルの晩餐に出席できなかったのは「大蔵省というところは諸事大へんなところなのよ、お正月のおもてなしのほどで、妻の実家方《さとかた》が解《わか》るというほど皆さん、派手におやりになるのですもの、それにお義兄《にい》さんは未来の大蔵次官、大臣を目指していらっしゃるから、志摩でお正月を楽しんではる暇などおありにならないのよ」という二子の皮肉な言葉が、美馬という立身出世以外は念頭にない秀才官僚の胸の中を言いあてているだろう。

この小説が志摩の高級リゾート・ホテルの晩餐の席にはじまることは、なかなか巧みな導入部だといってよいだろう。美馬一家をのぞいて、万俵一族はすべて勢ぞろいをしており、いかにもドラマの開幕の場面にふさわしい華やかさである。「一族が揃《そろ》った晩餐の席では、今夜はフランス語、明晩は英語の会話でというのが、一種の習慣のようになっていた」

山崎豊子に「『華麗なる一族』取材ノート」という文章がある。それによると、著者はこの小説を書く前に、三菱銀行の田実渉《たじつわたる》頭取（当時）にあって意見をきいたというが、そのとき田実氏がいったのだそうだ。『白い巨塔』で財前教授に対する里見助教授を書いたように、銀行を書く場合も「悪之助頭取」に対して、あなたは「善之助頭取」を書くだろうと。この悪之助頭取が万俵大介、善之助頭取が三雲大同銀行頭取であることはいうまでもないが、著者はその大介に対してさえ、どこかの一点ではゆるしているような気がしてならない。『白い巨塔』では悪之助教授の財前にしばしば理解を示している著者ではあるが、大介に対してはひとしお点が辛い。それでも全否定ではない一点の暖かさを私は感じている。

『白い巨塔』も『華麗なる一族』も、主人公はいわゆる善人ではなく悪人である。悪人を主人公とすることで、著者が意図する人間ドラマはいっそうの深さと多彩さをまし、善人たちの群像はブルドーザーのキャタピラの下に踏みつぶされてゆく。悪は栄え、善は滅ぶのである。『白い巨塔』では、多数の読者から「小説といえども、社会的反響を考えて、もっと社会的責任をもった結末にすべきであった」という意見がよせられ、著者は『続白い巨塔』を書いて医事裁判での財前教授の敗北とその死を書いた。

しかし悪は栄え、善は滅び、正直者は損をする世の中であることは、過去も現在も、たぶん未来をもふくめて変ることはないだろう。とすると山崎豊子の作品は、そのような現実世界を曇りなくえがいていることになる。しかしそういう世の中を肯定しているのではなく、彼女は怒りをこめて、こうした世の中に抗議しているともいえる。それゆえに彼女の書く小説は読者の心を深くとらえ、多くの版を重ねるのではないのか。善が栄え、悪が滅ぶ勧善懲悪の小説ならば、その甘っちょろさに読者は背をむけるであろう。自殺に追いこまれる技術者鉄平、失脚させられて銀行から追い出される三雲頭取の悲運に、おそらく読者たちは自分自身の姿や運命をみるのではないのか。庶民の大部分は、成功者であるより挫折者《ざせっしゃ》であり、敗北者であり、弱者なのだから。すくなくとも善人であるために損をしたと、自分自身を考えたがっているのだ。私もまたその一人かもしれない。

山崎豊子の無類の取材力について、私は『白い巨塔』（小説全集）や『不毛地帯』論になんどか書いたので、ここにはくりかえさない。アンタッチャブルな聖域として人びとにはばかられている銀行、日本の産業ぜんたいを支配している銀行に対して、これまで誰も挑戦する者はいなかった。しかしここには銀行というモンスターの冷たい体質、預金獲得のためには泥田に入りこんで苗を植えるほどの努力をするが、中小企業の倒産に対しては冷酷きわまるビヘビアをもつ冷血動物、いんぎん無礼を絵にかいたような人びとの内実が実によくえがかれている。

ことに銀行合併の内幕に関する部分は圧巻である。娘婿やその親分の大蔵大臣の力を利用し、「小が大を呑《の》みこむ」ことを考えた万俵大介は、わが子の経営する阪神特殊鋼や大同銀行をペテンにかけ、大同銀行の三雲頭取反対派を懐柔し、最後には大蔵大臣とのコネを利用して、都市銀行第十位の阪神は第八位の大同を呑みこむのである。そのためわが子を自殺に追い込んでも、ほとんど動揺せず、自分のトリックにひっかかった三雲頭取の失脚も当然のこととみる冷血さである。ある意味では、彼こそ〝現代の英雄〟であるかもしれない。

しかし世の中には一枚上手の悪党もいるわけで、この合併をひそかに援助してきた大蔵大臣は、さらに阪神を上位の都市銀行に合併させる案を練っている。おそらく彼の資金源を豊かにするために。このくらいの大悪党でないと総理大臣の椅子《いす》は獲得できぬのかもしれない。


（昭和五十五年五月、評論家）

この作品は昭和四十八年四月新潮社より刊行された。

山崎豊子著
花紋
大正歌壇に彗星のごとく登場し、突如消息を断った幻の歌人、御室みやじ――苛酷な因襲に抗い宿命の恋に全てを賭けた半生を描く。

山崎豊子著
仮装集団
すぐれた企画力で大阪勤音を牛耳る流郷正之は、内部の政治的な傾斜に気づき、調査を開始した……綿密な調査と豊かな筆で描く長編。

山崎豊子著
ムッシュ・クラタ
フランスかぶれと見られていた新聞人が戦場で示したダンディな強靭さを描いた表題作など、鋭い人間観察に裏打ちされた中・短編集。

山崎豊子著
白い巨塔（一～五）
癌の検査・手術、泥沼の教授選、誤診裁判などを綿密にとらえ、尊厳であるべき医学界に渦巻く人間の欲望と打算を迫真の筆に描く。

山崎豊子著
不毛地帯（一～四）
シベリアの収容所で十一年間の強制労働に耐え、帰還後、商社マンとして熾烈な商戦に巻き込まれてゆく元大本営参謀・壹岐正の運命。

山崎豊子著
二つの祖国（上・中・下）
真珠湾、ヒロシマ、東京裁判――戦争の嵐に翻弄され、身を二つに裂かれながら、祖国を探し求めた日系移民一家の劇的運命を描く。

山崎豊子著
**沈まぬ太陽**
(一)アフリカ篇・上
(二)アフリカ篇・下

人命をあずかる航空会社に巣食う非情。その不条理に、勇気と良心をもって闘いを挑んだ男の運命。人間の真実を問う壮大なドラマ。

山崎豊子著
**沈まぬ太陽**
(三)御巣鷹山篇

ついに「その日」は訪れた――。520名の生命を奪った航空史上最大の墜落事故。遺族係となった恩地は想像を絶する悲劇に直面する。

山崎豊子著
**沈まぬ太陽**
(四)会長室篇・上
(五)会長室篇・下

恩地は再び立ち上がった。果して企業を蝕む闇の構図を暴くことはできるのか。勇気とは、良心とは何か。すべての日本人に問う完結篇。

柳田邦男著
**「死の医学」への序章**

精神科医・西川喜作のガンとの闘いの軌跡をたどりながら、末期患者に対する医療のあり方を考える。現代医学への示唆に満ちた提言。

柳田邦男著
**「死の医学」への日記**

医療は死にゆく人をどう支援し、人生の完成へと導くべきなのか？　身近な「生と死の物語」から終末期医療を探った感動的な記録。

柳田邦男著
**言葉の力、生きる力**

たまたま出会ったひとつの言葉が、魂を揺さぶり、絶望を希望に変えることがある――日本語が持つ豊饒さを呼び覚ますエッセイ集。

三浦綾子著
塩狩峠

大勢の乗客の命を救うため、雪の塩狩峠で自らの命を犠牲にした若き鉄道員の愛と信仰に貫かれた生涯を描き、人間存在の意味を問う。

三浦綾子著
道ありき
—青春編—

教員生活の挫折、病魔——絶望の底へ突き落とされた著者が、十三年の闘病の中で自己の青春の愛と信仰を赤裸々に告白した心の歴史。

三浦綾子著
泥流地帯

大正十五年五月、十勝岳大噴火。家も学校も恋も夢も、泥流が一気に押し流す。懸命に生きる兄弟を通して人生の試練とは何かを問う。

三浦綾子著
積木の箱
(上・下)

〈妻妾同居、こんなの家庭じゃない〉。傷つき反抗的になってゆく少年を何とか助けようとする教師。現在の教育・家庭問題を追求する。

三浦綾子著
天北原野
(上・下)

苛酷な北海道・樺太の大自然と、太平洋戦争を背景に、心に罪の十字架を背負った人間たちの、愛と憎しみを描き出す長編小説。

三浦綾子著
愛の鬼才
—西村久蔵の歩んだ道—

ここに真の教育者あり！ キリストの深い愛に支えられ、自らを捨て、人のために尽した偉大な教育者・伝道者の情熱の生涯を描く。

宮尾登美子著

櫂《かい》

太宰治賞受賞

渡世人あがりの剛直義侠の男・岩伍に嫁いだ喜和の、愛憎と忍従と秘めた情念。戦前高知の色街を背景に自らの生家を描く自伝的長編。

宮尾登美子著

春燈

土佐の高知で芸妓娼妓紹介業を営む家に生まれ、複雑な家庭事情のもと、多感な少女期を送る綾子。名作『櫂』に続く渾身の自伝小説。

宮尾登美子著

朱夏

まだ日本はあるのか……？　満州で迎えた敗戦。その苛酷無比の体験を熟成の筆で再現し、『櫂』『春燈』と連山をなす宮尾文学の最高峰。

宮尾登美子著

きのね（上・下）

夢み、涙し、耐え、祈る……。梨園の御曹司に仕える身となった娘の、献身と忍従。健気に、そして烈しく生きた、或る女の昭和史。

宮尾登美子著

寒椿

同じ芸妓屋で修業を積み、花柳界に身を投じた四人の娘。鉄火な稼業に果敢に挑んだ彼女達の運命を、愛惜をこめて描く傑作連作集。

宮尾登美子著

菊亭八百善の人びと

戦後まもなく江戸料理の老舗に嫁いだ汀子。店の再興を賭けて、消えゆく江戸の味を守ろうと奮闘する下町育ちの女性の心意気を描く。

# 華麗《かれい》なる一族《いちぞく》（下）

新潮文庫　や－5－14

昭和五十五年五月二十五日　発行
平成十五年八月十日　三十四刷改版
平成十九年一月三十日　五十二刷

著者　山《やま》崎《さき》豊《とよ》子《こ》

発行者　佐藤隆信

発行所　株式会社　新潮社

郵便番号　一六二―八七一一
東京都新宿区矢来町七一
電話　編集部(〇三)三二六六―五四四〇
　　　読者係(〇三)三二六六―五一一一
http://www.shinchosha.co.jp

価格はカバーに表示してあります。

乱丁・落丁本は、ご面倒ですが小社読者係宛ご送付ください。送料小社負担にてお取替えいたします。

印刷・大日本印刷株式会社　製本・加藤製本株式会社



ISBN978-4-10-110414-0 C0193